ФРИДРИХ НЕЗНАНСКИЙ

ФРИДРИХ
НЕЗНАНСКИЙ

ФРИДРИХ НЕЗНАНСКИЙ

ЧЕРНЫЙ ПИАР

ИЗДАТЕЛЬСТВО ОЛИМП

Москва 2003

УДК 821.161.1-312.4
ББК 84 (2Рос=Рус)6-44
Н44

Серия основана в 1998 году

Эта книга от начала и до конца придумана автором. Конечно, в ней использованы некоторые подлинные материалы как из собственной практики автора, бывшего российского следователя и адвоката, так и из практики других российских юристов. Однако события, место действия и персонажи, безусловно, вымышлены. Совпадения имен и названий с именами и названиями реально существующих лиц и мест могут быть только случайными.

Подписано в печать с готовых диапозитивов 24.01.03.
Формат 84×108^1/$_{32}$. Печать высокая с ФПФ.
Бумага типографская. Усл. печ. л. 17,64.
Тираж 20 000 экз. Заказ 443.

ISBN 5-17-018257-0 (ООО «Издательство АСТ»)
ISBN 5-7390-1208-2 (ООО «Агентство «КРПА «Олимп»)

© Copyright by Friedrich Neznansky, Germany, 2003
© ООО «Агентство «КРПА «Олимп». 2003
© ООО «Издательство АСТ», 2003

1

Адвокат московской юридической консультации номер десять Юрий Петрович Гордеев весьма приятно проводил время на работе. Вот уже около часа, или даже больше, он переписывался посредством Интернета с обаятельной, длинноногой, зеленоглазой блондинкой, как та себя сама зарекомендовала. Увлекательная беседа становилась все более и более страстной, собеседница проявляла сначала неподдельный интерес, потом и явное нетерпение, а когда возможность договориться о реальной встрече уже витала в воздухе, совершенно не вовремя зазвонил телефон на письменном столе адвоката. Гордеев с большой неохотой оторвался от монитора, поднял трубку и, еще не успев перестроиться с бесчисленных любезностей на деловой тон, промурлыкал в трубку:

— Гордеев. Слушаю вас.

— Юра, что это у тебя с голосом? — Звонил директор юрконсультации Генрих Розанов. — Простыл, что ли?

— Нет-нет, — Юрий откашлялся и заговорил обычным голосом: — Все в порядке, Генрих Афанасьевич. Наверное, это связь такая. Вы же знаете, какие у нас старые АТС...

— Наверное, — недоверчиво произнес Розанов. — Зайди ко мне, Юра. Тут есть дело для тебя.

— Ух ты! — внезапно воскликнул Гордеев в трубку. Разговаривая с Розановым, он не отрывался от монитора, а незнакомка прислала как раз чересчур пылкое послание, и Юрий не смог сдержать своих эмоций.

— Надо же, — сдержанно удивился Розанов. — Вот уж не думал, что известие о новой работе вызовет у тебя такой энтузиазм. Растешь, растешь, Юра...

— Простите, — мигом сориентировался Гордеев, — не смог сдержать чувств. Это действительно очень неожиданная, но приятная новость. Сейчас поднимусь.

Гордеев положил трубку, кратко отписал виртуальной собеседнице тоже что-то страстное и нежное и попросил выслать фотографию. Затем быстро навел порядок на столе, вернее сложил бесчисленные бумажки в одну неровную стопку, а папки — в другую, и быстро вышел из своего кабинета. Через минуту он уже стучал в дверь начальника.

— Заходи, заходи, — раздался голос Розанова из глубин кабинета.

— Здравствуйте! — воскликнул Юрий с порога.

— Привет. Садись. Хочешь кофе?

Повышенная любезность начальника не обещала ничего хорошего — это Гордеев усвоил давно. Обычно начальники очень ценят собственное хорошее отношение к подчиненным и расходуют его экономно — только в тех случаях, когда им самим что-то надо.

«Ничего не поделаешь, такова жизнь. Ну вот, сейчас Розанов опять поручит заниматься чьей-нибудь разбитой машиной или дележом имущества. За копейки», — пронеслось в голове у Гордеева.

— Да, кофейку было бы неплохо, — осторожно произнес он.

Розанов поднялся и нажал кнопку чайника.

«Ну вот. Он еще и кофе сам делает, — все более настороженно наблюдал за манипуляциями Розанова Гордеев. — Неужели все московские юридические конторы обязали заниматься благотворительностью и за «спасибо» защищать интересы городских бомжей? А Розанов наверняка хочет поручить мне именно такое ответственное дело!»

— Для чего вызывали, Генрих Афанасьевич? — наконец не выдержал Гордеев.

— Хочу поручить тебе один процесс, — ответил Розанов. — Дело несложное. Для тебя вообще как семечки. Возьмись, пожалуйста.

— Не могу, Генрих Афанасьевич, — подумав, сказал Гордеев.

— Как же так? — развел руками Розанов. — Только что радовался моему звонку, я бы даже сказал — ликовал, а тут вдруг отказываешься? Как это понимать?

— Я бы со всем желанием, — горячо запротестовал Гордеев, — но сами ведь знаете, у меня своих дел сейчас невпроворот.

— Правда? — поднял бровь Розанов.

— Да. Чистая правда. Подлинная, — проникновенно подтвердил Гордеев. — Я не могу браться за работу, если не уверен, что качественно ее выполню. А времени моего сейчас не хватит, чтобы уделять должное внимание всем клиентам.

— Красиво говоришь, — покачал головой Розанов. — Недаром ты в адвокаты пошел... — Он сделал многозначительную паузу, в упор глядя на Гордеева, и продолжил: — Только вот дел у тебя сейчас нет никаких. Я попросил Марину, она все проверила. Во вторник последнее заседание по Брумкину — и ты свободен, как стрекоза в полете.

— Интересно, а откуда Марина может знать о моих делах? — с вызовом поинтересовался Гордеев. — Я ей вроде не докладывался.

— Все оттуда же, — хитро подмигнул Розанов. — Всем известно, что у тебя с ней шуры-муры.

— Ну и что? Мы с ней о делах вообще не разговаривали.

— Не важно. От женщины ничего не скроешь. Она все мысли на лбу читает, — Розанов красноречиво провел пальцем по собственному лбу, — в том числе и те, что касаются работы. Не замечал?

— Замечал... — грустно подтвердил Гордеев.

— Ну вот, — с удовлетворением в голосе произнес Розанов. — Так что ты мне мозги не пудри, никаких таких особых дел у тебя нет. И в ближайшее время не предвидится.

«Тьфу, — подумал Гордеев, — это все я виноват, нечего было языком трепать. А Маринке я еще задам жару...»

— Да, но я ведь должен разобраться в бумагах, привести в порядок документы, — не собирался сдаваться Гордеев. — Проанализировать, сделать выводы...

— Какие бумаги? — отмахнулся Розанов. — Что ты мне тут рассказываешь? Ты же не в канцелярии работаешь, у тебя сроду никаких документов не было. Я что, по-твоему, не видел, как ты после каждого судебного процесса все бумажки смахиваешь со стола и выкидываешь в ближайшую урну?

Гордеев насупленно замолчал. Больше крыть было нечем.

— Да ладно тебе. Не грусти, — сжалился начальник. — Дело хорошее. Не бесплатное.

— Правда?

— Конечно! Причем клиент выгодный, деньги должен заплатить нормальные. Да и делов-то на неделю. Возьмись, а? Только я тебе еще стажера прикреплю, нужно одного способного молодого юриста попрактиковать. Будем вместе ковать юные кадры.

— Хорошо, — совсем уж опечалился Гордеев. — Только стажер-то мне зачем? Сами говорите: дело простое, быстрое. Польза от него стажеру какая?

— За стажера переживаешь? — усмехнулся Розанов. — Признайся уж честно, тебе просто возиться неохота.

— Признаюсь. Неохота, — вздохнул Юрий.

— Что-то ты, милый друг, невесел, что-то голову повесил. — Начальник откровенно веселился. От этого Гордеев злился еще больше.

— Что вы так радуетесь? — обиженно произнес он. — Очень мне нужно, можно подумать, валандаться с каким-то выпускником. Вы же сами знаете, они все из института приходят с мыслью, что Плевако по сравнению с ними — зеленый мальчишка.

— Я думаю, что, когда ты увидишь этого выпускника, ты будешь радоваться еще больше меня, — загадочно произнес Розанов.

— Это с чего бы мне так радоваться? — насторожился Гордеев.

— Увидишь, — неопределенно кивнув, ответил Розанов, — Иди пока к себе, а стажера я сейчас пришлю. Должен появиться с минуты на минуту. Как только познакомитесь — оба зайдите ко мне. Я вас свяжу с клиентом. Договорились?

— Договорились, — недовольно пробурчал Гордеев и понуро поплелся в свой кабинет.

Усевшись за свой стол, Юрий вдруг вспомнил о своей новой виртуальной знакомой и слегка ободрился. Он проверил содержание почтового ящика, принял новую корреспонденцию и приготовился ждать, предвкушая увидеть обворожительное девичье личико на присланной фотографии.

Письмо от нее действительно имелось, а в письме имелась фотография. Вскоре картинка загрузилась.

Гордеев глянул на экран и замер. С монитора на адвоката уставилась перезревшая девица со следами трехдневного запоя на лице. Вытравленные перекисью белые лохмы сосульками свисали на лоб. Из-под них смотрели будто затуманенные сильным транквилизатором мутные глаза цвета талого снега на обочине подмосковного шоссе. Девица сидела в кресле, положив ногу на ногу — мощные бедра, которые совсем не прикрывала коротенькая юбчонка, производили сильное впечатление. На тугом брюшке, обтянутом розовой кофточкой, явно обозначились жировые складки. Гордеев насчитал целых четыре. Картину довершали многочисленные разноцветные пластмассовые бабочки-заколки в прическе, несколько ярких браслетов на запястьях, связка цепочек и кулонов на шее и большие серьги в ушах в форме золотистых дельфинчиков.

Под фотографией была приписка: «Надеюсь, что понравилась тебе. Позвоню сегодня после пяти, котик. Целую».

— Боже мой! — Гордеева передернуло, как от удара электрическим током. Он совершенно забыл, что опрометчиво написал номер своего мобильного телефона, когда еще верил, что действительно общается со сногсшибательной красавицей блондинкой.

— Какой ужасный день! Меня, кажется, окончательно решили добить сегодня! — пробормотал он. — Ну, почему, интересно, все против меня? Неужели это наказание за того чайника, которого я так красиво подрезал сегодня утром?

Утром, добираясь на работу по перманентным московским пробкам, Гордеев действительно подрезал какого-то юношу мажорского вида на новеньком «вольво».

— Простите, я не слишком мешаю вам разговаривать самому с собой? — раздался сзади нежный девичий голос.

Гордеев резко повернулся в кресле и увидел стоящую в дверях девушку в длинном и очень дорогом с виду кожаном плаще.

Посетительница была необыкновенно хороша. Длинные густые волосы сверкающей волной спускались на плечи, тонкая талия была схвачена тонким кокетливым пояском, огромные блестящие глаза с длинными ресницами лукаво сверкали из-под слегка затемненных стекол очков в красивой и дорогой оправе. Особенно эффектное впечатление она производила после созерцания присланной фотографии...

Юрий резко встал, желая показаться галантным, сделал шаг вперед, поскользнулся на яблочном огрызке, который каких-то пятнадцать минут назад не долетел до урны, и растянулся на полу.

— Ну что же вы так неосторожно? Надеюсь, вы не ушиблись? — без тени улыбки на лице спросила девушка, нагнувшись над адвокатом.

Гордеев увидел нижний край ее кожаного плаща, полы которого распахнулись, а за ними открылся отличный вид на будто растущие прямо из-под подбородка красавицы бесконечные ноги.

— Нет-нет, все в порядке, — ответил смущенный Гордеев, все еще лежа на ковролине. — Просто вы так обворожительны, что я упал к вашим ногам.

— И к тому же вовремя подвернулся яблочный огрызок? — лукаво подмигнула красавица.

— Да! — подтвердил Гордеев.

— Вы вполне могли бы словами выразить свой восторг от моей красоты, и таких жертв вовсе не требовалось, — проворковала красотка. — Помочь вам подняться? Или вам и там хорошо?

— В общем-то неплохо, — сказал правду Гордеев.

Красотка улыбнулась и изящно протянула руку с длинными музыкальными пальцами:

— Поднимайтесь. Все-таки нехорошо вот так лежать на полу. К тому же не очень чистом.

— Нет, что вы, я справлюсь сам, — ответил Юрий и легко вскочил на ноги. — Присаживайтесь, пожалуйста.

Гордеев указал посетительнице на свое кресло, поскольку стул для посетителей был занят высоченной стопкой бумаг, которые дожидались своей очереди быть отправленными в урну, а сам устроился на широком подоконнике.

— Вы пришли поговорить со мной? — бодро спросил он.

— Если вы Гордеев Юрий Петрович, то именно с вами, — кивнула незнакомка.

— Я вас внимательно слушаю, — Гордеев изобразил огромный интерес на лице, а сам втихаря потирал ушибленный локоть, и мысли его были далеки от профессиональных вопросов. Когда девушка села в кресло, плащ снова распахнулся, и взору Гордеева опять предстали стройные ноги, только теперь в другом ракурсе, и он с трудом заставлял себя отвести от них взгляд.

— Вы действительно меня внимательно слушаете? — с усмешкой спросила посетительница, делая упор на слово «внимательно».

— Да-да, конечно. Внимательней некуда, — чуть смутился Гордеев. — По какому делу вы пришли?

— Меня зовут Лидия Ермолаева. Генрих Афанасьевич должен был предупредить вас о моем появлении.

— Честно говоря, не могу припомнить, — нахмурил лоб Гордеев. — По-моему, нет. Мы ведем ваше дело?

— Нет. Меня прислали к вам на стажировку. Розанов сказал, что вы высокопрофессиональный адвокат и будете моим чутким руководителем и наставником.

— На стажировку... — мысли в голове Гордеева начали проясняться. — Так, значит, вы и есть мой стажер?

— Видимо так. Ваш стажер, — кивнула она.

— Ну и ну!.. — изумился Гордеев. — Выпускница юрфака?!

— Она самая, — не понимая восторгов адвоката, удивленно ответила Лида.

— Действительно, я очень рад, — вспоминая разго-

13

вор с начальником, сказал Юрий. — Вы знаете, Генрих Афанасьевич лучший директор юридической консультации в мире.

— Вот как? Приятно слышать. Впрочем, как я уже сказала, он о вас отзывался так же лестно.

— Правда? И что же он говорил?

— Ну-у... Что вы очень опытный адвокат. И вообще хороший человек.

— Приятно... У нас в юрконсультации, знаете ли, принято делать друг другу комплименты, — улыбнулся Гордеев, — вам этой традиции тоже не избежать.

— О-о, — засмеялась красавица, — обожаю комплименты.

— Ну вот. Значит вы попали именно туда, куда надо!

— Прекрасно... Но давайте перейдем к работе. Розанов предупреждал меня о каком-то деле, которое поручено вам, а я должна оказать посильную помощь. Что это за дело?

— Сам пока не знаю, — пожал плечами Гордеев. — Он мне что-то говорил... Но только в общих чертах, я сам еще не введен в курс дела. Сейчас нам с вами, если не возражаете, следует подняться в кабинет Генриха Афанасьевича, и он нам все расскажет. Идем?

— Идем. Я могу оставить плащ у вас?

— Конечно! — Гордеев услужливо подхватил плащ, аккуратно повесил его на плечики и, осторожно придерживая дверь, пригласил ее следовать за ним.

Начальник встретил Юрия с ехидной улыбкой на лице.

— Ну что, Юрий Петрович, познакомился с коллегой? Будете работать, или подыскать для Лидии Андреевны другого наставника?

— Что вы, что вы, Генрих Афанасьевич, я с удовольствием помогу Лидии освоиться на нелегком адвокатском поприще, — запротестовал Гордеев.

— Надеюсь, не подкачаешь? У тебя есть педагогические таланты? — строго спросил Розанов.

— А как же? — не растерялся Гордеев. — И еще какие! Чувствую в себе просто талант Макаренко.

— Давно чувствуешь-то? Или только сейчас накатило? — усмехался Розанов.

— Да вот как-то внезапно и навеяло. Да так, что удержаться теперь не могу, — отвечал Гордеев. — Хочется прямо сейчас приступить к педагогической практике.

— Нет, ты уж, пожалуйста, удержись, чтобы никаких неожиданностей не возникло. А то голову оторву, — улыбался Розанов.

Лидия с трудом сдерживала смех, по ее глазам было понятно, что она уловила подтекст разговора, и это ее изрядно веселило.

— Ну ладно, присаживайтесь. Вот, знакомьтесь, это наш клиент — Зайцев Константин Павлович, — сказал Генрих Афанасьевич.

Из кресла, стоящего в углу, поднялся высокий худощавый человек в строгом деловом костюме и при галстуке. Коротко кивнув Лидии и пожав руку Гордееву, он снова опустился в кресло, предоставив Розанову рассказать суть его проблемы. Лида с Гордеевым тоже уселись за стол и приготовились слушать.

Розанов, как опытный юрист, начал повествование таким тоном, будто рассказывает какую-то очень увлекательную историю. Он сумел буквально за несколько секунд завладеть вниманием присутствующих и не отпускать его до завершения своей речи.

— Значит так. Константин Павлович — начальник уважаемой конторы. Председатель крупного жилищного кооператива. Занимается строительством новых современных жилых домов. К сожалению, фирма, с которой Константин Павлович работал много лет, в силу неизвестных для нас с вами причин ушла со строительного рынка, и господину Зайцеву ничего не оставалось, как, чтобы не сорвать сроки подрядов, весьма опрометчиво и поспешно заключить договор с другой компанией на постройку шестнадцатиэтажного дома.

— Предварительно не проверив надежность фирмы? — спросил Гордеев.

— К сожалению, именно так... — подтвердил Розанов, глядя на Зайцева.

Тот развел руками:

— Времени совсем не было. Сроки сильно поджимали. А у нас каждый день простоя — огромные траты. Вот и пришлось...

— Понятно, — кивнул Гордеев.

— Итак, — продолжил Розанов. — Квартиры в доме раскупились гораздо раньше завершения строительства. Приезжие рабочие, гастарбайтеры из Молдавии, не успевали за сроками и работали день и ночь, в три смены. Наконец были завершены последние работы, состоялась торжественная сдача объекта, сотни семей были оповещены о начале заселения. Казалось бы, все прекрасно. Да вот незадача, представьте себе, здание рухнуло на следующую ночь.

— Ничего себе! — изумилась Лида. — Что, вот так само и обрушилось?

— Ну не совсем так... — нахмурился Зайцев.

— Да-да, — торопливо уточнил Розанов. — Не совсем рухнуло. То есть стены и каркас дома остались, а вот внутренние перекрытия с десятого этажа по пятый сложились как карточный домик. Хорошо еще нижние этажи не пострадали...

— Кто-то погиб? — деловито поинтересовался Гордеев.

— На счастье, в тот момент в доме никого не было — строители уже покинули объект, а жильцы въехать еще не успели.

— Повезло, — заметила Лида.

— Да, но на Константина Павловича все равно подали в суд за халатность. Он утверждает, что в происшедшем виновата только строительная фирма. Ваше дело доказать в суде, что дело обстоит именно так. Справитесь?

— Уверен, что справятся, — уверенно сказал Зайцев. — Тем более что вы отрекомендовали Юлия Петровича...

— Юрия, — поправил Гордеев.

— Да, конечно, Юрия... Вы его отрекомендовали как одного из лучших адвокатов вашей конторы.

Гордеев польщенно заерзал на стуле, не забыв кинуть взгляд на девушку, чтобы узнать, какое действие произвели на нее слова клиента. Лицо Лиды, впрочем, оставалось абсолютно невозмутимым.

— Ну, это я погорячился... — выдержал паузу Розанов. — Лучший — это я.

Все непринужденно рассмеялись.

— Ну что ж, Константин Павлович, — Розанов поднялся со своего места. — Желаю вам удачи. Сейчас вы можете пройти с Юрием и Лидией и более подробно обговорить детали.

— Да-да, спасибо вам. До встречи. — Зайцев тоже встал и вышел из кабинета, за ним последовала Лидия. Последним выходил Гордеев. Обернувшись, чтобы закрыть за собой дверь, Юрий улыбнулся начальнику и показал поднятый вверх большой палец руки. Розанов в ответ погрозил кулаком:

— Ты смотри у меня! Первым делом самолеты, ну а девушки потом!

— А как же! Вы ведь меня знаете, Генрих Афанасьевич!

— Вот именно потому, что знаю, и опасаюсь!

— Вот и поговорили... — усмехнулся Гордеев и бросился догонять Лидию с Зайцевым.

В кабинете Гордеева выяснилось, что суд состоится буквально через день, и времени на подготовку осталось не более суток.

— Почему же вы так поздно обратились за помощью к адвокату? — недоумевала Лидия.

— Вы знаете, — отвечал Зайцев, — этот суд не самая большая проблема для меня на данном этапе жизни. Я занимался другими, более серьезными делами, поэтому вспомнил про это неприятное мероприятие совсем недавно. Но сразу обратился к Генриху Афанасьевичу, и он сказал мне, что назначит лучшего адвоката, который быстро решит эту проблему.

Самолюбие Гордеева вновь было обласкано, он расцветал на глазах. И пока Юрий разговаривал с клиентом, он чувствовал, что Лидия незаметно, но внимательно следила за ним. А ей действительно нравилась его уверенная манера держаться, разговаривать с людьми,

18

умение умело вести беседу, так что человек охотно рассказывал все интересующие их факты и детали. Кроме того, отметила Лида, Юрий достаточно хорош собой.

«Слишком хорош, чтобы быть просто коллегой», — подумалось вдруг ей.

Но она немедленно отогнала от себя эту мысль: пережитый не так давно разрыв с мужем и стремление полностью посвятить себя работе всеми силами сопротивлялись развитию каких-либо новых романтических отношений.

Когда беседа с клиентом была закончена и Зайцев, попрощавшись, ушел, Лида с Гордеевым остались одни. Юрий решил использовать удачный момент и сразу бросился в атаку.

— Ну что, будем работать? — обратился он к Лиде с самой сладчайшей из всех улыбок, которые имелись в его арсенале.

— Будем. Непременно будем, — отвечала Лида. Поддавшись обаянию Гордеева, она тоже мило улыбнулась...

— И что же вы думаете по поводу этого дела? С чего следует начать? — напустив на себя деловой вид, спросил Гордеев.

— Ну, я считаю, что прежде всего нужно собрать материалы, касающиеся деятельности этой строительной фирмы. Проследить историю ее прошлых объектов, не было ли подобных случаев в ее прежней практике...

— Да, конечно, — перебил ее Гордеев. — Вы абсолютно правы. Но не продолжить ли нам разговор в более уютной обстановке? Устал, знаете ли, за день от своего кабинета. Может, переместимся в одно симпатичное заведение неподалеку? Там, кстати, варят отличный кофе. И, может быть, перейдем на «ты»?

— Конечно. Надо подумать, — ответила Лида.

— Как соотнести ваши ответы друг с другом? Первый — на второй вопрос и, соответственно, второй на первый?

— Ага, сон про не сон и про не сон сон, — рассмеялась она.

— А зачем думать над предложением коллеги продолжить обсуждение вопроса в кафе? Разве в этом есть что-нибудь предосудительное? — упрямо продолжал Гордеев.

— Пожалуй, вы правы... — согласилась Лида.

— Ты прав, — поправил Юрий.

— Ну да. Ты прав. Можно и в кафе. Тем более что действительно очень хочется кофе.

— Отлично. Одеваемся и идем.

Тут зазвонил мобильный телефон Гордеева.

— Я слушаю, — произнес Юрий.

— Привет, котик, — раздался в трубке громкий женский голос. Достаточно громкий, для того чтобы сидящая неподалеку Лида могла слышать каждое слово. Юрию показалось, что в ее глазах промелькнуло легкое разочарование.

— Привет... — непонимающе ответил Гордеев.

— Надеюсь, ты узнал меня?

— Нет, — последовал ответ.

— Ну как же... — обиделся голос в трубке. — Мы ведь договорились сегодня днем, что встретимся. Я прислала тебе фотографию. Ты же Юрий?

— Нет-нет, — испуганно начал оправдываться Гордеев. — Я не Юрий. Вы ошиблись. Не туда попали.

— Как это не туда? Это же номер... — девушка назвала семь цифр гордеевского телефона.

— Да, но вам, вероятно, дали ошибочную информацию, здесь нет никакого Юрия. Хотите, моя жена вам это подтвердит? — Гордеев с мольбой во взгляде пихал трубку Лиде. Та, презрительно глядя на него, взяла телефон.

— Алло, с кем я разговариваю? — сказала она в трубку тоном уверенной в себе жены.

— Я — Света. А ты кто?

— А я — жена, — не моргнув глазом ответила Лида.

— Чья? — раздался резонный вопрос.

— Мужнина, — прозвучал не менее резонный ответ.

— Это не Юрий? — спросили в трубке после небольшой паузы, во время которой звонящая, видимо, обдумывала новую информацию.

— Нет, я точно не Юрий, — твердо ответила Лида.

— Я имею в виду, вашего мужа зовут Юрий?

— Нет.

— Он успешный адвокат?

— Нет, — повторила Лида, — моего мужа зовут Фрол, и он заправщик на бензоколонке. Если хотите, отдаю его в ваше полное распоряжение.

— Вот еще, — презрительно ответили в трубке. — Оставь своего бензинового Фрола при себе.

Тут же раздались короткие гудки.

— Спасибо, Лидочка, ты меня спасла от этой сумасшедшей. Ну что, теперь идем? — поинтересовался Гордеев.

— Не за что, Фрол, — насмешливо ответила Лида. — Но попьем кофе мы, пожалуй, в другой раз. Что-то расхотелось.

Лида сняла с вешалки плащ и вышла в коридор. Гордеев остался обескураженно стоять с пиджаком в руках посреди кабинета.

Следующий день прошел в напряженной работе. Юрий после недавнего конфуза оставил попытки перейти в фазу более близких отношений и целиком погрузился в дела. Лидия оказалась очень толковым напарником, помогала Гордееву советами и действиями. Она прекрасно знала судопроизводство и подготовила все нужные бумаги. К концу рабочего дня необходимые для суда материалы были готовы, четкая стратегия продумана, неопровержимые доказательства невиновности Зайцева собраны.

— Ну что ж, Лида, мы с тобой славно сегодня потрудились. Ты мне очень помогла, — благодарно сказал Гордеев, поставив последнюю точку в деле.

— С тобой очень приятно и интересно работать, — отозвалась любезностью на любезность она. — Мне нравится твой подход.

— Спасибо еще раз.

Они попрощались и отправились по домам.

На следующее утро в суде было немноголюдно. Слушание дела проходило практически в пустом зале. Сонная женщина в черной судейской мантии, не пытаясь скрывать скуки, охватившей ее, часто зевала, широко открывая рот. Обвинитель приводил массу каких-то фактов о составе бетона и других стройматериалов, давил на безответственность Зайцева и под конец потребовал для него уголовной ответственности.

Гордеев же не стал углубляться в технические детали, а просто привел несколько документов, которые указывали на то, что Зайцев выбрал фирму-однодневку совершенно случайно и вынужденно. Чем быстро убедил всех присутствующих в абсолютной невиновности своего клиента. Судья, которой надоело слушать экспертные заключения о марках бетона, обрадовалась такому скорому завершению процесса и, не сомневаясь, вынесла оправдательный приговор. В общем-то, и со стороны истца не были особенно недовольны, поскольку дом оказался застрахованным. Через пять минут зал опустел.

Зайцев еще долго тряс руку Гордеева, благодаря за удачный исход дела, попросил номер телефона «на всякий случай», попрощался и немедленно уехал. Лида с Юрием вернулись в контору. Розанов встретил их благодушно, продемонстрировал чек на крупную сумму — гонорар от Зайцева — и пригласил молодых людей отпраздновать это дело по завершении рабочего дня. Никто не возражал.

Ровно в шесть часов они собрались в кабинете начальника. Там уже был накрыт стол со всевозможными закусками и напитками — гонорар Зайцева позволял не скупиться. Розанов пригласил к застолью, произнес первый тост за сплоченную команду и пожелал Лиде поскорее влиться в нее. Гордеев тут же заметил, что Лиде это уже удалось. После первой рюмки хорошего коньяка застолье стало протекать менее официально. Через некоторое время Розанов заявил, что ему пора уходить, а Лида с Гордеевым, если хотят, еще могут продолжать веселиться в его отсутствие. Но она вдруг тоже почему-то засобиралась домой. Юрий вызвался проводить ее. Лида подумала, что для сохранения душевного равновесия ей следовало бы отказаться от этого предложения. Но от коньяка вдруг потеплело на душе, и ей действительно захотелось, чтобы Гордеев ее проводил.

Они вместе вышли на улицу, Юрий остановил такси, любезно распахнул дверь, пропуская Лиду вперед.

— Можно тебя спросить? — начал он уже в машине. — Меня давно мучает один вопрос.

— Спрашивай, раз мучает, — согласилась Лида.

— Почему ты согласилась работать у нас? — спросил Гордеев.

— То есть? — подняла бровь Лида.

— Ну, по твоему виду не скажешь, что ты нуждаешься в деньгах, и, судя по всему, тебя вряд ли может устроить тот гонорар, который полагается стажеру, — уточнил адвокат.

— Я работаю не за деньги, — пожала плечами Лида. — Мне действительно интересно. А моему материальному состоянию помогает бывший муж.

— Да, знаю, ты уже успела побывать замужем, — кивнул Гордеев.

— Официально я там еще и есть, хотя мы давно не живем вместе, — грустно произнесла Лида.

— И кто же твой муж?

— Он крупный бизнесмен, живет в Андреевске. Слышал про такой город?

— Да, конечно. Областной центр... Ты тоже оттуда?

— Родилась там, выросла. Хороший город, уютный.

— К сожалению, никогда не приходилось там бывать... И что же у вас не заладилось? — возвратился Юрий к теме неудачного Лидиного замужества.

— Да так... Неважно, — ответила она. — Не хочу об этом говорить.

— Извини, если полез не в свое дело, — сказал Гордеев, глядя на дорогу.

— Ничего, — великодушно простила его Лида. Но остаток пути они ехали молча.

Наконец машина остановилась возле длинного многоэтажного дома. Гордеев расплатился, помог Лиде выйти из автомобиля и повел ее к подъезду.

— Ну что ж, спасибо, что проводил, — сказала Лида, когда они подошли к двери.

— Да не за что, мне было приятно. Извини еще раз, если обидел.

— Ничуть, все в порядке, просто не люблю рассказывать про свою личную жизнь.

— Я тоже — кивнул Гордеев.

— Правда? — Глаза Лиды чуть затуманились.

— Да. Гораздо лучше думать о будущем, чем о прошлом, — сказал Гордеев, пристально глядя в глаза Лиды, — ну или о настоящем.

— Наверное, если бы ты любил рассказывать о своем прошлом, тебе много чего было бы вспомнить.

— Ну-у, — протянул Гордеев, — в общем, да...

— Так я и думала. — В глазах Лиды заиграли озорные искорки.

— Почему? — Гордеев сделал вид, что очень удивлен.

— А у тебя вид такой.

— Какой?

— Располагающий.

— К чему?

— К приключениям.

— М-да, — почесал затылок Гордеев, — сразу видно юриста, хоть и начинающего. Раскусывает человека за пять минут. У тебя большое будущее. Можешь работать следователем.

— Но это не свойство юриста, — покачала головой Лида. — Это свойство женщины.

— Тогда женщины — лучшие юристы, — совершенно серьезно, глядя ей в глаза, произнес Гордеев.

— А ты что, в этом сомневался?

— В общем, нет.

Они разом расхохотались. Потом замолкли.

— Ну что, будем прощаться? — нерешительно произнесла Лида.

— Будем, — кивнул Гордеев, хотя на самом деле прощаться совершенно не намеревался.

Он вдруг наклонился и нежно поцеловал Лиду в губы. Та, не пытаясь отстраниться, тоже ответила ему поцелуем. Потом они некоторое время постояли в молчании.

— Я, кажется, опять сделала глупость, — сказала наконец Лида, теребя конец пояса своего плаща.

— Напротив, ты поступила очень правильно. И я очень рад этому, — ободрил ее Гордеев.

— Серьезно? — с сомнением произнесла Лида.

— Даже слишком, — проникновенно сказал Гордеев.

— Ну ладно, мне, пожалуй, пора, — заметила Лида и начала набирать код домофона.

— И мне. — Гордеев зашагал к дороге. Потом вдруг обернулся и крикнул:

— Я очень-очень рад, что ты пришла к нам работать. Я позвоню завтра, можно?

Вместо ответа Лида, улыбнувшись, неопределенно махнула рукой и, как-то странно улыбаясь, посмотрела на Гордеева, который уже успел отойти.

— Слушай, — нерешительно сказал он, — а может

26

быть... у тебя найдется для меня чашечка кофе? Очень вдруг кофе захотелось.

— Кофе? — переспросила Лида.

— Ага... Именно кофе. Мы ведь с тобой так его и не попили.

— Ну что ж, кофе у меня найдется, — решительно сказала Лида, открывая дверь подъезда.

Однако отведать обещанный Лидой кофе Гордееву довелось только на следующее утро.

2

Яркое солнце, широким снопом бьющее из окна, разбудило Юрия Гордеева, он поморщился, потянулся, закутался в одеяло, перевернулся на другой бок и попытался снова уснуть. Потом снова перевернулся и сделал еще одну попытку. Но сон больше не приходил. Какое-то непонятное чувство беспокойства не давало ему вновь погрузиться в сон. Гордеев полежал в таком полусонном состоянии минут пять и все-таки поднялся.

Солнце смеялось и танцевало за окном, уличный гул вливался в комнату: щебетали птицы, заливались веселым хохотом мальчишки и девчонки, звонко гавкали собаки. Все радовались теплым весенне-летним денькам.

Гордееву стало тошно от этой всеобщей жизнерадостности, он что-то проворчал под нос, встал, по привычке соблюдая правило — всегда подниматься с правой ноги, — тут же выругался и на эту глупую примету, и на себя и побрел в ванную.

Он вовсе не был ворчливым, недовольным жизнью

пессимистом. Причина его беспокойства и плохого настроения заключалась в следующем: три дня назад куда-то пропала Лида. Причем пропала совершенно бесследно. Ни звонка, ни привета, как говорится.

Все три дня Гордеев непрерывно названивал ей то на сотовый телефон, то на домашний. Но сотовый находился «вне зоны действия сети», а на домашнем выводящий его из себя автоответчик вновь и вновь просил оставить сообщение после сигнала. И Гордеев оставлял. Но ни ответа, ни привета по-прежнему не было...

Гордеев уже начал себя ругать: «Ну какого черта я ей названиваю! Ясно же, что не хочет со мной разговаривать. И чего я как ненормальный! Это же самый обыкновенный женский способ отшить приставучего кавалера». Хотя после той запомнившейся ему (и, надеялся он, Лиде тоже) ночи их отношения были абсолютно безоблачными, кто знает, что этим бабам придет в голову в следующий момент? Да и Лида совсем не производила впечатление монашки. Наверняка у нее действительно еще кто-то был...

Но несмотря на все эти доводы, на душе у Гордеева было муторно. И он даже собирался съездить к ней домой.

«Ладно, если я ей надоел, понять можно. Но как человек вот так может наплевать на работу! Она же мой стажер. Это ее шанс выйти в свет, так сказать. А если скоро будет новое дело?!» — думал Гордеев.

Он пытался успокоить себя тем, что она ненадолго куда-нибудь уехала. В конце концов, у каждого человека своя жизнь, свои какие-то проблемы. Имеет же она право... Но, рассуждая дальше, он приходил к выводу, что не имеет. То есть, конечно, имеет право, но обязана была предупредить, сообщить что-либо. Она же все-таки адвокат (будущий), а не уборщица какая-нибудь с ненормированным рабочим днем. Кроме того, она его, Гордеева, стажер, и обязана предупреждать обо всех своих отлучках.

Рассуждая так и к тому же успев узнать Лиду как ответственного и умного человека, Гордеев опять начинал волноваться. «Что-то здесь не так, — думал он. — Она обязательно бы предупредила, если бы собралась куда-нибудь уехать, обязательно сообщила бы. И что за бредовое предположение, будто она специально не берет трубку, скрывается от меня?.. Какой смысл? Я веду себя как ревнивый идиот!»

К тому же Гордеев привык к тому, что его предчувствия и интуиция почти никогда не обманывают. А сейчас у него именно было плохое предчувствие. Поэтому его все это так раздражало.

Как бы там ни было, Гордеев решил не поднимать панику раньше времени. Он подумал, что нужно сначала еще раз съездить к Лиде домой, подождать какое-то время, поговорить с Розановым, все у него узнать, а уж если она за это время не появится и ничего не прояснится, тогда уж бить тревогу.

Так он и сделал. Сегодня у Гордеева почти не было дел, и он решил заняться поиском Лиды немедленно.

Подъехав на машине к ее дому, Гордеев столкнулся с небольшой проблемой: домофон. Он не знал кода. А к подъезду, как назло, никто не шел.

Со стороны Гордеев выглядел достаточно подозрительно. Он в раздумье стоял около Лидиного подъезда и грустным взглядом провожал проходивших мимо людей.

Сидящие на лавочках около дома старушки с явным неодобрением косились на него и даже начали о чем-то перешептываться.

Все же, чем стоять неизвестно сколько около входной двери, он решил попытать счастья и обратился к группке старушек:

— Простите, кто-нибудь из вас живет в этом подъезде?

— Ну я живу! — отозвалась бойкая старушонка с лицом сморщенным, как печеное яблоко.

— Вы не могли бы впустить меня в подъезд?.. — попросил Гордеев

— С какой это стати! Я вас не знаю, вы тут не живете! — безапелляционно ответила старушонка.

— Да, но мне нужно узнать, дома ли один мой очень хороший приятель, который живет в этом подъезде, — объяснил Гордеев.

— Позвоните в домофон и узнаете! — отрезала старушка.

— Дело в том, что я не помню номера ее квартиры. — Гордеев старался говорить спокойным голосом, хотя его терпение иссякало. — Расположение помню, а номер нет.

— А вы к кому? — с подозрением спросила другая старушка, в белой опрятной косынке и с добрым лицом.

— Я к Лидии Ермолаевой, — сказал Гордеев.

— Это на пятом этаже, что ли? — вмешалась первая.

— На четвертом, — поправил ее Гордеев.

— Да, верно, на четвертом. Но я все равно вам дверь не открою. Вдруг вы нам соврали? — упрямо произнесла первая старушка, угрожающе покосившись на вторую.

— Я не вру, — возразил Гордеев.

— Откуда мне знать, врете вы или нет? — с явным подозрением сказала старушка.

— Я адвокат, — применил последний аргумент Гордеев.

Старушки переглянулись:

— Покажите документы!

— В смысле паспорт? — уточнил Гордеев.

— Нет, там, где написано, что вы адвокат.

— Минутку. — Адвокат полез во внутренний карман пиджака, потом пошарил по остальным карманам, открыл сумку... Удостоверения Московской коллегии адвокатов не было.

Старушки с огромным интересом наблюдали за манипуляциями Гордеева.

— Я забыл удостоверение... — виновато потупившись, промямлил Гордеев.

— Где забыли? — насмешливо поинтересовались старушки.

— Не знаю... Дома, наверное, — автоматически ответил Гордеев, хотя никакого отчета им он давать вроде был не должен.

— Ну на нет и суда нет! — отрезала бойкая старушка. — Звоните в милицию, пусть они вас пропускают.

— В милицию ради того, чтобы попасть в подъезд? — опешил Гордеев.

— Да, — с откровенным уже подозрением глядя на него, сказала старушка, — заодно пусть вашу личность проверят!

— А личность зачем? — удивился Гордеев. — У вас в доме действует усиленный паспортный контроль?

— А вдруг вы нам бомбу подложить хотите? —

тоном, не терпящим возражений, отреагировала старушка.

— Если бы я хотел подложить бомбу, я бы давным-давно узнал код. И не светился бы сейчас перед вами, — резонно возразил Гордеев.

— Молодой человек, я сказала «нет!» Значит, нет! — отрезала бабка. Другая, которая была подобрее, предпочла не связываться со своей подругой, хотя Гордеев видел, что она была готова ему помочь.

Гордеев поразился добросовестности старушки, или как там это лучше назвать, и ему ничего не оставалось, как поплестись опять к подъезду.

На его счастье к дверям бежал какой-то мальчишка. Увидев у двери незнакомого мужчину, он растерялся, но не преминул поинтересоваться:

— Дядя, вы к кому?

— Ты открывай, открывай, мальчик, — нетерпеливо сказал Гордеев.

— Нет, я открывать не буду, — твердо сказал мальчик и даже заложил руки за спину, — я вас не знаю.

— А ты разве знаком со всеми, кто приходит в ваш подъезд? — спросил Гордеев.

— Нет. Но мне мама сказала, чтобы я не пускал в подъезд посторонних людей. Вы, может быть, грабитель, или террорист, или этот... как его... маникак! — сказал мальчишка.

«Еще один подозрительный! — со вздохом подумал Гордеев. — Вот время-то настало!»

— Я не грабитель, не террорист и не маньяк. Я адвокат, понимаешь? В суде работаю.

Мальчик покачал головой:

— Вдруг вы врете? У вас есть документ?

Гордеев вздохнул:

— Удостоверения при себе нет.

— Ну вот видите! — Мальчик скрестил руки на груди.

— И как же мне попасть внутрь?

— А к кому вы? — подумав, спросил мальчик.

— К Лидии Ермолаевой. Она со мной работает. Тоже адвокат, — сказал Гордеев.

— Это с четвертого этажа? Красивая такая?

— Да, она самая, — кивнул адвокат.

— А если вы врете? — повторил мальчик.

— А если я тебе денег дам? — Гордеев быстро терял терпение.

— Сколько? — загорелись глаза у мальчика.

— Пятьдесят рублей, — подумав, сказал Гордеев.

— Сто пятьдесят! — быстро поправил его мальчишка.

— Ты со мной еще и торгуешься? — сдвинул брови Гордеев.

— Сто пятьдесят! — невозмутимо повторил мальчик.

— Хорошо. — Гордеев вынул бумажник и отстегнул ребенку сто рублей.

Мальчишка задумчиво покрутил в руках купюру, вздохнул, сунул ее в карман и быстро набрал код. Дверь открылась, и Гордеев наконец-то очутился в Лидином подъезде.

Как и ожидалось, Лиды не было дома. Гордеев держал руку на кнопке звонка минут десять, пока из квартиры напротив не вышла соседка. Она выносила мусорное ведро. Подозрительно оглядев Гордеева с ног до головы, она немного постояла, уперев кулак свободной руки в талию, потом недовольно спросила:

— Вы к Лидии?

— Да, — ответил Гордеев, сняв палец с кнопки звонка.

— Неужели вы не видите, что никого нет дома? Раз не открывают... — недовольно произнесла соседка.

— Извините. — Гордееву стало неловко, в который уже раз сегодня...

Ведь и правда логично, если никто не открывает, значит, никого нет дома, чего зря звонить? Но он все никак не мог отойти от двери. Его не оставляло чувство беспокойства и дурацкое положение неведения.

Соседка уже выкинула мусор и возвратилась обратно. Теперь она еще злее смотрела на Гордеева, и тот понял, что ничего хорошего от нее ждать не приходится. Еще вызовет милицию! Тут все жильцы бдительные до ужаса...

— Простите... — обратился к ней Гордеев.

Она опять недовольно приподняла бровь.

— Скажите, вы Лидию давно видели?

«Черт! Как на допросе вышло», — подумал он про себя.

— А вы кто, собственно? — бесцеремонно поинтересовалась соседка.

«Ну какая тебе разница! Если скажу, что брат или муж, тебе легче станет?! Если такая подозрительная, просто не разговаривай со мной! Можно подумать, будь я вором или бандитом каким-нибудь, я бы ей так прямо в этом и признался! Однако если я скажу, что адвокат и Лида работает у меня, она тоже может потребовать удостоверение... А когда я его не покажу, насторожится». — Он набрался терпения, чтобы не хамить, и ответил:

— Понимаете, я ее брат двоюродный. Приехал в Москву по делам, скоро уезжать, хотел сестру навестить, а все никак застать не могу. Может, она уехала куда-нибудь, она вам не говорила?

«Вот черт! — продолжал про себя ругаться Гордеев. — Такие тетки просто заставляют врать! А если разобраться, чего я вру? Зачем? Разве я что-то криминальное делаю? Пропал человек, а я просто хочу ее найти!»

— Так это вы день назад приезжали, тоже все стояли, звонили... — пристально глядя на Гордеева, сказала соседка. — Я в глазок наблюдала.

Гордеев покачал головой.

— Нет, это был не я... — При этом у Гордеева знакомо засосало под ложечкой.

«Значит, я был прав. У нее кто-то есть еще. Правда, и он ее искал... Значит, у нее не я один, а как минимум двое!»

— Она мне ничего не говорила. Мы с ней мало общаемся. Только здороваемся иногда, — сказала соседка. — Да и видеть-то я ее не видела что-то давно, дня три уж, наверно. Уехала куда-нибудь...

«Неужели все это нельзя было сказать сразу!»

— Спасибо, — ответил Гордеев. — До свидания.

Через пять минут Юрий сидел в своей машине и размышлял: «Что-то тут не так. Все-таки не могла она просто взять и уехать ни с того ни с сего, не предупредив меня. Может, она что-нибудь Розанову сказала? Да нет, он бы мне наверняка сообщил. Но надо попытать счастья. Остается одно — ехать к Розанову, может, он мне что-то прояснит».

Подумав так, Гордеев завел машину и поехал в свою юридическую консультацию. А приехав, прямиком направился в кабинет Генриха Розанова.

— А, Гордеев! Проходи, садись, — как всегда добродушно обратился к нему Розанов, когда Гордеев вошел в кабинет. — Как дела? Как жизнь молодая?

Поздоровавшись за руку со своим начальником и усаживаясь на стул, Гордеев решил начать прямо с главного. Чего время-то тянуть!

— Генрих Афанасьевич, у нас чепэ, — серьезным тоном произнес он.

— Что такое? — поднял бровь Розанов.

— Лида пропала, — сказал Гордеев.

— То есть? — с недоумением глядя на него, спросил Розанов.

— Ну ее нигде нет, — объяснил Гордеев.

— Может, просто заболела? — предположил Розанов. — Ты ей домой звонил?

— Конечно, звонил! — сказал Гордеев. — Даже ездил. Дома ее нет. На телефонные звонки не отвечает. Она же не могла уехать куда-нибудь, не предупредив меня! У нас ведь совместная работа...

— Хм... — Розанов забарабанил пальцами по столу, — ...интересное кино...

— Она вам, случайно, ничего не говорила?

— Не говорила... — ответил Розанов. — А на мобильный звонил?

— Конечно, — отозвался Гордеев. — Глухо.

— Так... — Розанов помрачнел. — И давно ее нет?

— Три дня. Значит, вам она совсем ничего не говорила?

Розанов отрицательно покачал головой. По его лицу было заметно, как он обеспокоен и расстроен.

— Она бы ведь предупредила, если бы собиралась куда-то уезжать?..

— Ну конечно, предупредила бы! Она, мне кажется, очень ответственный человек.

— Вот и я думаю, что-то здесь не так...

— «Так», «не так»! — Розанов встал из-за стола и заходил по комнате. — А ведь это все ты!

— Что я? — не понял Гордеев.

— Она ведь твоя подопечная, твоя стажерка. — Розанов остановился рядом с Гордеевым и ткнул в него указательным пальцем.

— Ну и что? — развел руками Гордеев.

— А то! — строго объяснил Розанов. — Не уследил! Вот так доверяй тебе подрастающее поколение. А говорил: «У меня талант Макаренко»...

— Подождите, подождите, Генрих Афанасьевич! — запротестовал Гордеев. — Что значит — «не уследил»? Я же не сиделка, не нянечка в детском саду. Лида взрослый человек... Самостоятельный.

— Ты — учитель! — поднял указательный палец Розанов. — Ты — старший! А потом, я видел, между вами искорка пробежала...

Гордеев решил не углубляться в эту тему.

— Ну кто же мог знать, Генрих Афанасьевич! И потом, вы так говорите, будто случилось что-то непоправимо страшное. Мы еще ничего не знаем!

— Не знаю, страшное — не страшное, но что-то случилось, это точно, — твердо сказал Розанов. — Так просто она исчезнуть не могла.

Гордеев с опущенной головой сидел за столом и чувствовал себя провинившимся школьником в кабинете директора. «Ничего себе обвинения, — думал он. — Оказывается, это я еще во всем и виноват! Хорошенькое дельце!»

— Ну и что ты собираешься теперь делать? — строго спросил его Розанов.

— Найти ее, — ответил Гордеев, пожимая плечами. — Что я еще могу сделать?

— Как? Где искать будешь?

— Не знаю...

Розанов наконец перестал ходить по комнате, сел опять за стол и внимательно посмотрел на Гордеева.

— Ты бывший следователь, поэтому должен знать, — веско сказал он.

— Пока у меня нет ни одной версии, — грустно ответил Гордеев. — Может быть, вы мне что-нибудь расскажете о ней? Ну или о ее родственниках... Где искать? У кого спрашивать? Вы же ее как стажера ко мне направили. У вас, наверно, должны быть какие-нибудь данные о ней.

— Ну какие, какие данные? — по-стариковски проворчал Розанов. — Она — выпускница юрфака МГУ. А порекомендовал ее нам Кравцов, ее муж. Бывший уже, кажется. Крупный бизнесмен из Андреевска...

— Откуда? — переспросил Гордеев.

— Город такой есть. Андреевск. Знаешь?

— Ага... Областной центр.

— Точно. Так вот, Кравцов Сергей Сергеевич — молодой преуспевающий бизнесмен... — продолжал Розанов.

— Может быть, она уехала именно туда, в свой Андреевск? — предположил Гордеев.

— Весьма возможно, — согласился Розанов. — Во всяком случае, поиск я бы на твоем месте начал именно оттуда.

Но тут у Гордеева зазвонил сотовый телефон. Он

вскочил, будто его ударило разрядом тока. У него в мыслях было одно — Лида!

— Да, я слушаю, — почти закричал в трубку Гордеев.

— Юрий Петрович? Добрый день, — раздался спокойный размеренный баритон. — Это вас Константин Павлович беспокоит. Зайцев. Ваш бывший подзащитный, — добавил голос.

— А-а, Константин Павлович, здравствуйте, — разочарованно отозвался Гордеев.

Розанов недовольно махнул рукой, сел в кресло и уткнулся в какой-то документ.

— Извините, я сейчас, — тихонько сказал Гордеев Розанову и вышел из кабинета. — Как поживаете, Константин Павлович?

— Спасибо, хорошо... Ну я сразу к делу перейду, — продолжал голос в трубке. — Не хотите ли взяться еще за одну работу? Да, есть еще одно дело.

— Как, опять вас защищать? Снова дом обвалился? — пошутил Гордеев.

— Нет, к счастью, все дома стоят... Защищать надо не меня, — засмеялся голос.

— А кого?

— На сей раз моего брата.

— Криминальная у вас, однако, семейка, — пошутил Гордеев.

— Да уж, это точно... Но уверяю, как в прошлый раз в случае со мной, так и теперь, мой брат совершенно невиновен. Возьметесь?

— Смотря какое дело. Расскажите вкратце.

— Видите ли, мой брат баллотируется в губернаторы Андреевской области. А его соперники, так сказать, пытаются от него избавиться.

— Как это «избавиться»? — поинтересовался Гордеев.

— Ну, удалить его из предвыборной гонки. Навешали на него всех собак... Оклеветали. Короче говоря, нам с вами надо будет встретиться, и я вам все подробно расскажу.

— Нет, вы знаете, наверно, ничего не получится... — подумав, ответил Гордеев.

— Но почему? У вас сейчас много неотложных дел?

— Нет... Но, знаете ли... — протянул Гордеев.

— Что же тогда? — перебил его Зайцев.

Гордеев почувствовал в его голосе металлические начальственные нотки.

— Дело в том, что самые ненавистные для меня дела — это дела подобного рода, — признался Гордеев.

— Почему? — спросил Зайцев.

— Скажу вам честно, потому что, по моему мнению, политика — это одна сплошная грязь, — объяснил Гордеев.

— Ну-у... — протянул Зайцев, — на самом деле это далеко не так. Есть чистая политика. И чистые политики.

— И один из них, конечно, ваш брат? — спросил Гордеев.

— Да, — уверенно ответил Зайцев, не почувствовав иронии. — И для того, чтобы политика не воспринималась как нечто грязное и бесчестное, ну... вот как вы сейчас о ней сказали, надо сделать так, чтобы честных политиков было как можно больше. А для этого надо помочь моему брату.

— Вы знаете, у меня уже не раз был такой опыт работы, — сказал Гордеев со вздохом. — **Я знаю, на вы-**

борах все подсиживают друг друга, пытаются друг друга убрать... И большей частью все это надумано, сфабриковано!..

— Вот именно, — подтвердил Зайцев.

— ...И на самом деле не разберешь, кто прав, а кто виноват, потому что этим занимаются абсолютно все.

— Но мой брат честный политик! — возразил Зайцев.

— Дай-то Бог... — без энтузиазма ответил Гордеев. — Но в конце концов обнаруживается столько грязных делишек, и у подзащитных, и у их соперников, что где правда, где ложь, уже не понятно. Поймите, я ни в чем не хочу обвинять вашего брата, но я просто ненавижу дела подобного рода. Мне противно в них копаться.

— Вообще-то, на то вы и адвокат, чтобы копаться в разных неприятных делах, — прозвучал в трубке довольно веский ответ.

— Да, но каждый адвокат волен выбирать себе то дело, которое ему по душе, с которым он в силах совладать, — не менее веско ответил Гордеев.

— Есть много дел, которые нам не по душе, — возразил Зайцев, — однако и их тоже надо как-то решать.

— Константин Павлович, милый, поймите, я не из собственной прихоти отказываюсь, я действительно ненавижу такие дела и не уверен, что смогу выручить вашего брата.

— А если я попрошу вас... То есть я и так прошу вас. Но прошу вас как друга. Помогите.

— Константин Павлович!.. — взмолился Гордеев.

— Ну что же вы, Юрий Петрович!

— Я не отказываюсь помогать вашему брату. Но сама эта атмосфера! Я ненавижу политические игры...

Вот если у вас возникнет еще какая-нибудь проблема со строительством, милости прошу.

— Тогда посоветуйте, к кому мне обратиться. Порекомендуйте мне какого-нибудь хорошего, — он особенно выделил это слово — «хорошего», — адвоката, которому было бы не противно в этом участвовать. И который принес бы конкретную пользу. А то, знаете, город у нас хоть и не такой маленький, но все же не Москва, и если сейчас не восстановить доброе имя, то...

— Черт! — вдруг выругался Гордеев.

— Что? — переспросил Зайцев. — Знаете хороших адвокатов, которые бы согласились?

С минуту помолчав, Гордеев вдруг встрепенулся:

— Как вы сказали город, то есть область, называется?

— Андреевск. Андреевская область.

— Хорошо... Да, хорошо, — задумчиво проговорил Гордеев.

— Что «хорошо»? — поинтересовался Зайцев.

— Пожалуй... — Гордеев подумал несколько секунд, а затем решительно заявил: — Я берусь за это дело.

— Вы это серьезно? — осторожно переспросил Зайцев.

— Куда уж серьезней, — твердо сказал Гордеев.

— Хм... Интересно, все адвокаты такие? — хохотнул Зайцев.

— Какие?

— Ну... Быстро меняющие свое мнение.

— Не знаю. Но я именно такой, — как ни в чем не бывало ответил Гордеев.

— Ну ладно, — заключил Зайцев. — Спасибо, Юрий Петрович! Выручили.

— Ну пока еще не выручил...

— Но я уверен, что ваша помощь будет действенной.

— Когда и где мы с вами встретимся?

— Это дело очень серьезное, поэтому, я думаю, на нейтральной территории не стоит встречаться, лучше я приеду к вам в контору. Скажем, завтра. Договорились?

— Договорились, — вздохнул Гордеев.

Когда он вернулся в кабинет Розанова и тот вопросительно посмотрел на него, первыми словами Гордеева были:

— Ну, Генрих Афанасьевич, вот я и отправляюсь в Андреевск.

— Это еще зачем? — недовольно поморщился Розанов.

— По делу Зайцева.

— Ты же его уже вроде завершил.

— Оказывается, у Зайцева есть брат, который тоже нуждается в адвокатской поддержке. И, кроме того, я надеюсь найти там Лиду.

3

Гордеев с утра пребывал в дурном настроении. Пропажа Лиды не давала ему покоя. Больше всего изводила неизвестность. Если бы Юрий знал, что она сбежала именно от него, то переживал бы, конечно, но все-таки смирился. Если бы подозревал, что Лиде угрожает какая-то опасность, то бросил бы все свои силы ей на помощь. Если бы, в конце концов, они бы поругались и после этого Лида исчезла, то Гордееву вообще не пришло бы в голову переживать. Но в руках адвоката не было ни одной ниточки. Ни единой, способной привести к ответу, куда подевалась Лида. Оставалось только ждать случая. Какого? Гордеев и сам не знал этого. Единственное, что он сейчас мог предпринять, — это поехать в Андреевск. Но и там шанс найти Лиду мог появиться только случайно...

Еще с самого раннего детства Юрий верил в счастливый случай, верил, что он дается каждому, главное — вовремя схватить удачу за хвост. Но вот так сидеть и ждать в полном бездействии было совершенно невыносимо. Гордеев буквально не находил себе места, не мог заниматься делами, сосредоточиться. Он постоянно прокручивал в голове бесконечные варианты возможных причин исчезновения Лиды, включая самые фантастические. Самое главное, что это не приносило ни малейшей пользы...

Когда на следующий день в дверь кабинета постучали, Юрий рассеянно отозвался, и тут же в кабинет просунулась голова Зайцева. Гордеев вопросительно уставился на него.

— Добрый день, — сказал Зайцев. — Можно к вам?

— Да, конечно, проходите, — спохватился Юрий. Он только сейчас вспомнил про то, что вчера договаривался с Зайцевым о встрече.

— Я не вовремя? — спросил визитер, заметив растерянность хозяина кабинета.

— Нет, все в порядке. Я внимательно вас выслушаю. Вы, насколько мне помнится, хотели поговорить о деле своего брата.

— Да, все правильно, — кивнул Зайцев, заходя в кабинет.

— Присаживайтесь, — показал Гордеев на стул для посетителей. На этот раз он был свободен — вчера Гордеев выбросил все ненужные бумаги в урну.

— Но должен предупредить вас, что дело запутанное, — сказал Зайцев, усаживаясь. — Но я все-таки очень вас прошу взяться за него.

— Постараюсь сделать все, что в моих силах.

— Кстати, насчет гонорара не беспокойтесь. Ваши усилия будут достойно вознаграждены.

— Это радует, — улыбнулся Гордеев. — Видимо, мой гонорар будет выплачен из предвыборного фонда вашего брата?

— Нет, — ничуть не смутившись, ответил Зайцев, — из личных сбережений.

— Ну хорошо... Изложите сначала суть вопроса, будьте добры, — едва заметно раздражаясь, перебил его Гордеев.

— Конечно, простите... Итак... — Зайцев нервничал и никак не мог начать свой рассказ.

Гордеев попытался помочь ему:

— Итак, у вас есть брат...

— Да-да, — подхватил Зайцев. — Брат. Евгений. Женя. Он совершенно необыкновенный человек. Это не просто красивые слова, каждый, кто был знаком с ним, может это подтвердить. Я уверен, что, если бы вы знали его, сказали бы то же самое.

— Ну, — вставил Гордеев, — думаю, у нас будет шанс познакомиться. И чем же он так необыкновенен?

— Понимаете, у него с детства было повышенное чувство справедливости и стремление помогать всем обиженным. К нам все мальчишки из двора ходили за советами и помощью, Женька никому не отказывал. Он был кем-то типа третейского судьи. Споры разрешал. Совсем еще ребенком был, а все равно всех внимательно выслушивал, все взвешивал, решал так, чтобы все по совести было. И авторитетом всегда пользовался непререкаемым.

«Какая идиллическая картина, — подумал Гордеев, — прямо Робин Гуд, Гаврош и Дон Кихот в одном лице. Интересно, это все отражено в предвыборной агитации?»

— ... И мы с ним очень дружны были, — продолжал Зайцев. — Знаете, как иногда бывает, растут двое мальчишек в одной семье и возникает ревность какая-то, или зависть, или несправедливость. Так вот у нас, поклясться могу, никогда такого не было, за всю жизнь ни разу. Мы, наоборот, всегда друг за друга горой стояли, перед родителями оправдывали, от учителей защищали. И всегда вместе ходили. Он гулять — и я за ним, я в библиотеку — и он туда же. Не могли надолго разлучаться, сразу же скучать начинали. А если случалось такое, то при встрече наговориться не могли. Редко такое между братьями бывает, а у нас вот так повелось. Нас даже сиамскими близнецами называли. И хотя он старше меня был, правда не намного, у нас все равно были общие занятия, друзья. Никогда такого не случалось, чтобы кто-то прикрикнул на меня: мол, иди отсюда, малявка, здесь взрослые собрались. Так и росли бок о бок. Откровенно могу сказать, что Женька для меня самый родной на свете человек, даже ближе родителей.

В старших классах интересы наши разошлись, я имею в виду то, что касается академических дисциплин. Меня к военному делу никогда не тянуло, я больше был к точным наукам склонен. Математикой увлекался серьезно, даже на курсы ходил. А Женька тот с детства грезил об армии. Но не так, как большинство мальчишек — им бы только пострелять, брат к этому очень серьезно относился, книги изучал. Учебники для военных ВУЗов по тактике, стратегии откуда-то притаскивал, читал взахлеб. Суворова наизусть цитировал. Представляете, даже когда художественную литературу читал, «Полтаву», например, или «Войну и мир», графики какие-то чертил, схемы, планы, линии обороны обозначал, еще черт знает что, я-то в этом деле ничего не понимаю. Поэтому не удивительно, что он без труда поступил в общевойсковое училище, а потом и в военную академию. Там экзаменаторы только диву давались, когда он отвечал. Радовался Женька — не описать. Стыдно признаться, но мы тогда с ним первый раз в жизни напились по-взрослому. Ох, влетело же от родителей тогда! Пришли домой еле живые. Нет, ну действительно первый раз в жизни я тогда водку попробовал.

И Женька тоже. Он сказал тогда: «Я в институт поступил, взрослый человек уже, имею право отпраздновать по-человечески». И пошли мы с ним в грязнющую забегаловку рядом с вокзалом, в которой собирались все оборванцы города. Вонь там всегда была невыносимая, горелым луком несло и капустой прокисшей. Дым стоял от сигарет — хоть топор вешай. И вот зашли мы в это заведение, сели так солидно за стол, официантку ждем. Подошла толстенная тетка, по пятнам на ее фартуке можно было рассказать, что заказывали в этом кафе в течение двух последних месяцев. Женька заказывает, а я дрожу от страха, что нас сейчас прогонят к чертовой матери или, что гораздо хуже, в милицию позвонят или родителям. Мне тогда казалось почему-то, что милиция только и ждет повода, как бы подловить меня на каком-нибудь неблаговидном поступке. Пока я дрожал, брат заказал графин водки и тарелку винегрета, на более обильную закуску денег не хватило. И как-то мы лихо опорожнили этот графин, минут за тридцать. Еще бахвалились, что хмель не забирает. Как из забегаловки вышли, еще помню, а вот как домой добирались — для меня до сих пор тайна. Следующее, что помню, — очнулся дома под раковиной, а надо мной стоит мама и испуганно отца зовет. Не поняла она, что со мной, думала, плохо стало. Подошел отец, наклонился, понюхал и говорит спокойно: «Да он же пьяный, надо спать уложить». (Женька-то умудрился до кровати сам доползти.) Вот, а на следующий день нам всыпали по первое число. А брат меня еще выгораживать пытался, говорил, что один виноват, меня споил. Больше мы такого не повторяли. То есть Женька вообще не пил практически потом. А мой следующий раз случился только лет через десять, у друга на свадьбе.

Учеба у Женьки хорошо шла, он еще и мне по институту помогать умудрялся, закончил академию с красным дипломом. И отправили его сразу на Дальний Восток служить. С тех пор мы видеться редко стали. Приезжал он на побывку на несколько дней — и снова в часть. Да и помотался по свету немало. И на Дальний Восток, и в Казахстан, и на границу с Монголией — куда только ни закидывало его. Но надо сказать, ни разу не слышал я, чтобы он пожаловался. Одни то и дело ноют: регион опасный, климат плохой, население дикое, все не нравится, все ужасно. А Женька с каждого нового места назначения такие письма восторженные писал. Я ими, как книгами, зачитывался, оторваться не мог. Да что уж говорить — две войны прошел: в Афгане оттарабанил от звонка до звонка, три ранения, и каждый раз из госпиталя — снова в строй. А ведь командиром был, мог бы за спинами солдат спрятаться, в штабе отсидеться... Женька же всегда в самое пекло лез, под пулями ходил, как под дождем. Скольким ребятам жизнь спас — и не сосчитать. Не успел от Афганистана в себя прийти — через несколько лет Чечня грянула. И он опять туда. Причем по собственной воле. Но не потому, что людей убивать захотелось. Он знаете что говорил? Говорил, мол, ребят жалко, кругом их обложили — и свои, и чужие, причем непонятно еще, кто больше давит. Поэтому, говорил, когда им тяжело, хоть кто-то рядом должен быть, кто поддержать может, помочь. А бойцы его любили как! Описать не могу. До сих пор письма шлют со всех концов света. Благодарят, говорят, что Женька многое в их жизни к лучшему поменял, многому научил. И в Чечне он еще одно ранение заработал, но тогда уже комиссовали, несмотря на протесты его и сопротивление. Практически силой домой отправили. Переживал он страшно...

Тут Зайцев прервался и взглянул на Гордеева, как бы оценивая, насколько внимательно тот слушает.

Гордеев уже длительное время сидел в одной позе не двигаясь, не перебивая рассказчика, не отводя взгляда от блестящей поверхности стола. Со стороны могло даже показаться, что Юрий уже давно витает где-то далеко, но на самом деле он улавливал каждое слово, обращал внимание на малейшие изменения в интонациях Зайцева, от него не ускользнула ни одна деталь из рассказа посетителя.

— Что же вы замолчали? Продолжайте, пожалуйста, — будто очнувшись от оцепенения, попросил Гордеев.

— Да я просто задумался, как бы вам объяснить, для чего я все это рассказываю. Я хочу, чтобы вы поняли, что я не просто так все это начал. Нужно, чтобы вы очень точно уяснили для себя, что за человек мой Женя. Может быть, вам кажется, что я очень много лишнего всего говорю, но вы поймите, для меня это очень важно.

— Не оправдывайтесь, — мягко произнес Гордеев. — Я весь внимание. В нашем деле не бывает ничего лишнего, любая мелочь может иметь огромные последствия и объяснять разные загадочные, не связанные друг с другом на первый взгляд события.

Юрий вновь застыл в смиренной позе, устремив взгляд в пространство, как будто рассматривал что-то важное, но видимое только ему одному. Зайцев уже, кажется, привык к такой манере адвоката слушать и продолжил:

— Вернулся брат домой в чине генерал-майора. Все думали, что сейчас наконец начнется у него спокойная жизнь. А он, не дав себе даже месяца отдохнуть, взялся за нелегкие дела. Организовал в Андреевске общество помощи военнослужащим, вернувшимся с войны, он-то лучше других знал, как это необходимо. Затем создал фонд, в который поступали деньги для нуждающихся. Добился открытия реабилитационного центра для ребят, покалеченных войной. Вы слышали про Андреевск?

— Слышал, слышал. Да вот и совсем недавно про

него вспоминал, — ответил Юрий, но что-то внутри его подало знак, что, может быть, это и есть тот самый счастливый случай.

— Знаете, обычно, когда человек за такие дела берется, тут же появляются разговоры о том, кто сколько наворовал, — рассказывал дальше Зайцев. — А у Женьки такая репутация была, что ни один злой язык не повернулся про него что-то недоброе сказать. Серьезно. Я, например, ни разу не слышал. Хотя в наше время ни одно предприятие без этого не обходится. Ему же все безоговорочно верили. На открытие центра высокие чины из Москвы приезжали, брату руки жали, восхищение свое высказывали. И всем бы был Женька доволен, если бы не тот беспредел, что в городе нашем творится. Вся администрация города и области прогнила насквозь, все чиновники — взяточники и воры. Андреевск до полного обнищания дошел, школы на глазах рушатся, ни одного кинотеатра действующего не осталось, ни одного стадиона. Только кабаков всюду понастроили, в городе народу столько нет, сколько этих притонов развелось. А мы ведь в Андреевске родились. Я-то в Москву потом перебрался, а брат не захотел, хотя возможностей достаточно было. Я, говорит, еще в своем родном городе не все сделал, чтобы в чужой ехать. Вот и пришла ему в голову шальная мысль — баллотироваться в губернаторы. Как раз и выборы приближаются. Я пытался его от этого безумия отговорить, как будто чувствовал, что произойдет что-то. А он сказал: «Интересная штука получается: все хотят жить хорошо, в чистом, уютном, спокойном городе. Где царит порядок и закон. Все хотят ругать правительство и власть, потому как те поступают неправильно. Но почему-то никто не хочет предпринять хоть какие-то реальные попытки, чтобы что-то изменить. Кто-то же должен, в конце концов, порядок навести?»

Я его спросил: «Но почему именно ты? Что ты один сможешь сделать? Даже если у тебя все получится, станешь ты губернатором, все остальные-то останутся. И как был бардак, так бардак и будет. Один честный чиновник ничего не изменит». А он упрямый до жути: «Почему, — говорит, — один? Это сначала, а потом увидят люди, что по-другому жить можно, и за мной потянутся». До сих пор не перестаю удивляться, насколько же он наивный! За полтинник мужику давно, а вот, поди ж ты, верит в светлые идеалы. Он ведь действительно был уверен, что может один все изменить.

Зайцев снова замолчал, как бы собираясь с силами перед продолжением рассказа.

— Хотите чаю? — предложил Гордеев.

— Не откажусь, спасибо. А где ваша помощница? Такая девушка симпатичная. Лида, кажется? — спросил вдруг Зайцев.

— Лида... Лиды несколько дней не будет, — замялся Юрий, наливая кипяток в большие темно-синие кружки и доставая два чайных пакетика из небольшой картонной коробки.

— Приболела, наверное? Жаль. Очень милая девушка. Передавайте от меня привет, пусть выздоравливает, — сказал Зайцев.

— Скажите, — спросил Гордеев, ставя кружку с чаем перед Зайцевым, — а вы последнее время часто бывали в Андреевске?

— Не сказать чтобы часто, но когда время свободное выдавалось, всегда старался вырваться. Брата навестить, родственников. Друзья у меня там остались, — охотно ответил Зайцев.

— Наверное, многих там знаете?

— Да, многих, — кивнул Зайцев. — Я ведь в память о молодости, проведенной в городе, много там со строительством помогал, заодно и с людьми знакомился. Так что связи не прервались...

— Угу, понятно, — пробормотал Гордеев и добавил чуть громче: — Что же было дальше?

Зайцев сделал большой глоток чая и снова заговорил:

— Девятого мая в городе были большие празднества. Сначала, как водится, парад на главной площади, цветы, подарки. А потом верхушка сделала театральный жест — организовали встречу с ветеранами и журналистами. Это для того, чтобы вторые смогли запечатлеть, как городская власть заботится о ветеранах. Ну и брата пригласили тоже, потому что в городе его знают, любят и уважают, и обойтись без боевого генерала, да еще и перед прессой, не могли. Женька всю эту компанию во главе с мэром и Ершовым, губернатором, терпеть не может, но из уважения к старикам согласился, не мог не поздравить. Короче говоря, поулыбались в камеры, вручили старикам ценные подарки, пообещали в считанные дни улучшить, увеличить, повысить и на этом торжественное мероприятие закончилось. Ветераны разбрелись по своих халупам, а вся эта воронья стая отправилась продолжать банкет за город, на шашлыки. Женьку, кстати, тоже звали, но он отказался. А на следующий день к нему домой ворвалась милиция, брата скрутили, надели наручники и кинули в каталажку. Он сидел там трое суток, не имея возможности сообщить кому-нибудь о том, что случилось, и даже не зная, в чем его обвиняют. А потом объявили на весь город, что Зайцев Евгений Павлович — боевой генерал и кристальной чистоты человек — застрелил маленькую девочку. Женька, как узнал об этом, так чуть с инфарктом не слег.

Оказывается, произошло вот что: как я уже говорил, праздник продолжился за городом, рядом с чьей-то дачей. И там была убита маленькая девочка, лет восьми-девяти, Соня Маковская. Убита выстрелом в голову.

Гордеева передернуло от вставшей перед глазами картинки.

— Я вас понимаю, не каждое сердце выдержит, — сочувственно кивнул Зайцев. — Не могу, конечно, восстановить точную картину событий, но позвольте мне предположить. Шайка-лейка упилась в течение получаса, и отдыхающие решили пострелять. У Ершова, кстати, это любимое развлечение. У него в кабинете даже электронный мини-тир оборудован. И вот в этот злополучный момент неподалеку оказалась эта несчастная девочка. Наверное, то была шальная пуля, вылетевшая из оружия, принадлежащего кому-то из этих сволочей...

Конечно, разразился огромный скандал, весь город был поднят на ноги, об этом случае только и разговоров было. Но дело попытались свернуть. Придумали такую откровенную глупость! Будто бы девочка покончила жизнь самоубийством. Вы можете себе это представить? Восьмилетний ребенок берет боевое оружие и хладнокровно стреляет себе в голову? Абсурд! Но, слава богу, нашелся один честный эксперт, который категорически эту версию отмел. Я не специалист, боюсь, что не смогу внятно объяснить, но на коже Сони отсутствовали следы пороха, как должно было бы быть при самоубийстве, и это значит, что стреляли с приличного расстояния. Как только стало известно, что девочка была убита, явились за моим братом. Но он здесь ни при чем! Могу голову дать на отсечение. Его же там вообще не было. Алиби, правда, у него отсутствует. А другая сторона уже разыскала свидетелей, которые показали, что Женя якобы напился до звериного состояния, стал агрессивным, бросался на людей, схватил оружие, начал стрелять куда ни попадя и случайно попал в ребенка. Но дело в том, что Женька после последнего ранения вообще пить не может, тут же голова начинает болеть так, что он кричит криком, хотя четыре ранения перенес и ни разу не пикнул. Но кого это волнует? Нашли виноватого — и слава богу. Тем более что Женькин арест многим на руку. Чем меньше претендентов на губернаторский пост, тем лучше. Поэтому, я думаю, что желающих восстановить справедливость будет не много, уверен, никого. Я разговаривал с адвокатами в городе, ни один не берется за это дело. Одни боятся, другие понимают, что это практически бесполезно, третьим просто наплевать или они давным-давно куплены. Так что, Юрий, вы моя последняя надежда. Помогите. Я видел вас в деле и понял, что вы опытный, профессиональный, талантливый адвокат. Я заплачу столько денег, сколько вы потребуете, даже если для этого мне нужно будет продать все, что у меня есть. Ради брата я готов на все, — завершил свой длинный рассказ Зайцев.

— М-да, — протянул Гордеев, выслушав эту историю, — тут доказать что-то будет очень трудно. Сами подумайте, прокуратура и суд в руках губернатора... Как его?

— Ершов.

— Да, вот этого Ершова, для которого ваш брат соперник и враг. То есть я на каждом шагу буду встречать самые разные препятствия. Понимаете?

Зайцев кивнул:

— Конечно, понимаю... Но другого выхода нет.

— Дело непонятное... И, думаю, будет очень тяжело доказать невиновность вашего брата.

Гордеев еще некоторое время пребывал в молчании, обдумывал что-то, взвешивал все за и против, что-то прикидывал, подсчитывал. Наконец произнес:

— Кстати, а вы знаете человека по имени Сергей Кравцов? Он, если я не ошибаюсь, из вашего города.

— Сергей Кравцов? — воскликнул Зайцев. — Конечно, знаю такого. Хороший парень, солидный бизнесмен. Да в нашем городе его каждая собака знает.

— А жену его не знаете?

— Никогда не видел. Я с ней не знаком. Впрочем, говорили, что она в Москву уехала, потом судачили, что разошлись они... Я подробностей не знаю, да и незачем мне в чужую жизнь лезть. А вы почему спрашиваете?

Гордеев не ответил, потом снова заговорил:

— А адрес этого Кравцова, где живет, чем занимается, где найти его можно — вы знаете?

— Ну, если надо, могу легко узнать. А в чем дело? Объясните мне наконец, — не выдержал непонятных вопросов Зайцев.

— Послушайте, — сказал Гордеев. — Я займусь делом вашего брата, но и вы мне тоже помогите.

— Я? Целиком к вашим услугам. Правда, пока не понимаю, чем могу вам помочь, но все, что в моих силах, сделаю.

— Видите ли, — осторожно начал Юрий. — Вы ведь помните Лиду, да? Ту самую. Милую стажерку, которая вам так понравилась.

— Конечно, помню.

— Так вот, Лида и есть бывшая жена Кравцова.

— Да что вы?! — всплеснул руками Зайцев. — Никогда бы не подумал. Хотя лицо вашей напарницы с первого взгляда мне показалось немного знакомым, но я не придал этому значения. Видимо, я все-таки видел ее в Андреевске мельком. Но почему же все-таки вас так интересует ее муж?

— Понимаете, Лида исчезла три дня назад. Я искал ее всюду — никаких следов. Абсолютно никаких. Я ничего не знаю о ней. Не видел ее друзей, знакомых, не подозреваю даже, к кому могу обратиться за помощью. Кто может дать какую-либо информацию о ней, назвать какие-то места, где она может быть, каких-то людей, с которыми Лида общалась. Кравцов — это единственная ниточка, которая есть у меня. Я хочу увидеться с ним, может, он что-то подскажет. Вы поможете мне его найти?

— Конечно. Без вопросов, — ответил Зайцев. — К тому же найти Кравцова нетрудно. Вам любой таксист покажет его дом. Если вы поедете в Андреевск и возьметесь за дело моего брата, я сделаю все возможное, чтобы помочь вам в поисках Лиды. По рукам?

— По рукам, — сказал Юрий и протянул Зайцеву свою ладонь.

Затем они заключили договор на защиту, договорились о дате прибытия Гордеева в Андреевск, после чего Зайцев, заручившись согласием адвоката взяться за это нелегкое, по мнению Гордеева, дело, ушел. Юрий проводил гостя и помчался домой готовиться к отъезду.

4

Колеса мерно стучали по рельсам. Гордеев дремал, прислонившись щекой к вагонному окну. Это было у него с самого детства, — под приятное укачивание и постукивание колес просто невозможно не уснуть. Но тут сквозь сон он услышал сначала осторожное покашливание, а потом приятный женский голос:

— Пассажир! Подъезжаем к Андреевску.

— Спасибо большое, — моментально отреагировал он и приветливо улыбнулся проводнице в форме, которую попросил сообщить ему, когда будет Андреевск.

Та удовлетворенно кивнула, оставила на столике его билет, и удалилась.

Гордеев сладко потянулся, потом встал, приготовил свои вещи и вышел в тамбур покурить.

«Так... Что мы делаем первым делом? — задумался он. — Где тут искать Лиду? И вообще, здесь она или нет? Кто знает? Но если рассуждать так... Предположим, что Лида здесь. Тогда где именно? Скорее всего, у мужа. Нужно искать у мужа... Хотя почему же обязательно у мужа? Она же с ним в разводе, хоть и не оформленном. Видимо, у них нет никаких контактов. Нет, ну для проверки, конечно, сначала нужно к мужу идти. Так, стоп! Что я говорю? Это разве для меня приоритетная задача? Первым делом надо как-то устроиться здесь. Познакомиться с делом Зайцева. А по ходу дела уже попытаться разыскать Лиду».

Он раздавил окурок в пепельнице. Поезд уже начал притормаживать. Объявили станцию, и Гордеев, прихватив свои вещи, сошел на платформу.

Андреевск, как сразу же отметил Гордеев, был обыкновенным областным городом, таким же, как десятки других российских областных центров. Их одноликие привокзальные площади очень мало отличались друг от друга, и если бы его, Юрия, привезли с закрытыми глазами в какой-нибудь из таких городов, где он уже был, вряд ли он, выйдя вот так из поезда, вспомнил бы его точное название. Хотя, возможно, он преувеличивал...

Однако некоторые отличия все-таки были. В Андреевске готовились к предстоящим выборам губернатора. По всему вокзалу были расклеены большие плакаты с изображением серьезного человека с мудрыми глазами и благородной сединой. Под портретами имелась надпись крупными буквами: «Моя цель — материальное и социальное благополучие жителей Андреевска! Порядок в городе и порядочность власти! Мудрость и справедливость законов! Вместе мы изменим жизнь к лучшему!» И размашистая подпись: «Ершов».

«М-да, немудрёно, — подумал Гордеев. — Как всегда, много обещаний и пафосных фраз и ничего конкретного».

При выходе из ворот вокзала какой-то бойкий парнишка всучил ему яркую цветную брошюрку с лицом все того же седого кандидата в губернаторы на обложке и надписью: «Активная социальная защита!» И далее: «Моя программа».

— Да на кой черт мне... — выругался Гордеев.

Но паренек уже был занят другим прохожим. В конце концов, не выбрасывать же демонстративно брошюру! Уныло размышляя: «Вот деятельность развели, чтоб их...» — Гордеев побрел дальше с этой программкой в руках. Впрочем, дойдя до урны, он все-таки опустил в нее брюшюру. И с облегчением пошел дальше.

На небольшой площади перед вокзалом стояли самые разнообразные автомобили, в основном обшарпанные «Жигули». Впрочем, попадались и древние иномарки. Рядом с машинами томились их хозяева в ожидании клиентов.

— Подбросить? — К Гордееву подошел человек лет сорока в кожаной коричневой куртке и такой же кепке.

«Вот так и должен выглядеть настоящий шофер», — отметил про себя Гордеев, а вслух сказал, устало улыбнувшись:

— Да, шеф! Надо подвезти.

— Ну так запрыгивай, — тот небрежно открыл перед Юрием заднюю дверь своей, казалось, проржавевшей насквозь «копейки».

— А она поедет? — с сомнением оглядывая рыжие пятна на крыльях, поинтересовался Гордеев.

— Садись-садись! — нетерпеливо сказал водитель. — Машина — зверь! Она еще нас с тобой переживет!

— Ага, и внукам достанется... — пробормотал Гордеев.

— Откуда? — вместо ожидаемого «куда?» спросил шофер.

— Из Москвы, — ответил Гордеев.

— У-у, — протянул шофер, поворачивая ключ зажигания. — А чего это вас в нашу глубинку занесло?

— По делам, — коротко ответил Гордеев. — И не такая уж у вас глубинка.

— Может быть... Но по сравнению с Москвой... — Водитель выруливал со стоянки.

— Да ладно вам, — ободрил его Гордеев.

— Куда ехать-то? — почему-то недовольным голосом произнес шофер, выезжая на трассу.

— Сейчас скажу. — Гордеев быстро достал из кармана брюк бумажку с названием гостиницы, которую ему порекомендовал Зайцев. — Гостиница «Кентавр».

«Название-то какое красивое, южное такое, теплое, — подумал еще тогда Гордеев. — Хозяин, наверно, античность любит...»

— А, это новая, что ли? — спросил шофер.

— Я, честно говоря, не в курсе, — ответил Гордеев.

— Ну да, новая... — задумчиво сказал шофер.

— Недавно построили? — поинтересовался Гордеев.

— Лет семь назад.

— Кажется, эта гостиница Кравцову принадлежит?

— Не знаю, — протянул шофер. — Кто их сейчас разберет, что кому принадлежит. Может, и Кравцову.

— А хорошая, не знаете? — так просто, чтобы поддержать разговор, спросил Гордеев. Зайцев и так все рассказал ему об этой гостинице.

— Не знаю, не был, — отрезал водитель.

«Копейка» мчалась по залитой солнцем дороге. Старушка и правда была еще в форме — легко разгонялась и ехала довольно резво.

— Да, машине действительно пока на свалку рановато, — заметил Гордеев.

— А то! — с готовностью кивнул водитель. — Семьдесят девятого года выпуска, а бегает, как новая! Главное, машину в порядке содержать. Сам езжу, сам ремонтирую. Все вот этими руками.

Он показал Гордееву мозолистую ладонь.

Денек выдался на славу — теплый, яркий. Солнечные лучи красили всю землю, парки, улицы, даже кургузые каменные пятиэтажки по бокам дороги. Буквально по всему городу, заметил Гордеев, почти на каждом столбе, на каждом доме были расклеены плакаты с портретами кандидатов в губернаторы. Чаще всего попадались изображения того седого и серьезного человека на ярко-красном фоне.

— Я смотрю, у вас тут все к выборам готово, — насмешливо заметил Гордеев.

— Угу, — недовольно кивнул шофер. — Свои морды везде поразвешивали, смотреть тошно. Все в красных тонах! Будто революция какая! Еще флаги красные с их портретами осталось водрузить!

Гордеев засмеялся.

— Ну а за кого голосовать будете? — спросил он.

— Ни за кого! — пожал плечами шофер. — Я вообще голосовать не пойду.

— Чего так? — спросил Гордеев.

— А что толку-то? Как говорится, голосуй — не голосуй, все равно получишь известно что... Лучше я на участок поеду, в земле покопаюсь. Ну или вот на машине калымить буду. — Он ударил по стертому до блеска рулю «копейки». — Хоть денег заработаю. А на выборы ходить — дело зряшное. Они поставят того, кого им нужно, а не того, кого мы выбирать будем. Да и выбирать-то особенно некого. Вот этот, — он кивнул головой на красный плакат на столбе, — Ершов, уже на третий срок избирается. А что он сделал за два предыдущих? Хрена лысого... Ничего! Только лапши на уши навешал да домов для себя понастроил. А вон, вишь, какую предвыборную кампанию развел! Плакаты, книжки, брошюры! «Порядочность власти»! «Справедливость законов»! Угу, куда уж порядочнее и справедливее! Кстати, все это на батуринские деньги...

— Батурин? Кто это? — заинтересовался Гордеев.

— А это бандюга один крупный, — объяснил водитель, — бизнесмен, значит, по-современному.

— Сурово вы их, — рассмеялся Гордеев. — Ведь есть же и честные бизнесмены?

— Нет! — уверенно ответил водитель. — Нету честных! Все они жулики как один. Нашли каждый свою дойную корову, вот и все. А народ голодает...

— Какая же дойная корова у этого Батурина? — спросил Гордеев.

— Не знаю... Какими-то темными делишками занимается. Ну и активно Ершова поддерживает. Вот это все на его деньги. — Водитель показал на очередной рекламный щит, на котором губернатор Ершов пожимал руку ветерану, у которого вся грудь была в орденах. Под фотографией значилось: «Свято хранить заветы отцов». — Вот... Ну был еще один кандидат, ну вроде поначалу более или менее ничего, генерал-майор в отставке, в Афганистане был. А его кандидатуру сняли. Он, вишь, гад, девочку маленькую застрелил. Сволочь!

После этих слов Гордеев посерьезнел.

— Застрелил девочку? — задумчиво переспросил он.

— Ну да, — подтвердил таксист. — Напился и застрелил. Это у них развлечение такое — идут в лес, устраивают пьянку, ну и начинают палить во все стороны. А девочка случайно там оказалась.

Гордеев вспомнил, что об этих развлечениях местной элиты ему уже рассказывал Зайцев.

— А может быть, его оклеветали, чтобы вывести из

63

этой предвыборной гонки... — сказал Гордеев. Сказал и тут же осекся: «Зачем я все это ему говорю?»

— Ой, да ладно! — махнул рукой шофер. — Напился мужик, крыша у него поехала... Они же все, кто из Афгана вернулись, сдвинутые. Может, померещилось чего. Душман какой-нибудь... Кто знает? Ему бы в психушке обследоваться, а он туда же — на выборы. А вот оправдать-то его наверняка оправдают! Такие шишки всегда безнаказанными остаются! Вот вам и «справедливость законов»!

— Как же оправдают, если он ребенка застрелил?

Водитель посмотрел на Гордеева, как на новорожденного.

— Как? Очень просто. Адвокатов московских наймет, вот и все. Деньги у него на это найдутся.

— Ну и что? — упорствовал Гордеев. — Если он виноват, адвокаты не помогут.

— Адвокаты на суде всем мозги запудрят. Работа у них такая, понимаете? — растолковал водитель.

Гордеев кивнул и мрачно посмотрел в окно. Хорошо еще, водитель не знает, что везет именно такого московского адвоката, которого нанял, не кто иной, как сам Зайцев... Интересно, как бы он отреагировал? Впрочем, Гордеев решил воздержаться от экспериментов, к тому же он был удовлетворен общением с шофером.

Между тем уже подъехали к гостинице. Это было строгое семиэтажное здание с большим газоном перед ним и огромными стеклянными дверями.

— А что, Кравцов тоже жулик? — поинтересовался Гордев, когда они остановились.

— Конечно, — махнул рукой шофер, — все они одним мирром мазаны...

Гордеев расплатился с шофером и направился к дверям. Перед ним на высокой мощной опоре красовалась большая позолоченная эмблема — круг, а в нем получеловек-полуконь с копьем в руке. Надпись в греческом стиле гласила: «Гостиница «Кентавр».

Стеклянные двери предусмотрительно разъехались перед Гордеевым, и он очутился в просторном холле. Мраморный пол был убран коврами. На коврах стояли кожаные кресла и стеклянные столики. На стенах висели небольшие картинки, изображающие сцены из греко-римских мифов. Работал кондиционер, распространяя приятную прохладу.

Гордеев подошел к рецепшн. Навстречу ему тут же встали две молоденькие девушки в белых блузах с приклеенными на лицах улыбками и с усталыми глазами, словно говорящими: «Как же вы все нас достали!»

— Добрый день, — с готовностью пропели они. — Чем мы можем быть вам полезны?

— Добрый день, — ответил Гордеев, сразу оценив одну из девушек, миловидную блондинку с большими зелеными глазами, и обращаясь по преимуществу к ней. — Я хотел бы снять номер. Это возможно?

— Вы не бронировали? — поинтересовалась блондинка.

— Нет.

— Хорошо. Тогда, будьте добры, ваш паспорт, — попросила она.

Гордеев вынул из внутреннего кармана документ и протянул его девушке.

— На сколько дней вы хотели бы снять номер? — спросила она.

— Точно не знаю... — отозвался Гордеев. Он действительно не знал, на какой срок задержат его здесь дела. «Хорошо бы быстро закончить да и вернуться в Москву, — подумал он. — Только вот вряд ли получится».

— А на сколько оформлять? — спросила девушка.

— Давайте пока на три дня, — с минуту подумав, ответил Гордеев.

Когда все формальности были соблюдены, девушка торжественно вручила Гордееву ключ от его номера.

— Жаль, что это не ключ от вашего сердца, Надежда, — между делом заметил Гордеев, посмотрев на приколотую к ее груди визитку.

Девушка вежливо улыбнулась и промолчала.

— Надежда, скажите, у меня есть надежда? — продолжал Гордеев.

Ее напарница уже не улыбалась, она с пренебрежением смотрела и на блондинку, которая не знала, что ответить, и на заигрывающего с ней Гордеева.

— Надежда на что? — игриво поинтересовалась блондинка.

— Как на что? — поднял брови Гордеев. — На взаимную симпатию, конечно.

— Все зависит только от вас, — промурлыкала девушка.

— То есть я должен себя показать? — спросил Гордеев.

Девушка смущенно пожала плечами.

— Что ж, договорились, — сказал Гордеев. — Постараюсь показать себя с лучшей стороны.

Девушка засмеялась, и этот ее смех был настолько искренен, что Гордееву первый раз за все это время стало спокойно и тепло на душе. «Хороший знак», — подумал он про себя, никогда раньше не замечая за собои склонности к суеверию.

Он поднялся на четвертый этаж на лифте. «Номер 75» — было выбито на массивной металлической груше, к которой крепился ключ. Коридор был застелен зеленой ковровой дорожкой. Гордеев прошел через небольшой холл с телевизором и увидел дверь своего номера.

На поверку оказалось, что больше всего средств было потрачено при строительстве этой гостиницы на роскошный нижний холл. Этажи и номера оказались не такими богатыми, обстановка, можно сказать, была вполне спартанской. Но, по крайней мере, аккуратные горничные старательно поддерживали здесь чистоту и порядок. По андреевским меркам гостиница, конечно, претендовала на твердую пятерку, по московским — на троечку с плюсом.

В более или менее просторной комнате располагались двухместная кровать, застеленная темно-зеленым покрывалом (кстати, такого же цвета были и занавески), небольшая тумбочка с оригинальным ночником в стиле модерн, маленький журнальный столик, встроенный в стену сейф, микроскопический холодильник, на котором находился небольшой телевизор. Короче говоря, все тут было какого-то уменьшенного размера. «Как будто для лилипутов», — почему-то подумал Гордеев, открывая холодильник. Там имелись две малюсенькие бутылочки с красным и белым вином и неожиданно большая, двухлитровая, бутыль пепси-колы.

Коврик перед кроватью и обои на стенах были бежевого цвета. Над постелью висела маленькая картина, больше похожая на аппликацию, изображающая пресловутого кентавра, который скакал по лесу.

Гордеев кинул сумку на постель и сам завалился следом. Он устал и ему было лень разбирать вещи, аккуратно все раскладывать по полочкам в шкафу.

«Сейчас только в душ с дороги и немного поспать. А вечером разберу все вещи. Ну а завтра уже займусь делами, пойду в местную прокуратуру», — думал уже почти засыпающий Гордеев. Но, пересилив свою усталость, он поднялся и побрел в ванную.

После душа наступили такие легкость и расслабление, что Гордеев уснул сразу же, как только опустил голову на подушку. Он надеялся поспать до вечера, но проснулся лишь утром следующего дня.

5

Спирин Андрей Васильевич, следователь андреевской городской прокуратуры, всей своей душой надеялся стать сватом мэру Андреевска Каширину. Тогда бы, считал он, решились многие его проблемы. Он перестал бы так сильно зависеть от Каширина. Родственные отношения, они все-таки обязывают... Хотя, впрочем, для Каширина и иже с ним слово «обязанность» — пустой звук. Однако Спирин все равно надеялся. Проблема была в одном: его дочка совсем не любила сына Каширина. Правда, эту проблему Спирин отметал, как настоящий деспотичный папаша. Его больше беспокоило другое: еще было неизвестно, серьезны ли намерения сына Каширина, может быть, он вовсе и не собирается жениться на его дочурке.

Однажды, довольно давно (хотя, впрочем, и не слишком), оперуполномоченный Спирин чуть не загремел со службы из-за мэра города, когда задержал за продажу фальшивых долларов двадцатилетнего парнишку. Откуда же ему было знать, что это сын самого Каширина? Дело конечно же уладили, а вот самому Спирину пришлось худо.

«А будет еще хуже!» — понимал оперуполномоченный. Но дело повернулось совсем иначе. И удивлению Спирина не было предела. Мало того, что его благосклонно простили, вскоре он даже сделался следователем. Разумеется, не за так просто... Последовал недвусмысленный намек: «Вы очень ответственно подходите к своей работе. Это очень хорошо. Мы вами довольны. И нам очень нужны свои люди в прокуратуре». Нужны, так нужны! Разве ж он, Спирин, против? Он не против. Далеко не против! Наоборот, рад стараться, раз такое дело. По крайней мере, материальная сторона жизни Спирина начала существенно улучшаться.

А потом неожиданно оказалось, что сын Каширина ухаживает за его дочкой. Спирин возблагодарил небеса и стал размышлять о близкой свадьбе и приданом для дочери и месте проведения свадьбы. А еще потом, не без помощи мэра Каширина, Катенька Спирина поступила в Академию нефти и газа в Москве. Туда же, в Москву, отправился и сын Каширина делать свой бизнес.

Поэтому в каждом телефонном разговоре с дочерью Андрея Васильевича интересовало только одно:

— Как там Сергей? Приезжает к тебе? Ты его часто видишь?

— Какой еще Сергей, пап? — как ни в чем не бывало отвечала дочь.

— Что значит какой Сергей?! — сердился отец. — Каширин! У тебя там много Сергеев, что ли?!

— Ой, один, один! — без всякого энтузиазма в голосе отвечала дочь. — Да заходит иногда...

— Что значит «иногда»? — пугался отец.

— Да надоел он хуже горькой редьки! В Москве столько девчонок шикарных. И чего он только ко мне прицепился!

— Ты, Катюха, не смей так говорить! — наставительно говорил Спирин. — Он же тебя любит!

— Ну конечно, любит! — вяло реагировала Катенька. — А я-то его нет!

— Ничего, Катенька, ничего, — наставлял ее Спирин. — Парень он видный, из хорошей семьи... Стерпится — слюбится.

— Ну вот еще! — капризно возражала дочь. — Я его терпеть не собираюсь.

— Поговори у меня! — начинал сердиться Спирин.

— Все, пап, мне пора, — предусмотрительно заканчивала разговор Катенька. — Целую, пока.

— Да. Кать, это... — спохватывался Спирин. — Как учеба-то?

— Нормально. Продвигается, — торопливо отвечала дочь. — Все, пока.

— Ты, Кать, это... — просил ее Спирин. — Нормально чтоб все... Серегу не обижай. Он хороший парень. Сын мэра! Может, что у вас и получится там, а?

— Все, пап, пока.

— Ну пока, пока. Ты не забывай, что я тебе говорю-то... Поняла? — Но в трубке уже раздавались короткие гудки.

Спирин клал трубку и глубоко вздыхал. Беда с этими детьми...

...Гордеев вошел в кабинет следователя Спирина, и сразу же в голове его промелькнуло: «Нет, с этим дела нормально не пойдут».

За столом сидел тучный человек с хмурым недовольным лицом. Он делал вид, что напряженно изучает какие-то материалы. Услышав, как хлопнула входная дверь, он недовольно приподнял голову, презрительным взглядом окинул с головы до ног Гордеева и опять погрузился в чтение.

Гордеев поморщился. Он терпеть не мог такого типа людей, которые делают вид, будто у них проблем больше, чем у других, и будто их проблемы важнее и серьезнее, чем у всех остальных. Весь вид Спирина говорил: «Ну что ты здесь ходишь, ошиваешься, меня от важных дел отрываешь. У тебя делишки — тьфу, а у меня — ого-го! Тебе сюда лучше и не соваться!»

— Добрый день, — громко произнес Гордеев, подходя к столу следователя. — Гордеев Юрий Петрович, адвокат Евгения Зайцева. — Он протянул ему для пожатия руку.

Спирин окинул его таким ледяным и презрительным взглядом, что Гордеев понял: надеяться на какую-либо помощь бесполезно. Не подавая ему руки, Спирин ответил:

— Спирин Андрей Васильевич, веду дело Зайцева.

«Да, с тобой каши не сваришь. Предчувствие, как всегда, не обмануло», — подумал Гордеев, и так как следователь не предложил ему присесть, он сам придвинул стул и сел на него.

Спирин внимательно смотрел на Гордеева, наконец выдавил из себя:

— А документы?

— Ах да, — спохватился Гордеев и достал из кармана удостоверение.

— Хорошо... — внимательно изучив документ, сказал Спирин. — Ну и?..

— Ну и, — усмехнулся Гордеев, пряча удостоверение в карман, — хотелось бы взглянуть на дело Зайцева.

Следователь так долго и напряженно изучал лицо Гордеева после этих его слов, что Юрий посчитал нужным добавить:

— Как адвокат имею право.

Спирин медленно поднялся, открыл шкафчик, достал оттуда папку и, не говоря ни слова, небрежно бросил ее на стол.

— Спасибо, — произнес Гордеев, беря папку. — Ничего, что я прямо здесь изучу дело? Правда, наверно, буду мешать вам своим молчаливым присутствием, отвлекать вас от каких-нибудь серьезных дел, — съязвил он.

— Ничего, — грубо ответил Спирин. — К тому же вы не имеете право выносить дело. А отдельной комнаты у нас все равно нет. Так что придется терпеть...

Он снова погрузился в чтение.

Гордеев пожал плечами и открыл папку.

«9 мая 2002 года в лесу близ железнодорожной станции... была убита Софья Дмитриевна Маковская, 1993 года рождения...» Гордеев пролистывал дело и узнавал уже известные ему факты.

Но тут вдруг его взгляд остановился на таких строках:

«По заключению экспертизы установлено, что при совершении данного преступления был использован автомат АКМ. На месте происшествия были обнаружены две гильзы АКМ с калибром 7,62 мм... По результатам баллистической экспертизы установлено, что выстрел был произведен с расстояния 20—25 метров... По результатам врачебно-медицинской экспертизы были обнаружены две пули в области грудной клетки убитой, одна из которых и привела к моментальной смерти...»

«Вот так вот, — пронеслось у Гордеева в голове. — Этот факт мне не был известен. Я думал, она убита из пистолета».

— Странно, — произнес он вслух.

— Что странно? — насторожился следователь, поднимая голову.

— У меня были другие сведения насчет убийства... — задумчиво произнес Гордеев.

— Какие же? — поинтересовался Спирин, впрочем, без особого интереса.

— Ведь поначалу, кажется, утверждалось, что девочка убита из пистолета... — сказал Гордеев.

— У вас ошибочные сведения, — нахмурился Спирин.

— В таком случае, не у меня одного, — пристально глядя ему прямо в глаза, произнес адвокат.

Спирин сурово, даже с ненавистью, как показалось Гордееву, посмотрел на него, пожал плечами и медленно процедил:

— Перед вами уголовное дело. В нем заключения всех экспертиз без исключения. Вы с ними ознакомились. Какой смысл мог быть в сокрытии тех или иных данных или какой-либо дезинформации? Подумайте сами. У вас, судя по всему, плохие осведомители.

— Либо у вас не слишком чистые факты... — закончил Гордеев.

— Вы хотите сказать — сфабрикованные? — насторожился следователь.

Гордеев промолчал.

— Вы что, меня в чем-то обвиняете? — последовал еще один вопрос.

— Что вы! Упаси бог! — играя испуг, произнес Гордеев. — Я не собираюсь никого обвинять, я собираюсь оправдывать. Это, знаете ли, моя работа.

— Ну-ну, — протянул следователь.

И тут Гордеев, поторопившись вывести следователя на чистую воду, допустил одну ошибку.

— Значит, вы утверждаете, что не было никакой дезинформации и сокрытых фактов? И у меня ошибочные сведения?

Следователь с интересом смотрел на Гордеева.

— А позволите ли вы мне взглянуть на материалы предварительной версии о самоубийстве бедной девочки?

— Что? — Спирин посерел, на лбу и щеках его выделились глубокие морщины.

— Ну ведь была же еще версия о самоубийстве, не так ли? — сказал Гордеев как нечто само собой разумеющееся.

— Откуда вам это известно?.. — следователь осекся. — Что за ерунда!

— Постойте, постойте, — не понял Гордеев. — Первоначально официальной версией была версия о самоубийстве, не так ли?

— Не так! — почти выкрикнул следователь и встал из-за своего стола.

Он принялся ходить по комнате, как тигр в клетке.

— Что за чушь! Кто вам это сказал?

Гордеев сам ничего не понимал, он только знал, что версия о самоубийстве действительно была официальной. Но теперь он сомневался в этом.

— Это все ерунда! Это была одна из версий на стадии предварительного расследования! — продолжал Спирин. — Вы что же, держите правоохранительные органы за дураков?

— Да нет... Спокойно, спокойно... Что это вы так разнервничались? — пожал плечами Гордеев.

— Я не разнервничался, — Спирин, видимо, и сам понял, что допустил промашку, дав волю чувствам, и пытался теперь сгладить впечатление. — Я просто не понимаю вас.

— Я тоже... — согласился Гордеев.

— Как вы это себе представляете? Девочка гуляет в леске, собирает там всякие ягодки, цветочки. Потом подходит к дядям, отмечающим праздник, конечно, интересно ей знать, что это за дяди! А на травке пистолет валяется... — Спирин пытался шутить, что получалось очень плохо.

— Пистолет? Все-таки пистолет? — изумился Гордеев. — А вот по данным экспертизы это автомат был... Да, автомат Калашникова. Что-то вы путаетесь...

— Да при чем здесь это?.. Какая разница! Я это для примера... — Спирин снова разнервничался. Гордееву было жалко на него смотреть. — Хорошо, автомат... Это еще хлеще. Нелепица какая! Девочка берет автомат Калашникова и весь рожок — в себя?! Так просто, от нечего делать, интересно ей стало. Причем опытная была, знала, как с предохранителя снять, как стрелять, наверно, ногой на курок нажимала, а дуло к груди приставляла. Так, что ли?

75

— Вот и я говорю — глупость, — невозмутимо подтвердил Гордеев.

— А что же вы мне про какое-то самоубийство рассказываете? — спросил Спирин.

— Да нет, это не я, — усмехнулся Гордеев. — Это у вас такая версия была... кажется...

— Я вам еще раз повторяю, от этой версии мы отказались сразу! — воскликнул Спирин. — Ведь экспертиза...

— Вот именно. Экспертиза... — перебил его Гордеев. — Как только экспертиза показала, что стреляли из «калашникова», версия о самоубийстве тут же отпала. — Адвокат уже был очень зол и сам не понимал, зачем говорит все это следователю.

Спирин сощурил глаза и грозно посмотрел на Гордеева:

— Что вы хотите сказать? Я что-то не понимаю. В юридической практике всегда так — новые данные приводят к сужению круга версий.

Гордеев опомнился и сидел, молча уставившись в дело об убийстве.

— Кажется, вы сейчас пытались меня обвинить... — настаивал Спирин.

— Нет, я не пытался, — отнекивался Гордеев. — И никого я не хочу обвинить.

— Так в чем же дело?

— Я просто сообщил вам те факты, которые были известны мне, — как можно спокойнее объяснял Гордеев. — Я хотел как-то прояснить для себя это дело, разобраться. Вот и все. Может быть, я надеялся, что вы что-то проясните, поможете делу... А вы вдруг начали нервничать...

— Я не нервничал! — вскричал Спирин.

— Ну да, я так и понял, — улыбнулся Гордеев. — Но вы слишком близко к сердцу восприняли все сказанное мной. Не надо придавать моим словам так много значения. Это лишь мнение. Личное.

— Еще бы, — Спирин опять уселся за стол. — Все вами сказанное только что несло какую-то обвинительную подоплеку.

— Что вы! Я еще раз повторяю, я здесь для того, чтобы защищать, а не обвинять! Я надеялся на то, что вы мне поможете... — оправдывался Гордеев, который уже был не рад, что затеял этот разговор.

— Ну, знаете, это уж слишком. Мое дело ловить преступников, а не помогать адвокатам защищать их...

— Не защищать, разобраться... Впрочем, я и сам... Спасибо за предоставленные материалы...

Следователь, видимо забывшись, уже сам протянул ему руку, и на этот раз рукопожатие произошло, хотя для Гордеева оно и не было слишком приятным.

6

Как разъяренная тигрица Лида металась по комнате, временами, чуть успокоившись, с ненавистью рассматривала красивые кованые решетки на окнах и даже в бессильной злобе запустила тяжелой керамической чашкой в стену. Та, отскочив от плотной поверхности, с глухим звуком шмякнулась на пол без единой трещины. Эта невозмутимая прочность посудины окончательно добила девушку, и она начала кричать, извергая проклятия в адрес всех находящихся в этом доме, который ьдруг стал ее темницей, и бешено колотя в дверь каблуком домашней туфли.

— Эй там! Кто-нибудь! — кричала она. — Открывайте! А то сейчас весь дом разнесу так, что мало не покажется!

Ответа не было.

— Открывайте! — взвизгнула она.

Молчание.

Лида с минуту подумала, затем ее взгляд упал на зажигалку, которая лежала на маленьком журнальном столике. Она быстро схватила ее и вернулась к двери.

— Если не откроете, я подожгу дом! — закричала она так громко, как только могла. — У меня есть зажигалка!

На этот раз ее усилия увенчались успехом — через минуту замок повернулся, и в комнату вошел Кравцов.

— Чего ты буянишь? — тихо спросил он.

— А вот и бывший муженек решил навестить... — произнесла Лида, будто не слышала вопроса.

Кравцов забрал у нее зажигалку и сунул ее в карман.

— Как ты себя чувствуешь? — продолжал Сергей.

— Чудно! — саркастически улыбаясь, сказала Лида. — До тех пор, пока не видела тебя, было гораздо лучше.

— Ну ты ведь сама звала! — возразил Кравцов.

— Да, звала! Но не тебя. Тебя я хочу видеть меньше, чем кого бы то ни было!

— Зачем ты так со мной? — Кравцов, казалось, был в отчаянии.

— А чего ты ожидал, интересно? — завелась Лида. — Ты хватаешь меня, запихиваешь в свою машину, насильно привозишь в этот проклятый Андреевск. Потом запираешь в этой комнате и еще хочешь, чтобы я была нежная и ласковая? Что ты вообще от меня хочешь? Чего тебе надо? Зачем ты меня похитил?

— Затем, что это мой единственный шанс объяснить тебе хоть что-нибудь, — терпеливо объяснял Кравцов. — Затем, что я уже больше года не могу с тобой нормально поговорить. Когда я звоню, ты бросаешь трубку, не хочешь меня выслушать, скрываешься. Когда я приезжаю, ты либо не открываешь дверь, либо отказываешься разговаривать! Как еще я мог с тобой объясниться?

— Я тебе давно сказала, что нам абсолютно не о чем разговаривать, и выслушивать я тебя тоже не желаю, и вообще отстань от меня ради бога! Неужели я теперь вынуждена всю жизнь терпеть тебя? Я устала от твоего нытья, я не вернусь к тебе никогда. Понимаешь ты это или нет?

— Послушай, Лида, — Кравцов пытался казаться спокойным, но это ему удавалось плохо. Руки нервно теребили связку ключей, голос дрожал. — Давай поговорим. Спокойно поговорим.

— О чем? Нам не о чем с тобой разговаривать!

— Лида, я не понимаю, почему ты ушла. Все было так хорошо... Я же могу сделать тебя самой счастливой женщиной на земле. У тебя будет все. Все, что захочешь, все, о чем только можно мечтать. Просто вернись ко мне.

— Ничего мне не надо от тебя, — упорствовала она. — Я сама вполне могу о себе позаботиться. Что, думаешь, все купить можешь? Так вот, мне твои деньги не нужны. Засунь их знаешь куда...

— При чем здесь деньги? — Сергей не выдержал и

сорвался на крик. — Что ты все переворачиваешь вверх тормашками? С тобой невозможно разговаривать, ты абсолютно не хочешь слушать никого, кроме себя. Что ты зациклилась на этих деньгах? Кто тебя покупать собрался? Я пытаюсь с тобой договориться, а ты как сумасшедшая, заладила одно и то же!

— Не хочу я с тобой ни о чем договариваться!

— Но спокойно поговорить-то ты можешь? — закричал Кравцов.

— Вот что, уходи лучше, — ответила Лида. — Орать можешь на своих прихлебателей, а я тебе в девочки для битья не нанималась.

— Извини, я погорячился.

— Мне все равно, — холодно заявила Лида. — Убирайся отсюда.

— Я люблю тебя, — тихо произнес Кравцов.

— Это мне теперь тоже все равно, — снова отрезала Лида.

Сергей постоял чуть-чуть, потом молча вышел и запер за собой дверь. Лида опять осталась одна. Она слышала, как звонит ее сотовый где-то в доме, потом звонок затих, вероятно, телефон кто-то отключил.

Она села в кресло и задумалась. Если бы кто-нибудь несколько лет назад сказал Лиде, что она окажется пленницей в собственном доме и будет всеми силами пытаться сбежать от любимого в прошлом мужа, она расхохоталась бы ему в лицо! Когда-то они были безумно счастливы, не могли расстаться ни на минуту, всюду ходили вместе. Даже на деловые встречи и девичники, чем страшно раздражали и партнеров, и Лидиных подруг. Но им было все равно, они были молоды, красивы и влюблены друг в друга...

...Сергей приметил Лиду еще совсем девчонкой, ученицей десятого класса. Смешной чертенок, дочка случайной знакомой его матери, а он был уже довольно известной личностью в городе, начинающим бизнесменом, не знающим недостатка во внимании противоположного пола и деньгах. Они встретились на праздновании дня рождения кого-то из общих знакомых их родителей. Сергей откровенно скучал. Ему уже изрядно надоели восторженные возгласы пьяных теток: «Ну надо же! Какой большой стал!» Причем каждая из них непременно норовила заявить, что укачивала будущего бизнесмена на своих руках. Из чего Сергей сделал вывод, что, судя по всему, к их дому каждый вечер выстраивалась длиннющая очередь орущих и дерущихся женщин, которые жестоко бились за право потаскать на руках карапуза Сереженьку.

В конце концов Кравцов забился в угол с какой-то книгой в надежде, что его никто не обнаружит и окончания застолья он сможет дождаться здесь. Но через несколько минут дверь в комнату открылась, и зашла молоденькая девчонка с дерзкими глазами и удивительной красоты волосами.

— Тьфу ты, и здесь занято! — нисколько не смущаясь, произнесла она.

— Занято, — подтвердил Сергей. — А ты кто?

— Я Лида, дочка Ермолаевых, а ты?

— А я Сергей, сын Кравцовых.

— Ну вот и познакомились, — рассмеялась Лида. — А ты чего прячешься? Тебя тоже достали?

— Есть маленько, — улыбнулся в ответ Сергей.

— Понимаю. Мне сегодня пять раз проорали на ухо, как сильно я выросла. Четыре раза спросили, когда я собираюсь выходить замуж. Раза три пытались вдолбить в голову незыблемую сентенцию о необходимости высшего образования. И вдобавок ко всему этому я вынесла несколько десятков слюнявых поцелуев.

Она брезгливо поморщилась.

— Тяжело, — согласился Кравцов. — Мне повезло больше. После шестого восклицания о моем ненормально скором взрослении я смылся и спрятался здесь, и не собираюсь отсюда выползать до тех пор, пока самая пьяная и активная часть гостей не разойдется

— Боюсь, долго ждать придется. — Девчонка скорчила смешную рожицу. — Они еще даже не добрались до горячего. А впереди еще чай с тортом!

— Тогда придется искать выход из сложной ситуации. — Сергей вдруг повеселел, эта дочка Ермолаевых ему положительно нравилась. — Знаешь что? У меня есть идея.

— Какая? — заинтересованно спросила Лида.

— Давай сбежим отсюда?

— Куда это?

— Ну-у... Например, в кино, — сказал Кравцов первое, что пришло ему в голову.

— А что мы скажем нашим? — просчитывала варианты Лида.

— Правду. Скажем, что идем в кино. Зачем что-то выдумывать?

— Ну ладно, — сказала, подумав, Лида. — Но тогда сам с ними разговаривай, а то мои на меня обидятся.

— Идет. — Кравцов взял новую знакомую под руку и повел в гостиную.

— А вот и молодежь! — закричал усатый именинник. — Где пропадаете? Присоединяйтесь. Тост за женщин! За присутствующих здесь дам!

— За женщин — это отлично. Мысленно с вами, — ответил Сергей. — Но я надеюсь, никто не будет возражать, если молодежь пойдет в кино? Андрей Ильич, — обратился Кравцов к отцу Лиды. — Я заберу вашу дочь на прогулку, не возражаете? А часам к десяти мы вернемся.

— Идите, идите, я ведь понимаю, что вам здесь скучно с пьяными тетками, — ответила за мужа Лидина мать, опередив отца, который хотел что-то возразить. Тот глянул на жену и счел за благо согласиться.

Молодые люди, одевшись, выбежали на улицу. В кино они не пошли: шел какой-то дурацкий фильм про инопланетян, они оба его уже видели. Поэтому просто отправились прогуляться по парку, потом зашли в кафе, болтали о чем-то непрерывно. У Сергея почему-то замирало сердце от близости Лиды, она была совсем еще девчонкой, почти ребенком, и Кравцову вдруг захотелось оберегать и заботиться о ней всю жизнь. В квартиру они возвращались, уже держась за руки, а когда пришло время прощаться, Лида оставила свой телефон Сергею под горячее одобрение многочисленных знакомых, которые тут же громко, безапелляционно и на разные лады размечтались о грядущей свадьбе. Услышав об этом, Лида расхохоталась гостям в лицо, а Кравцов подавился глотком сока и долго еще не мог откашляться. Только одна приятельница Лидиной матери, слывшая в кругах не слишком образованных соседок ведьмой, взглянув на молодых людей черными пронзительными глазами, сказала кому-то:

— А ведь и правда поженятся. Только не сейчас. Через три года.

Потом были долгие встречи, частые ссоры, горячие

признания, сладкие примирения... Сергей был старше и рассудительнее, иногда был скорее похож на старшего брата-зануду (которого у Лиды не было) нежели на возлюбленного. Лида любила пошалить, выкинуть какой-нибудь непредсказуемый фортель, часто влипала в различного рода неприятности, из которых ее вытаскивал все тот же Кравцов. А потом устраивал назидательные беседы, пытаясь хоть как-то образумить свою девушку. Она с криком: «Поговори со мной еще, папочка!» — бросалась ему на шею, и на том воспитание заканчивалось. Лида так и оставалась большим непослушным ребенком, милым чудовищем, на которое невозможно было злиться и обижаться. Даже когда пришла пора заканчивать школу и поступать в институт, Лида не слишком изменилась, пропадала днями и ночами напролет с подругами, плевать хотела на учебу, и Сергей чуть ли не силой заставлял ее заниматься, готовиться к экзаменам и нанимал преподавателей за свои деньги. А дела к тому времени шли очень хорошо. Кравцов превратился в одного из самых видных и влиятельных предпринимателей Андреевска, имел вес и авторитет в обществе, занимался благотворительностью и даже, благодаря своему добродушию и порядочности, умудрился не нажить себе врагов.

Поэтому, когда в школе был сдан последний выпускной экзамен, Кравцов взял Лиду в охапку и повез поступать в МГУ. Родители Лиды наперебой твердили ему, чтобы не тратил время зря, что эта безалаберная лентяйка, имея умную голову и блестящие мозги, из-за своего характера сможет поступить только в андреевский пединститут. Но Сергей, имея в кармане резерв в несколько десятков тысяч долларов, думал по-другому, и не ошибся. Лида с легкостью поступила на юридический факультет и была зачислена в ряды московских студентов.

Кравцов радовался больше нее, но потом погрустнел, осознав, что видеться теперь они смогут редко. Но, чтобы не омрачать Лидину радость своими сомнениями, не подал виду, а закатил гулянье в одном из самых дорогих московских ресторанов, а потом отправился искать квартиру, в которой предстояло прожить студентке пять лет.

Началась нелегкая жизнь в разлуке, и, хотя Сергей очень часто приезжал в Москву, молодые люди очень скучали. Лида даже удивилась тому обстоятельству, что ей постоянно не хватает Сергея, и если она не видит его больше двух дней, начинается просто какая-то ломка. Она не могла заниматься, смотреть телевизор, общаться с людьми, потому что каждую минуту думала о том, когда же наконец приедет Кравцов, как будто постоянными раздумьями о нем могла приблизить этот час. Потом он приезжал, и начинались несколько дней безумия, за которыми снова следовало вынужденное расставание. Когда же Лида сдала свою первую в жизни летнюю сессию и приехала в Андреевск, молодые люди поженились. Пророчество «ведьмы» сбылось — с момента их первой встречи прошло ровно три года.

Эта была, наверное, самая веселая свадьба за все время существования города, все предрекали молодым долгую счастливую жизнь, но все оказалось не так безоблачно. Вскоре снова пришла осень, настала пора уезжать в Москву. Сергей с тяжелым чувством отпустил

85

молодую жену в столицу, уговаривал перевестись на заочное или вовсе заканчивать учебу в местном институте, но Лида отказалась наотрез.

— Послушай, — говорила она. — Ты же сам так хотел, чтобы я училась в Москве, я поступила в МГУ ради тебя, чтобы оправдать твои надежды, а теперь бросить все это? По-моему, это будет большая глупость, и на этот раз она исходит не от меня.

— Ты права, солнышко, — сдался Кравцов, и Лида снова уехала.

Так Сергей изводился от тоски по ней несколько лет, мучался ревностью, напридумывал себе бог знает что, и поэтому, однажды заявившись без предупреждения в столицу и обнаружив в квартире жены однокурсника, с которым Лида тихо и мирно готовила доклад для семинара, закатил жуткий скандал, обвинил свою благоверную во всех смертных грехах, оскорбил, унизил и ушел, хлопнув дверью. Потом, конечно, успокоившись, часа через два вернулся, но дверь ему Лида не открыла, заявив, что подает на развод. На недоумения и оправдания супруга она ответила так:

— Я ухожу от тебя не потому, что ты обидел невинного человека и чуть не набил ему морду, и не потому, что ты унизил меня на глазах у постороннего, и даже не потому, что мне не поставят зачет за сорванный доклад. Я ухожу от тебя потому, что, как выяснилось, ты не доверяешь мне и в любой момент можешь оскорбить беспочвенными подозрениями. А людям, которые не доверяют друг другу, в принципе делать вместе нечего.

И никакие уверения, извинения и обещания не смогли убедить Лиду забыть эту некрасивую историю и вернуться. И хотя сама она невыносимо страдала, и все знакомые, родственники и друзья упрекали ее кто в глупости, кто в тупой бескомпромиссности, решения своего Лида не изменила. Со временем боль утихла, девушка продолжала жить своей жизнью, Кравцов появлялся иногда, умоляя вернуться, но было слишком поздно. Идти назад Лида не умела. Только вперед — таков был девиз ее жизни. А жизнь потихоньку налаживалась, был диплом с отличием, как бы в насмешку над всеми теми, кто считал Лиду бесталанной лентяйкой, интересная работа и даже кто-то, при воспоминании о ком сейчас сладко ныло сердце.

Лида встряхнула головой, как бы прогоняя рой воспоминаний, добрела до постели и тут же заснула мертвецким сном.

...Ближе к вечеру Кравцов пришел снова. Открыл дверь и робко замер на пороге, не решаясь войти. Лида сидела вполоборота и делала вид, что не замечает его. Она читала книгу, вернее, просто смотрела на строчки, ожидая действий бывшего мужа.

— Ну, как дела? — отважился наконец Кравцов.

Лида молчала. Сергей подошел ближе, взял книгу из ее рук, взглянул на обложку, громко прочел название:

— Лев Толстой. «Анна Каренина». Символично. Надеюсь, наша история завершится менее трагично.

— Да уж, бросаться из-за тебя под поезд я не собираюсь. Много чести, — парировала Лида.

— Я в этом не сомневался... — только и ответил Кравцов.

— Зачем ты пришел? — удостоила наконец его вниманием Лида.

— Я еду в город, — Кравцов присел на подлокотник кресла и отложил книгу. Она презрительно отстранилась. — Что тебе привезти?

— Цианистого калия. Полкило.

— Я что, так тебе противен, что ты готова на самоубийство? А говорила, что не собираешься под поезд...

— А кто говорит о самоубийстве? — притворно удивилась Лида. — Я бы отравила тебя.

— Ну да. Об этом я не подумал, хотя после бесчисленного ряда безумств, совершенных тобой за последнее время, от тебя всего можно ожидать, — усмехнулся Сергей.

— Ну, конечно. Дай-ка угадаю... По-твоему, самое мое большое безумство заключается в том, что я от тебя ушла, не так ли?

— Угадала.

— Как ты банален, Кравцов! — покачала она головой. — Хоть бы придумал что-нибудь другое, поинтереснее!

— Лид, возвращайся, а? — Это прозвучало так по-домашнему, что Лида оселась и забыла заранее приготовленный ответ. Только отрицательно покачала головой. — Мы все исправим, — продолжал Кравцов. — Я обещаю. У нас все получится.

— Но я тебя больше не люблю, — справилась наконец с чувствами Лида. — Не люблю, понимаешь? И все твои немыслимые богатства не заставят меня чувствовать иначе. И потом...

— Что? — с замиранием ердца вымолвил Кравцов.

— Понимаешь, Сергей, я встретила человека.

— Ну и что?

— Он другой. Не такой, как ты. С ним хорошо.

— Какого еще человека? — опешил Сергей. — Я что-то не пойму... У тебя есть кто-то?

— Да, есть! — призналась Лида.

— Вот как... — только и сказал Кравцов.

— А что в этом удивительного? — пожала плечами Лида. — Я, по-твоему, должна сидеть у окошка и тебя дожидаться? Да, у меня есть молодой человек. И, кажется, я его люблю.

— Что значит «кажется»? Тут люблю, тут не люблю?

— Мы не слишком давно знакомы, — отвечала Лида. — И я пока не могу быть ни в чем уверена да и не хочу ничего загадывать на будущее. Просто первый раз за долгое время мне действительно хорошо с человеком.

— И кто же он? — тихо спросил Сергей. Лиде даже показалось, что он сейчас заплачет. Ей стало жалко бывшего мужа, но останавливаться было поздно.

— Он адвокат. Мы работали вместе над одним делом. Он талантливый. И добрый, и вообще необыкновенный.

— Понятно. Можешь не продолжать. Мне совсем не обязательно выслушивать твой монолог о достоинствах нового любовника, — прервал ее Кравцов.

— Но ты сам этого хотел, — возразила Лида.

Кравцов посмотрел на часы. Золотой «Ролекс» сверкнул из-под рукава дорогого пиджака.

— Все, я уехал. Вернусь поздно, если не будешь спать, зайду к тебе.

— Не надо ко мне заходить!

— Почему?

— Потому что это все бессмысленно...

— Но я все-таки попробую, — сказал Кравцов, направляясь к двери.

— Отпусти меня, а? — попросила вдруг Лида. — Ну зачем я тебе здесь? Отпусти. Я обещаю, что мы встретимся как-нибудь и обо всем поговорим.

— Где?

— Ну, например, в Москве.

— Нет, извини, но я не верю тебе. Если я сейчас отпущу тебя, то больше никогда не увижу, я это знаю. И снова придется тебя похищать. Пойми, я вовсе не хочу делать тебя пленницей. Мне нужно только, чтобы ты выслушала меня и поняла.

— Я тебя уже выслушала!

— Но не поняла. Может, если ты меня поймешь, то не захочешь уходить.

— Захочу, — упрямилась Лида.

— Тогда уйдешь, — вздохнул Сергей. — Я тебя отпущу.

— Тогда я могу уйти прямо сейчас, потому как со временем ничего не изменится.

— Ты просто невозможна. Для тебя не существует никого, кроме себя, любимой.

— Тебя для меня точно не существует, — отрезала Лида.

— Перестань грубить. Я, кажется, не делаю тебе ничего плохого, — обиделся Кравцов.

— То есть, по-твоему, держать меня взаперти — это в порядке вещей? Я не могу больше сидеть в этой комнате. Я задыхаюсь. Чувствую себя собакой в конуре, — негодовала Лида.

— Хорошо, я распоряжусь, и ты сможешь ходить по всему дому и саду. Только потерпи немного, нужно провести некоторые приготовления.

— Какие? Поставить на окна железные решетки, пустить электричество по колючей проволоке и устроить по периметру контрольно-следовую полосу? — насмешливо спросила Лида.

— Именно. — Кравцов быстро вышел, щелкнул замок.

— Скотина! — крикнула Лида вслед, впрочем, уже без особой злости.

Полчаса спустя дверь открылась. Вошел Гриша — один из охранников Сергея. Впрочем, он выполнял различные функции: от походов по магазинам до мытья хозяйского автомобиля.

— Добрый вечер, Лидия Андреевна, — учтиво поздоровался он.

— Привет-привет. А стучать, перед тем как войти, тебя не приучили?

Гриша нахмурился, видимо вспоминая, давалось ли ему такое указание.

— Ну ладно, — махнула рукой Лида, — все равно от тебя особой вежливости не добьешься. Как и от твоего хозяина... Тебя прислали приковать меня наручниками к батарее или надеть смирительную рубашку?

— Ну что вы! — пробасил Гриша. — Я пришел, всего лишь чтобы открыть дверь. Вы можете теперь выйти из комнаты.

— Ну и ну! Это что, хозяин распорядился?

— Да.

— Какое потрясающее великодушие! А вдруг я немедленно брошусь названивать в милицию или убегу на улицу? — ехидничала Лида.

— Это невозможно, — серьезно объяснял Гриша. — Все телефоны отключены и спрятаны в сейф, на улицу вы выйти не сможете — всюду охрана.

— Охрану можно обольстить, — Лида быстро подошла к охраннику и провела тыльной стороной ладони по его щеке, отчего он покрылся пунцовыми пятнами.

— Забор... — сдавленно произнес он.

— Что? — переспросила Лида.

— Даже если вы выберетесь из дома, двор окружен высоким забором... Все предусмотрено.

— Я и не сомневалась. Кравцов всегда был жутко предусмотрительным типом. Гад! — вздохнула она. — Просто проверила догадки. Ну ладно, воспользуемся ограниченной свободой. Ты можешь идти.

Гриша с облегчением покинул комнату.

Лида вышла из комнаты, решила обойти дом. Ее охватило странное чувство, что-то вроде ностальгии и легкой тоски. В этом доме она когда-то была счастлива, когда-то пришла сюда хозяйкой, сама обустраивала каждый уголок, старалась для любимого мужа, решала, где будет кабинет, а где детская комната. А теперь она узница в родном когда-то доме, и вообще все идет не так, как мечталось несколько лет назад... И детская комната пуста, а в кабинете Кравцов устроил бильярдную.

Она присела на любимый бежевый диван в гостиной и прикрыла глаза. Воспоминания снова стали появляться в ее памяти яркими живыми картинками. Встал перед глазами их первый Новый год в этом доме, и огромная живая елка рядом с камином, и множество разноцветных шариков на ней, и общая атмосфера праздника оттого, что на улице темнота и холод, крупными хлопьями падает снег, воет ветер и сугробы по пояс, а они вдвоем, в теплом и уютном доме, обнявшись, смотрят на снегопад и на мерцающий огонек свечи, и счастливее на этом свете нет никого.

Лида откинулась на спинку дивана и вдруг почувствовала что-то твердое под собой. Пошарив рукой в щели между спинкой и сиденьем, она извлекла предмет, что мешал ей, и, еще не рассмотрев его, с трудом сдержала крик радости: это был ее мобильный телефон. Вероятно, отключив, один из охранников бросил его на диван, намереваясь потом убрать вместе со всеми Лидиными вещами, но телефон провалился в щель, и про него забыли.

Очень осторожно, спрятав трофей в широкий рукав блузки, Лида пробралась в ванную и, пустив воду, набрала знакомый номер. Она слушала долгие пронзительные гудки, скрестив пальцы, наконец немного хрипловатый и слегка недовольный, но такой родной голос на другом конце провода произнес:

— Алло?

— Юрочка, милый! Это я, Лида.

— Что? — Голос Гордеева ослабел.

— Я, Лида это! Меня похитил собственный муж, я сейчас в его доме, в Андреевске. Вытащи меня отсюда ради бога. Я очень скучаю. И хочу на свободу.

— Боже, Лидка, как я рад тебя слышать...

Они успели переброситься еще несколькими словами, прежде чем в дверь заколотили. Лида нажала на сброс, отключила телефон, быстро швырнула его под ванну, повернула замок.

— Что надо? — грубо спросила она.

— Простите, Лидия Андреевна. — Гриша выглядел смущенным. — Но Сергей Сергеевич просил не оставлять вас одну без присмотра.

— И ты хочешь присмотреть за мной в ванной? — Лида насмешливо смотрела на охранника. — Ну заходи.

Она расстегнула две верхние пуговицы на блузке.

— Я как раз собираюсь принять душ.

От смущения Гриша снова покрылся бурыми пятнами, не знал, что ответить, и только мямлил что-то. Лиде стало жаль бедного парня, тем более настроение ее поднялось при мысли о том, что Гордеев, скорее всего, скоро спасет ее из заточения. Поэтому, взяв Гришу за плечо, она весело сказала:

— Ладно, Григорий, отложим водные процедуры на потом. Пойдем-ка лучше попьем чаю.

Гриша благодарно закивал головой, и они пошли в столовую. Лида была спокойна — Гордеев уже знал, где она находится.

7

«Так, — подумал Гордеев, выйдя от Спирина, — теперь хорошо бы зайти к Маковским. Конечно, надежды на то, что там меня встретят радушно, нет никакой, но попробовать стоит. Сегодня, кажется, сорок дней со дня гибели Сони Маковской. Это очень кстати. Наверняка будет много народу, меня никто не заметит. Будет время осмотреться, понаблюдать за Маковскими. Ну а потом, возможно, удастся с ними поговорить... Посмотрим. В любом случае надо идти».

...Лес шумел листвой, где-то щебетали птицы. Весёлый солнечный день совсем не соответствовал той атмосфере, которая царила на городском кладбище. Сегодня было сорок дней со дня смерти Сони Маковской. Рядом с могилой стояли люди, кто-то всхипывал, кто-то плакал навзрыд. Здесь каждый переживал страшную и бессмысленную гибель маленькой девочки...

Гордеев стоял чуть в отдалении от толпы, собравшейся около могилы девочки, и наблюдал за происходящим. Он все-таки успел застать тех, кто пришел сюда, на кладбище, помянуть убитую Соню Маковскую.

Трудно было не сообразить, кто из присутствующих мать покойной. Худая женщина с изможденным лицом, на котором выделялись большие глаза, с темными синяками под ними, вся в черном, стояла на коленях прямо на земле перед могилой, обнимала временно поставленный здесь небольшой деревянный крест, гладила рукой глянцевую фотографию, с которой задорно улыбалась Соня Маковская. Гордеев уже успел внимательно изучить эту имеющуюся в деле фотографию, на которой было изображено милое невинное создание.

Позади женщины стоял высокий мужчина, который поддерживал ее за плечи. Его лица видно не было. Но Гордеев и так мог себе представить, сколько скорби и страдания сейчас на душе у отца.

Адвокату было не по себе. Не от того, что он присутствовал на своеобразном апокалипсисе внутри одной отдельно взятой семьи (хотя и из-за этого, разумеется, тоже), не от того, что атмосфера кладбища, всяческих похорон и поминок действовала на него, как, собственно, и на любого нормального человека, угнетающе. Нет, он просто уже заранее ненавидел себя. Ненавидел за то, что ему, в сущности совершенно постороннему человеку, приходится присутствовать на этих поминках, за то, что скоро ему придется разговаривать с убитыми горем родителями, так сказать, бередить их рану. Ему было страшно, неловко, противно, когда он представлял себе разговор с ними. Как родители девочки отреагируют на то, что он адвокат Зайцева, убийцы, как все считают, маленькой Сони? Наверняка они сочтут это издевательством: адвокат убийцы на поминках жертвы...

«Нет, все-таки я зря согласился заниматься этим делом, — подумал Гордеев, — если бы не Лида...»

Вот мужчина с усилием поднял с колен мать девочки (она все никак не хотела отпускать крест на могиле) и повел ее прочь. За ними все присутствующие потихоньку направились к выходу с кладбища. Гордеев последовал за ними. Он не хотел ехать еще и на поминки в дом, он надеялся поговорить с родителями здесь, на кладбище. Но, по-видимому, это было неосуществимо. Да и слишком много народу. Гордеев вообще сомневался, что сможет поговорить с ними сегодня. Конечно, следовательская, а затем и адвокатская практика воспитала в нем достаточно хладнокровного человека. Но данная ситуация выбила из колеи даже его.

«Ну нет, сдаваться мы так быстро не собираемся», — с некоторой безысходностью подумал Гордеев и поплелся за остальными.

— Друг семьи? — услышал он за спиной. Обернувшись, Гордеев увидел сухонькую старушку, которая довольно шустро ковыляла за ним.

— Родственник... Дальний... — промямлил Гордеев, который до сих пор сам не сообразил, кем представиться, чтобы сразу не вызвать отрицательную реакцию.

— Хорошо, хорошо, — прошамкала старушка, оглядывая Гордеева взглядом внимательных глаз из-под пушистых бровей, — вот такое дело, старые живут, а дети погибают. Вот мне скоро девяносто стукнет, и ничего. А ребятенок малый — в могиле.

Гордеев покивал:

— Всякое бывает...

— Это что у человека на роду написано, столько он и проживет... — подхватила старушка, — вот вы человек видный, здоровый. Вы проживете долго. Если, конечно, не случится чего.

— А вы что, гадалка? — улыбнулся Гордеев.

— Да нет, — неопределенно ответила старушка, — просто жизнь знаю. Многое повидала. И теперь многое вижу.

— Интересно... А что еще вы видите?

— Будет вам счастье в жизни, — пронзительный ее взгляд, как казалось Гордееву, заглядывал прямо в душу... — Только опасайтесь... Опасайтесь...

— Чего опасаться? — спросил Гордеев.

— Врагов. Если будете лезть на рожон, вас могут и убить. Но если будете осторожны, то доживете до старости. Хотя... — вздохнула она, — ничего в ней хорошего нет.

Она снова внимательно глянула на Гордеева и добавила:

— Ты к матери с разговорами не подходи. Вишь, она вся на нервах. Лучше в уголок сядь, там тебя никто и не заметит...

Гордеев так и поступил. Но остаться незамеченным

не получилось. Минуты через полторы предательски зазвонил мобильный телефон, который он забыл отключить.

Окружающие с неодобрением покосились в сторону Гордеева, который был готов провалиться сквозь землю.

— Алло, — почти выдохнул он в трубку. — Алло, кто это?

И тут он чуть не подпрыгнул на месте... Это была Лида! Ее голос был взволнованным и еле слышным, видимо, она не могла долго разговаривать.

— Лида, где ты? — зашептал в трубку Гордеев, сердце его забилось сильнее. — У Кравцова?! Адрес!.. Быстрее говори адрес!.. Да, запомнил!.. Да, буду!.. Я здесь, в Андреевске, Лида! Я сейчас приеду!

И только когда в трубке раздались гудки, он подумал, что, пожалуй, прямо сейчас мчаться спасать Лиду не получится. Он должен был еще поговорить с Маковским...

«Ничего... — успокаивал он себя, — это ее муж все-таки, не съест же он свою жену. Лида подождет. Сейчас главное — разговор с Маковским».

В большой комнате квартиры Маковских был накрыт нехитрый стол. Все расселись по местам. Собравшиеся тихо переговаривались между собой. Гордеев, последовав совету старушки, занял за столом незаметное место, хотя, так как людей было много, никто не обращал внимания на незнакомых.

То тут, то там до Гордеева доносилось:

— Несчастье-то какое! Девочка и не пожила совсем...

— Да... Только ей-то сейчас уже все равно. А родителям всю оставшуюся жизнь горевать и мучиться.

— Это точно. Ты только на Катерину посмотри. Постарела на двадцать лет! И волосы уже все седые! А Алексей сам не свой ходит...

— Да по Алексею-то особенно и не видно, что горе такое...

— Конечно, он не показывает. Ему жену поддерживать надо. А в душе-то, небось, извелся весь, бедный. А еще хуже, когда все внутри держишь...

— Да внутри — не внутри! Какая разница! Это вообще хуже всего, когда у тебя ребенок умирает!

— Не дай бог пережить собственных детей!

— А с этим что? С тварью этой! Посадят?

— Да не знаю. Его посадить мало! Его расстрелять надо!

— А Сонечка какая была! Помню, бывало...

У Гордеева мурашки по коже бежали от всех этих разговоров. Несмотря на то, что он сюда пришел не по своей воле, что, в сущности, он был на работе, Гордееву захотелось немедленно отсюда уйти... В комнату вошел Маковский — отец Сони. Гордеев еще в самом начале, как только зашел, заметил за стеклянной дверцей шкафа его фотографию в милицейской форме. Тот тихонько сказал, обращаясь ко всем присутствующим:

— Мы сейчас вместе придем, — это он, видимо, о жене. — Я только вас очень прошу — никаких речей. О чем-нибудь отвлеченном говорите, хорошо? Она очень переживает...

— Алексей Михайлович, а как же помянуть? Помянуть-то Сонечку?

— Помянем, Егор Андреевич, помянем. Я только

прошу, чтобы слез там никаких не было. Ей и так тяжело, понимаете?

Все покивали, покачали головами. Как только Алексей Михайлович вышел, поднялся вопрос о том, ставить ли перед пустым стулом по традиции рюмку водки с черным хлебом, или нет.

— Ну что вы такое говорите! Ей же девять лет всего было! Какая водка, Господь с вами!

— Так традиция ведь! — не унимался бородатый Егор Андреевич.

— Ну что только раны бередить! Каково ей будет, когда она увидит эту рюмку перед пустым стулом! Не надо!

— А я вообще недавно с батюшкой разговаривала, — прошамкала какая-то старушка. — И он сказал, что это все вообще неправильно. Что это в советское время, когда всех спаивали, насадили этот бесовский обычай. А по-нашему, по-христиански, так не принято!

— Ой, да ладно вам! — гнул свою линию Егор Андреевич. — Всю жизнь это было! И при советской власти, и до нее, и после.

— А ты-то откуда знаешь! Мне-то сам батюшка сказал!

Гордееву было не по себе, он злился на себя и на всех присутствующих, занятых какими-то совершенно идиотскими разговорами. А почему злился? О чем они должны были разговаривать, по его мнению? Да он злился, если бы они и оплакивали девочку, и вспоминали о ней что-то, и если бы они даже разговаривали о чем-нибудь постороннем.

Наконец вошли Алексей Михайлович с женой. Все, как по команде, стихли. Теперь Гордеев рассмотрел ее лицо. Бледное, опухшее от постоянных слез, с впавшими, какими-то мертвыми глазами. Из-под платка выбилась темная, с явной сединой, прядь волос. «А ведь ей, наверно, немногим больше тридцати», — подумал Гордеев.

Они сели. Воцарилась гробовая тишина. Она отрешенно смотрела в свою тарелку.

— Давай тебе чего-нибудь положу, Кать, — старушка схватила ее тарелку и стала накладывать кутью.

Потом налили водки.

— Ну что ж, — с расстановкой начал неугомонный Егор Андреевич. — Давайте помянем безвинно убиенную Софью...

Все подняли свои рюмки. Мать девочки тоже дрожащей рукой приподняла свою рюмку, глаза ее застилали слезы. Егор Андреевич продолжал что-то говорить. Тут мать тихо, но очень четко произнесла:

— Убью!

— Что ты сказала, Катенька? — наклонилась к ней поближе старушка.

— Убью! — повторила она громко, выпила рюмку водки и, взяв со стола большой кухонный нож, решительно встала.

— Кать, да ты чего! — растерялся Егор Андреевич.

— Правильно всё вы говорите, Егор Андреевич! Безвинно убиенная... А за безвинно убиенных мстить надо. Я не мать буду, если эту сволочь не зарежу! — с этими словами она направилась к двери.

Муж вскочил за ней.

— Кать, перестань! Ну что ты. Люди же собрались. С ними-то хоть давай посидим. А потом сами решим все, — уговаривал он, пытаясь взять из ее руки нож.

— Что решать! Что решать-то? Ты уж решишь, пожалуй! — заплакала она. — Ходишь все, руки в карманах, встречаешься с кем-то! Что толку, что ты встречаешься! По закону все хочешь, да? Не получится у меня теперь по закону! Нет его, закона-то! — Она плакала все сильнее и сильнее, а муж ласково гладил ее по голове, уводя в соседнюю комнату.

— Ведь девчушка еще... Как рука-то поднялась, — продолжала плакать она. — Да его убить мало! Да я его... Пусти меня! Пусти!

Но мужчина был сильнее. Он отобрал у нее нож и потащил в комнату, приговаривая:

— Кать, ну успокойся! Я все сделаю. Посадят... Ну что ты, Кать, ну не при людях же...

Сразу все зашептались, зашушукались. Гордеев был поражен. Он уже точно решил для себя, что не будет людей мучить разными вопросами. По крайней мере, сегодня. Но все же поведение отца девочки показалось ему довольно-таки странным. Мать, да, он понимал. Но вот отец. Ему казалось, что как раз отец должен был размахивать ножом и рваться в бой, мстить за дочь. Здесь же дело обстояло совсем по-другому. Более чем... Отец казался даже спокойным. И если его что-то и волновало, то, в первую очередь, состояние жены. Но как бы там ни было, Гордеев встал, попрощался со всеми и вышел в коридор.

— А это кто? — успел услышать он за спиной.

— Не знаю...

Теперь предстояло найти свои ботинки среди груды чужой обуви.

— Вы уже уходите? — раздался над ним чей-то голос.

Гордеев выпрямился. Перед ним стоял отец девочки.

102

— Вообще-то да. Но я хотел с вами поговорить, — выпалил вдруг Гордеев.

— О чем же?

— О девочке. О вашей дочке.

— Что же о ней разговаривать? Ее теперь уж нет в живых, — видимо, он все еще принимал Гордеева за какого-то гостя.

— Да. Я очень сожалею. И, честно говоря, очень хочу помочь вам в этом деле.

— Чем тут поможешь...

— Вы знаете, кто убийца? — прямо спросил он. — Может быть, вы знаете какие-нибудь подробности?

Тот удивленно, но не негодующе приподнял брови:

— Зачем вам это? Справедливости хочется, — затем он прищурился. — А вы вообще-то кто?

— Я... — замялся Гордеев, но Маковский не дал ему сказать:

— А! Кажется, я понимаю... Вы что, журналист? Или частный сыщик? Честно признаться, меня воротит и от тех, и от других. И знаете что, без вас как-нибудь разберемся.

— Скажите только, вам самому что-нибудь известно об этом деле? — повторил Гордеев. — Вы уверены на сто процентов, что убийца именно Зайцев?

— Если б был уверен, я бы тут не стоял с вами... — задумчиво произнес тот.

— А что вы думаете по этому поводу?

Он вздохнул и вдруг, будто опомнившись, резко спросил:

— Да кто вы такой в конце концов?

— Я его адвокат, — собравшись с духом, признался Гордеев.

— Чей?

— Зайцева.

Маковский внимательно посмотрел на Гордеева, но тот, к своему удивлению, не обнаружил в его глазах ни ярости, ни жажды мести.

— А! Понятно... Ищете способа увести его от обвинения?

— Я ищу правду, — просто сказал Гордеев, внимательно наблюдая за реакцией Маковского. Как ни странно, тот только задумчиво покачал головой и отвел взгляд.

— Скажите, — продолжил Гордеев, — вам что-нибудь известно?

— Что мне известно? Мне известно, что убили мою дочку. И еще мне известно, что я этого так не оставлю, — твердо ответил Маковский.

— Но...

— Так вы уже уходите? — оборвал его Маковский. — Не посидите ли с нами еще? Что ж, по лицу вижу, что нет, опаздываете. Ну что ж, не смею задерживать... Всего доброго, до свидания!

— До свидания, — Гордееву больше ничего не оставалось, как уйти.

Маковский что-то знал. К такому выводу пришел Гордеев, обдумав этот разговор. Но что? Это еще предстояло выяснить...

8

Теперь надо было подумать о Лиде... Гордеев со всех ног бросился к ближайшей улице. Машин было не слишком много, и, как назло, ни одна не останавливалась. Гордеев уже перебрал все самые возможные изощренные ругательства в адрес города Андреевска, андреевских водителей, выборов, кандидатов в губернаторы, Кравцова и так далее и тому подобное, когда рядом с ним притормозила «шестерка» ядовито-зеленого цвета.

Гордеев быстро сел в машину, понимая, что, если этот водитель откажется везти его по заданному адресу, то ему еще долго придется ждать у моря погоды. Но шофер как ни в чем не бывало тронулся с места и уже на ходу поинтересовался:

— А куда, собственно, едем-то, приятель?

Гордеев выпалил сказанный Лидой адрес. Шофер изумленно поглядел в его сторону:

— Так это же дом Кравцова!

«Действительно, прав был Зайцев, когда говорил, что дом Кравцова известен всему городу», — вспомнил Гордеев.

— Вы его знаете?

— Ха, — усмехнулся водитель. — Кто ж его не знает? Очень крупный бизнесмен. Богатый человек!

— Ну да, именно... — кивнул Гордеев.

— А вы, значит... — Шофер вопросительно посмотрел на Гордеева.

— По делу, — ответил тот, недовольный излишней любознательностью водителя.

— А! На сколько договоримся?

«Конечно, просек тему, — подумалось Гордееву. — Раз я еду по делу к самому Кравцову, значит, с меня можно и бабок побольше слупить». Но вслух ответил:

— Сколько попросите.

Довольный шофер кивнул головой. Гордеев не сомневался, что попросит он немало.

Шофер что-то говорил, говорил. Но Гордееву было

не до него. Он думал о Лиде. «Что-то здесь не так, — размышлял он. — Вероятно, ее муж удерживает там вопреки ее желанию. Раз она не могла даже нормально по телефону поговорить. Выходит, так же принудительно он ее и привез сюда. Вот гад! Но зачем ему это нужно! Маньяк просто какой-то! Н-да! Интересно, а как же я ее вытаскивать оттуда буду? Я же не знаю толком, где он ее держит! Вот черт! Приключения! Ну ладно! Это все ерунда! Это все я на месте решу. Интуиция подскажет, она меня, слава богу, редко обманывает. Самое главное, добраться до места предстоящего действия. Намечается, я чувствую, занимательное шоу!»

Из раздумий Гордеева вырвал вопрос водителя:

— И за кого вы?

— Что? — переспросил Юрий.

— Я говорю, за кого голосовать собираетесь? — уточнил водитель.

— А-а! — отозвался Гордеев. — В общем-то, ни за кого.

— Это правильно, — с одобрением кивнул водитель. — Я тоже. Чего за этих сволочей голосовать?

— Да нет, — улыбнулся Гордеев. — Я не буду голосовать, потому что я не отсюда.

— Да-а? — протянул водитель. — А откуда? Если не секрет...

— Отчего же секрет? Не секрет. Из Москвы. — Гордеев еще раз отметил нездоровую любознательность водителя. При этом он с грустью подумал, что факт его столичного происхождения автоматически повысит плату за проезд.

— А к нам какими судьбами? Из самой столицы... — спросил водитель.

— Я же уже говорил, по делам...

— Ах, да. Забыл, забыл. Тоже бизнесом занимаетесь? — понимающе кивнул водитель.

— Почти что... — уклончиво ответил Гордеев.

— Как это «почти что»?

— Так, а вы за кого голосовать будете? — Гордеев перевел разговор на другую тему.

— Тоже ни за кого.

— В смысле против всех?

— Да нет, вообще не пойду на выборы.

— Угрожающее положение в вашем городе... для выборов, конечно. Вы уже второй человек, кто говорит мне, что не пойдет на выборы вообще. Да и подозреваю, что не последний. Тенденция?

— Ну а чего на них ходить-то? Голосовать не за кого. Все — сволочи, продажные шкуры, хапуги. Мы их, что ли, интересуем? Да ничего подобного! Как всегда, наобещают с три короба, а этого обещанного жди потом — не дождешься! А то, что я пойду и против всех проголосую, так что с того? Все равно они поставят на пост того, кого им выгодно...

— Примитивно вы рассуждаете. Банально. Как бабулька какая-нибудь у подъезда...

— А что, бабулька не человек, что ли? Кстати, вот бабульки-то как раз на эти выборы и пойдут. Им мозги легко запудрить лозунгами да обещаниями паршивыми. Ну или прибавку к пенсии пообещают.

— Все равно... Лучше пойти и проголосовать против всех, чем вообще не ходить. Это и будет воля народа. Пусть они знают... В наше время, слава богу, строго следят за...

— Это у вас в Москве следят, — перебил его водитель. — Какая «воля народа»! Ну что вы говорите?! У нас такой беспредел творится! Вон у вас-то, в Москве, например, психов, шизиков и убийц не допускают в кандидаты...

— А у вас допускают?

— Конечно! Вот, одного сумасшедшего, к счастью, в тюрьму посадили. За убийство.

Гордеев сразу смекнул, о ком речь.

— Это вы о генерале Зайцеве?

— А вы знаете эту историю, да?

— Наслышан.

— Ну вот! Так-то. Между прочим, кабы не этот случай, я бы, наверно, за него проголосовал бы. Мне казалось, нормальный мужик, самый достойный из всех кандидатов в губернаторы. А он оказался такой же сволочью, да еще и сбрендившей! Каково сейчас родителям-то бедной девочки!

— Ну, насколько мне известно, это темная история. И неясно еще, кто ее убил. Может быть, и не Зайцев.

— Может быть. Кто теперь разберет! А вот девочку уже не вернуть. Кстати, мы подъезжаем.

Деревья, идущие до сих пор сплошной стеной, расступились и открыли расположенные вдали друг от друга замечательные дома-теремки. При близком рассмотрении они оказались роскошными двух- и трехэтажными коттеджами.

— Вот тут наши богатеи и обитают! — бодро поведал водитель.

— Неплохо, — кивнул Гордеев.

— А как же! Они ведь в плохом месте жить не будут.

Они выехали на узкую дорогу. По сторонам ее красиво, в четком порядке, расположились клены и ясени.

— Вон, кажется, вот тот и есть дом Кравцова. Вы с номером сверьтесь, на всякий случай, я ведь могу и ошибаться. — Водитель указал на возвышающийся впереди светлый особнячок.

Гордеев заглянул в бумажку и убедился, что это и есть нужный дом.

— Ну что, сколько я вам должен? — поинтересовался Гордеев, доставая портмоне.

Таксист почесал затылок, подумал и неожиданно назвал вполне приемлемую цену. Гордеев расплатился с ним и быстрой походкой направился к особняку вдоль высокого деревянного забора. Вскоре перед ним встали глухие железные ворота.

С минуту Гордеев стоял около них, раздумывая, как проникнуть внутрь. «Перелезть через забор? Дикость! Да и мало ли какие неожиданности там могут подстерегать. Злые собаки там, или злые же охранники! Какая разница! Надо прощупать почву...» И он нажал на кнопку звонка, расположенную на столбе рядом с воротами.

Минут через десять калитка в воротах открылась, и оттуда вышел непомерного роста детина с плечами похлеще, чем у Шварценеггера (Гордеев даже удивился, как он вообще пролез в такую маленькую для него калиточку). На плоском лице его, нисколько не обезображенном хоть какими-либо признаками интеллекта, выразилось некоторое недоумение — судя по всему, в этот день никаких гостей не ожидали.

— Здравствуйте, — вежливо произнес Гордеев.

— Здрасте, — ответил детина басом и вопросительно уставился на адвоката.

— А Сергей Сергеевич у себя? — Гордеев несколько усомнился в том, правильно ли он назвал имя и отчество хозяина дома.

— А вы, собственно, кто и по какому вопросу? — вопросом на вопрос ответил детина.

— То есть вы спрашиваете, как меня представить? — Юрий задумался.

— Нет, не как вас представить, а представлять ли вообще! — нетерпеливо ответил детина.

— Допустим, я по делу, — сказал Гордеев.

— По всем делам с Сергеем Сергеевичем нужно договариваться по телефону, — тоном, не допускающим возражений, пробасил детина.

— Да? — переспросил Гордеев только для того, чтобы обдумать свою следующую реплику.

— Да, — уверенно кивнул охранник.

— Так до него же не дозвонишься! — нашелся Гордеев.

Охранник пожал плечами:

— Ничем помочь не могу.

— Слушайте, — настаивал Гордеев. — А если к нему гости придут или соседи, например. Ну вот, допустим, новые соседи пришли знакомиться... Вы их тоже не пустите? Скажете, по телефону договариваться?

— Зачем соседям приходить, я что-то не понимаю? С какой такой стати? — с недоумением сказал охранник.

Гордеев развеселился. Это напоминало ему сцену из сказки про Буратино, где тот, решая задачу, искренне удивлялся: «Почему это я должен делить яблоко с каким-то там Некто?»

— Ну хорошо, — терпеливо объяснял Гордеев, — не соседи. Предположим, друзья или родственники. Проездом, погостить.

— Обо всех друзьях и родственниках Сергей Сергеевич нас сам предупреждает.

«Однако разговорчивый малый попался, — подумал Гордеев. — Все рассказывает чего-то, рассказывает! Ну хоть спасибо — сразу пинком под зад не выпроводил».

— Ну а если к нему, допустим, старые друзья?

— Какие еще старые друзья? — Охраннику разговор, по-видимому, не доставлял никаких неудобств. «Его тоже можно понять, — подумал Гордеев, — он ведь дежурит, а почесать языком каждому охота...»

— Ну, например, школьные друзья. Решили сюрприз сделать?

— Как?

— Что — «как»? А, ну, например, они давно не виделись, а тут решили без предупреждения нагрянуть, сделать ему такой вот сюрприз!

— Не получится, значит, сюрприз, — серьезно и даже с каким-то сочувствием к неизвестным школьным друзьям ответил охранник. — Сергей Сергеевич сюрпризов не любит.

— Вот так вот, да? — игриво переспросил Гордеев.

— Ну все? Вопросов больше никаких нет? — раздражение охранника, судя по всему, все-таки росло.

— Один всего. Можно?

— Валяй, — разрешил охранник.

— У вас злые собаки есть? — с безысходностью спросил Гордеев, предчувствуя, что все же придется лезть через забор.

Охранник как-то презрительно посмотрел на Гордеева, в его взгляде тот читал: «А может, тебе еще и ключи от квартиры... где деньги лежат?» Он ничего не ответил. Калитка начала медленно закрываться.

— Я журналист! Из Москвы! — предпринял последнюю попытку Гордеев.

— Да хоть из Лос-Анджелеса! — раздался насмешливый голос, и дверь неумолимо захлопнулась.

Гордеев медленно пошел вдоль забора. «Интересно, — думал он. — У него охранники по всей территории расставлены или в одном месте сидят? Чем он занимается, черт его побери! «Молодой преуспевающий бизнесмен»! Гостиницу имеет в центре города... Угу, а гориллы, как у самого президента. Интересно, а что со мной будет, если меня тут поймают? Посадят за незаконное проникновение в частные владения? И лишится тогда Зайцев своего молодого и успешного адвоката. Будем вместе на нарах сидеть. Черт! Да когда же этот забор кончится! Ну да, забор, конечно, кончиться не может... Он расположен по периметру. А это, судя по всему, задняя сторона дома. И Лиду он, наверно, держит вон в той комнате, наверху, где окно с ажурными занавесочками и цветами на подоконнике. Ну что, полезем? И что я делаю, прости Господи? Ну перелезу, а что дальше?»

Но несмотря на все свои мысли, Гордеев продолжал карабкаться на забор. Осторожно вытянув голову и осмотрев всю территорию с этой стороны, он пришел к выводу, что здесь из охранников мало кто ходит. Он перелез через забор и спрыгнул на ровный, ухоженный газончик. Тут же из-за дома кто-то вышел. Гордеев присел на корточки и сжался. Высокая фигура неумолимо приближалась. Недалеко от Гордеева, метрах в двух, рос куст жасмина. Юрий кинулся к нему, как к своему единственному спасителю, и, словно муравей, заполз под куст.

Человек прошел мимо, подошел к маленькому теремку-колодцу, набрал воды и стал пить. Он пил так долго, что Гордееву показалось, прошел целый час, или даже два. На Юрия с куста сыпались какие-то насекомые, и он ругался про себя: «Садовод хренов! Хоть бы вредителей вывел, мать их! Ну куда, куда ты ползешь с таким непостижимым упрямством!» — Гордеев обратился к жучку, шустро ползущему по его коленке. Но жучок, конечно, не умел читать человеческих мыслей и как ни в чем не бывало продолжал свой путь. Гордеев попытался щелчком сбросить его с себя, но при малейшем движении жасминовый куст начинал так дрожать своими цветами и листьями, что Юрий предпочел все ж таки общество жучка, чем того человека с косой саженью в плечах.

А тот все пил и пил, как корова на водопое, прихрюкивал, кряхтел, останавливался, чтобы отдышаться, и снова пил...

«Неужели мне так и придется здесь заночевать, под кустиком, — с горечью подумал Гордеев. — Как там в песенке-то: «И утащит во лесок под ракитовый... нет, под жасминовый кусток!» Просто замечательно! И долго мне так еще сидеть?»

И тут вдруг Гордеев совсем близко от своей правой руки увидел небольшого мохнатенького паучка. Ничего такого, паучок как паучок. Медленно, но целенаправленно он продвигался к руке Юрия. Совсем незначительный факт... если не брать во внимание то, что Гордеев с детства боялся пауков.

У каждого человека в жизни есть какая-то фобия. Кто-то боится зубных врачей, кто-то высоты, кто-то турникетов в метро, ну и так далее. Гордеев ничего этого не боялся. Он вообще в своей жизни мало чего боялся. Но вот пауки! Это был страх, появившийся еще в детстве и оставшийся на всю жизнь. Пауки были ему глубоко противны, хотя, в общем-то, ни разу не причинили ему практического вреда.

В детстве самым кошмарным его сном был сон, в котором пауки ползали по нему, заползали под одежду, в рот, в уши, а он не мог вымолвить ни слова, не мог пошевелиться. Он просыпался с плачем, весь в поту, мама гладила его по голове и приговаривала:

— Опять паучки приснились? Ну ничего. Это просто сон, засыпай.

Потом страх несколько притупился, с возрастом кошмарные сны стали мучить реже и казались уже не такими кошмарными, как прежде, быстро забывались. Но отвращение и боязнь пауков остались на всю жизнь.

Так вот теперь Гордеев сосредоточил все свое внимание не на пьющем человеке, от которого грозила реальная опасность, а на маленьком паучке, решившем, что ему непременно нужно побывать на руке у Гордеева.

Юрий весь напрягся, на лбу у него выступили капельки пота. Паук был уже совсем близко.

Тут человек наконец напился вдоволь, поставил ведро на скамейку и неспешным шагом направился туда, откуда пришел.

Гордеев неотрывно смотрел на паука. Вот уже четыре его передние лапки прощупали поверхность Юриной руки. Паучок подумал немного и забрался на руку полностью. По всему телу Гордеева побежали мурашки, он сглотнул слюну и посмотрел в сторону удаляющегося человека. Паук медленно переставлял лапки на руке у Гордеева, щекотал ее своей щетинкой. И вдруг, словно ему в голову неожиданно пришла какая-то идея, которую нужно молниеносно осуществить, он помчался, быстро перебирая ножками, вверх по руке Гордеева, устремляясь все ближе к засученному рукаву его рубашки. Этого Гордеев вынести уже не смог. Благо человек уже скрылся за углом дома.

Гордеев как ошпаренный выскочил из-под куста жасмина и лихорадочными движениями стал сбрасывать с себя противного паучка.

Отдышавшись и отняв руку от сердца, Гордеев огляделся. Осмотрел дом. Ему в глаза тут же бросилось чуть приоткрытое окошко совсем близко с землей. «Ага, подвальное окно!» — смекнул Гордеев и, пригибаясь, побежал к нему.

Окно было слегка приоткрыто, с внутренней стороны створку придерживала длинная палка. Гордеев приподнял створку, вынул палку, пролез в окошко и очутился в небольшой полутемной комнате.

Комнату заполняли какие-то пыльные мешки, тюки, огромный старый бильярдный стол, многочисленные старые вещи. Впереди виднелась железная лесенка, ведущая к железной же двери.

«Интересно, — подумал Гордеев, — дверь заперта изнутри? Если так, то все мои старания напрасны. Придется снова вылезать и искать другой способ проникновения внутрь».

До сих пор у Гордеева все получалось спонтанно. У него не было какого-то четкого определенного плана. Да что там говорить, у него не было вообще никакого плана! И он не знал, что будет делать дальше. Просто не представлял, что он предпримет, если даже окажется в доме. Где он будет искать Лиду? Как будет ее вызволять отсюда? И что с ним будет, если он вдруг попадется?! Об этом Гордеев просто не желал думать.

Он осторожно поднялся по лестнице и попытался открыть дверь. К счастью, она оказалась не заперта, только подавалась с трудом, что-то мешало с той стороны.

Гордеев поднапрягся, толкнул дверь, она распахнулась, от двери с грохотом откатилась какая-то тумбочка. Он очутился в светлом коридоре.

Прямо напротив него, уперев руки в бока, стоял невысокого роста темноволосый человек.

— Здрасте, — улыбнулся ему Гордеев, хотя душа его от неожиданности ушла в пятки.

Человек немного попятился. Сначала Гордеев не понял, что он хочет сделать, но потом увидел, как его рука потянулась к стене. На ней висело охотничье ружье.

Не раздумывая больше ни секунды, Гордеев кинулся на человека, сбил его с ног, но тут же получил оглушительный удар кулаком по переносице. Слезы сами собой брызнули у него из глаз, но он схватил человека за руку и увлек его за собой на пол. Гордеев искал глазами что-нибудь тяжелое, чем бы его можно было треснуть по голове. Но ничего подходящего не находилось.

— Проклятие! — прохрипел человек. — Ворюга паршивый!

— Я не ворюга, — попытался объясниться Гордеев.

— А кто ты? Зачем ты сюда влез?

— Где вы держите женщину? — решил сразу выложить карты на стол адвокат.

— Чего? — опешил человек.

— Где жена Кравцова, мать твою! — чуть ли не заорал Гордеев. — Где Лида?

Человек выпучил на него глаза. Потом издал звук, отдаленно напоминающий рычание, изловчился и, приложив максимум усилий, вырвался из гордеевских рук. Теперь Гордеев лежал на полу, а сверху над ним рычал человек:

— Ты кто такой, подонок? Зачем тебе моя жена?!

Теперь пришла очередь удивляться Гордееву.

— Ну и ну! Да ты и есть сам Сергей Кравцов?

— Да! — ответил тот, пытаясь задушить Гордеева.

— Убери ты руки от моего горла! — Юрий отпихнул от себя Кравцова, тот ослабил хватку.

Оба уселись на полу и тяжело дышали.

— Где Лида? — спросил наконец Гордеев.

— А не пойти ли тебе к черту! — ответил Кравцов. — Кто ты вообще такой?

— Ну уж нет! Я столько испытаний преодолел, чтобы попасть сюда. Не на тебя же мне теперь любоваться!

— Да кто ты такой? — в который уже раз попытался выяснить его личность Кравцов.

— Догадайся с трех раз! — иронично ответил Гордеев. — Лида тебе о нас не рассказывала?

— О вас? — разъярился Кравцов.

— Ну да... — невинно ответил Гордеев.

— Ах, так ты и есть тот самый замечательный адвокат, с которым она в Москве познакомилась?

— Видимо, да...

Тут же на Гордеева опять обрушился оглушительный удар, и возня на полу возобновилась. Они били друг друга кулаками, душили, рычали, пока чьи-то уж слишком сильные клешни не оттащили Гордеева, заломив

117

ему руки за спину. Кто-то ругался за спиной. И Гордеев уже решил, что тут-то его песенка спета. Но Кравцов, поднимаясь с пола и непотребно матерясь, гарк-
нул:

— Отпусти его, мать твою!

— Но Сергей Сергеевич, он же... — пробасил охранник.

— Я что сказал! — заорал Кравцов. —Ты слышал?
Надо было хорошо за входом следить! У меня такое
впечатление, здесь не дом, а одна сплошная озоновая
дыра! Одни убегают, другие прибегают! А вы на что
тут мне!

— Этого больше не повторится! — потупил взор
охранник.

— Да вы передо мной только что каялись, что такого больше не повторится! «В первый и последний раз»!
И что же? Не прошло и часа, как вот вам, пожалуйста,
появляется какой-то проходимец.

— Я не проходимец, — уточнил Гордеев. Впрочем,
на эту его реплику никто не обратил никакого внимания.

Охранник все-таки отпустил Гордеева и стоял с опущенной головой, как провинившийся школьник.

— Пошел вон! — крикнул Кравцов. —Если еще что-
нибудь произойдет, уволю всех!

Охранник поспешно удалился. Гордеев никак не мог
понять, что происходит и о чем они говорили.

— Значит, как там тебя... — хмуро произнес Кравцов.

— Гордеев.

— Да, Гордеев. За Лидой, значит, пришел, да?

— За Лидой, значит, — кивнул головой Юрий.

— Ну молодец, похвально! Спасти, значит, решил? От злого мужа. Так?

— Так, — кивнул Гордеев.

— Только вот нет ее у меня! — насмешливо воскликнул Кравцов, разводя руками.

— Вот только не надо мне тут гнать... — угрожающе произнес Гордеев. — Она мне сама позвонила и сказала, что находится именно здесь.

— Угу, разговаривал бы я с тобой сейчас, если бы она здесь была! — Кравцов погрозил Гордееву кулаком.

— Не понимаю...

— Что непонятного-то? Ну была здесь, да. А час назад сбежала. Сбежала она от меня, — горестно развел руками Кравцов. — Во второй раз уже!

Гордееву стало смешно. Кравцов напомнил ему Пьеро: «Пропала Мальвина, невеста моя! Она убежала в чужие края!» «Сегодня просто сплошные приключения Буратино какие-то!».

— От тебя сбежишь! — Заметил Гордеев недоверчиво. — Хватит врать!

— А что такое?! — пожал плечами Кравцов.

— Да все! Насильно держать женщину в заточении! Дикость какая-то!

— Тебе этого не понять! — грустно покачал головой Кравцов.

— Ну да, конечно! Куда мне! И охрана у тебя, по всему видно, хреновая! Лиду упустили, а меня, наоборот, пропустили. — Гордеев уже понял смысл разговора Кравцова с охранником.

— Это точно, — согласился Кравцов. — Слушай, а как ты через забор перебрался-то?

— Очень просто. Перелез и все.

— Интересно, — задумчиво сказал Кравцов. — Надо будет поверху колючую проволоку пустить. И ток провести.

— Ага, и сторожевые вышки по углам расставить, — в тон ему продолжил Гордеев, — советую также собак завести...

Через полчаса они уже сидели за столом. Все еще без особой симпатии глядя друг на друга, они заключали между собой союз.

— Слушай, мне плевать, чем ты занимаешься, — говорил Кравцов. — Да мне вообще плевать на тебя. И то, что к тебе чувствует Лида, — это тоже мне безразлично...

— Да? — недоверчиво переспросил Гордеев.

— Ну почти безразлично, — глянул на него исподлобья Кравцов. — Для меня сейчас самое главное — ее безопасность! Понимаешь? Она мне очень дорога.

— И мне тоже, — сказал Гордеев.

— Вот и хорошо. Так что теперь нужно найти ее. А потом уж решим...

— Что решать-то будем? — поинтересовался Гордеев.

— Ну насчет Лиды... — ответил Кравцов с некоторой неохотой.

— А! Так это она сама пусть решает, — предложил Гордеев.

— Пусть решает, — легко согласился Кравцов. — Короче, ты меня слушаешь или нет?

— Ну, слушаю. Весь внимание. Куда она могла деться?

— Понятия не имею.

— И как же мы теперь ее найдем?

— Я найду! — уверенно сказал Кравцов.

— Отлично! Как? — спросил Гордеев.

— Я сейчас подключу всю городскую милицию. Она и будет искать.

— Серьезно? У тебя такие большие связи?

— Нечего улыбаться! Деньги в этом мире делают все. Ну почти все, — уточнил Кравцов, видимо вспомнив давешний разговор с Лидой. — Теперь деньги помогут нам найти Лиду. Милиция любит деньги.

— Да, деньги делают чудеса, — съязвил Гордеев. — Только вот любовь на деньги нельзя купить, да, Кравцов?

Кравцов исподлобья посмотрел на Гордеева.

— Напрасно ты так. Я ведь не предлагаю деньги за любовь, — процедил он сквозь зубы.

— Это делает тебе честь, — насмешливо кивнул Гордеев.

Кравцов зло сверкнул глазами, но сдержался.

— Кстати, а чего ты сюда приперся? — сменил тему он. — Я имею в виду в Андреевск.

— Защищать одного вашего кандидата в губернаторы. Его посадили в тюрьму, а я должен его оттуда вытащить.

— А, ты, значит, адвокат Зайцева? — догадался Кравцов.

— Ну да. А что?

— Ничего. Просто сложно тебе будет этот клубок распутать!

— Ты что-нибудь об этом знаешь?

— Я знаю тех людей, верхушку. Этого достаточно для того, чтобы сделать подобный вывод.

— Удивил! Я тоже догадываюсь, что это за люди.

Кравцов пожал плечами. Гордеев внимательно посмотрел на него.

— Если понадобится, ты мне что-нибудь о них расскажешь?

— Что-нибудь? Ну если адвокат Гордеев согласится принять от меня посильную помощь в этом вопросе... Расскажу, отчего же не рассказать, — надменно улыбаясь, произнес Кравцов.

— У нас ведь союз, — напомнил Гордеев.

— Да-да, — кивнул Кравцов.

— Вот номер моего сотового телефона, звони в любое время, как только станет что-нибудь известно о Лиде.

— Хорошо. — Кравцов взял бумажку с номером телефона и протянул Гордееву свою визитку. — Вот все телефоны, по которым ты сможешь связаться со мной.

— Но ты своих горилл предупреди, чтобы они меня пускали к тебе.

Кравцов расхохотался.

— А зачем? Ты же и так, как червяк, в любое место пролезешь! Ладно, ладно, предупрежу.

— Мне пора, — сказал Гордеев.

Кравцов проводил Гордеева до калитки.

— Всё! Пошел, — сказал Гордеев, потирая ушибленное плечо.

— Давай.

— Ну и ты давай. Приложи все усилия к поискам Лиды!

— Не сомневайся!

— И это... Позвони мне обязательно, как только станет что-нибудь известно.

— Да ты ж сам не отстанешь, чего тебе звонить?

— Это точно! Я не отстану! Вот поэтому и позвони!

Кравцов несколько секунд внимательно смотрел на Гордеева, потом медленно протянул ему руку для пожатия. Гордеев глянул на протянутую ему руку и, ни секунды не сомневаясь, протянул свою. Рукопожатие состоялось. Им был скреплен заключенный между ними союз.

Кравцов еле заметно улыбнулся Гордееву:

— Не переживай! Позвоню!

9

Вернувшись в свой гостиничный номер, он даже не нашел в себе сил раздеться и беспробудно проспал до следующего утра.

...Гордеев лежал на узкой гостиничной кровати в своем номере и безразлично смотрел в потолок. Обычно по утрам он чувствовал прилив сил. Сегодня же на него вдруг накатила жуткая хандра. Исчезновение Лиды, ожидание звонка Кравцова, кладбище, поминки маленькой Софьи, состояние ее родителей — все это слилось в единую негативную и даже какую-то трагическую волну, которая накрыла его с головой. Гордеев ощущал смертельную усталость. Но как человек опытный, он понимал, что это всего лишь психическое переутомление.

«Что-то тут нечисто, — продолжал он свои размышления. — Отец девочки что-то знает, мне так кажется... Как-то странновато он себя ведет. Идти на контакт совершенно не хочет. Нет, от него ждать нечего. А может, он что-то задумал?.. Но что же делать? А делать, наверно, нужно вот что... Нужно завтра же пойти и попытаться пообщаться с матерью Софьи. Попытка — не пытка!».

Сон постепенно опять сморил его. Размышления зашли в тупик. И он снова заснул, по-детски прижимаясь щекой к своей ладони.

Когда щебетание птиц и крики детей снова, как и в Москве, ворвались в сон Юрия, часы уже показывали почти полдень. Он недовольно укрылся одеялом с головой, но тут же проснулся от странного чувства неудобства. Он только сейчас обнаружил, что всю ночь проспал в одежде.

Со скрипом он встал и поплелся в ванную. Потом — чашка горячего кофе перед телевизором. Московские каналы Гордееву были неинтересны, и он переключил на местные новости. Молодая дикторша рассказывала о происшествиях. Гордеев весь напрягся, думая, что такие случаи, как история с Зайцевым и убитой им девочкой, имеют огромный резонанс в маленьких городках, их потом мусолят месяцами. Вопреки его предположению о Зайцеве, да и вообще о выборах не было ни слова.

— И еще об одном серьезном происшествии. Вчера поздно вечером, около одиннадцати часов, на улице... — говорила дикторша, — был сбит старший лейтенант милиции Алексей Маковский, 1967 года рождения.

Кружка с горячим кофе чуть не выпрыгнула у Гордеева из рук. Он подбежал к телевизору и увеличил звук.

— ...получил несколько переломов и черепно-мозговую травму. От полученных травм скончался на месте. Виновный в происшествии скрылся с места преступления. В данный момент ведутся поиски преступника.

Напомним, что около месяца назад была убита дочь лейтенанта Маковского Софья. По подозрению в убийстве девятилетней девочки был задержан кандидат в губернаторы Андреевской области Евгений Павлович Зайцев. Что это? Стечение обстоятельств или непримиримая вендетта, объявленная кем-то семье Маковских? Но как бы там ни было, мы приносим искренние соболезнования единственному оставшемуся в живых члену семьи Маковских — Екатерине Васильевне, вдове и матери погибшей девочки.

Гордеев был потрясен услышанной только что новостью. «Случайность? — лихорадочно думал он. — Может быть, и случайность, но это маловероятно. Скорее всего, просто-напросто убрали. А за что убирают? Обычно либо за слишком длинный язык, либо за зоркие глаза и догадливость. Длинный язык отпадает. Значит... Как я и догадывался, Маковский что-то знал. Точно знал. Только вот что? Черт побери! Ну вот что бы ему не открыться мне вчера? Теперь никто уже ничем не поможет. Хотя... Конечно, кощунство — беспокоить женщину в такую минуту... Но это последний шанс, другого выхода нет! И времени уже почти не остается».

Гордеев быстро оделся и помчался домой к Екатерине Васильевне Маковской.

Дверь ему открыла сухонькая старушка, та самая, которую он уже видел на поминках.

— Здравствуйте, я к Екатерине Васильевне, — запыхавшись, произнес Гордеев.

— Здравствуйте, — старушка вроде бы даже его и не узнала, хотя не далее как вчера предсказывала ему долгую жизнь...

— Она дома?

— Она дома, но с вами вряд ли сможет поговорить. У нее такое горе... — старушка затрясла головой.

— Да, я слышал. Но мне необходимо... Именно об этом... — Гордеев умоляюще сложил руки.

— Что вы, что вы, нельзя! — Она кинулась в дверной проем, как на амбразуру. — Она же с ума сойдет от горя! Она же рассудка лишится!

— Да как же вы не понимаете! Мне просто необходимо с ней поговорить!

— Нет, нет! В следующий раз. — Старушка была непреклонна.

— Да какой, к черту, следующий раз! — рассердился Гордеев. — Мне же нужно кое-что важное... Она может знать! Для расследования! Это для расследования!

— Ну да, конечно, все вы так говорите! Только что-то дел не видать! Ни стыда у вас, ни совести! — мотала головой старушонка.

— Да нет же! Вы меня не за того принимаете! Я не журналист! Я адвокат!

Слово «адвокат» поразило старушку. Возможно, в ее памяти возникли многочисленные мыльные сериалы, и слово «адвокат», явно связанное с чем-то судейским. А может, перед ней даже предстал образ справедливого человека в черной мантии. Короче говоря, это слово сильно ее впечатлило. Она освободила дорогу и сказала:

— Так вы б сразу так и говорили — я, мол, из суда, этот... как его... адвокат. А то ходят из газет всякие, никакого понятия о чужом горе! Все выпытывают, что да как. А потом в газетах невесть чего печатают! Ну вы проходите, гражданин судья, то есть... как вы там? Да,

126

адвокат. Вы, конечно, можете попробовать с ней поговорить, но она в таком состоянии... Уж и не знаю.

Гордеев поблагодарил старушку, которая проводила его в комнату, где сидела, укрывшись большим пуховым платком, вдова Маковского. Гордеев закрыл дверь и сел напротив нее на стул. Взгляд ее был совершенно безжизненным.

— Здравствуйте, — поздоровался с ней Гордеев.

— Здравствуйте, — эхом отозвалась она, глядя в стену.

«Разговаривает — уже хорошо!» — подумал Гордеев.

— Я сейчас вам кое-что скажу, и очень вас прошу, внимательно выслушайте меня, постарайтесь понять то, что я говорю, — попросил он. — Только очень внимательно! Потому что я хочу вам помочь. Хорошо?

Она совершенно безразлично покачала головой.

— Я скажу, а вы сами решите, хотите со мной разговаривать или нет. Это ваше право. Я настаивать не буду. — Как адвокат, Гордеев знал, как такой метод разговора действует на собеседника. По крайней мере, он будет вас слушать. А остальное зависит от тебя самого, от твоего актерского таланта, таланта красноречия и убеждения.

— Я не журналист и не буду вас пытать никакими вопросами. Вы, если сочтете нужным, сами расскажете мне то, что считаете необходимым. Так вот, я не журналист, я адвокат. Адвокат Зайцева.

При этих словах она осмысленными, наполненными бессильной злобой глазами посмотрела на Гордеева.

— Но это не значит, что я всеми правдами и неправдами буду стараться защищать его, не разбираясь, кто прав, а кто виноват, — продолжал Гордеев как можно более спокойным голосом. — Я сам хочу разобраться в этом деле. Я хочу понять. Я хочу узнать, кто это сделал. Мне нужна правда. И если я выясню, что это все же дело рук Зайцева, я клянусь вам, я засажу его за решетку на всю жизнь. Я даю вам слово! Теперь так. Мне нужно, чтобы кто-то мне помог, и в первую очередь я надеюсь на вашу помощь. Рассказываю по порядку — все события, как вы знаете, проходили и проходят на фоне выборов в губернаторы. А это уже сплошная грязь и разобраться в ней крайне сложно. Меня нанял брат Зайцева, но это не имеет никакого значения. Изучив материал, пообщавшись с людьми, хоть как-то замешанными в этом деле, я пришел к выводу, что вся верхушка, почти все кандидаты — одно большое гнилое яблоко, понимаете? Осиное гнездо! Все копают друг под друга. В биографии каждого найдется столько компромата, сколько достаточно для того, чтобы сесть за решетку. А теперь — убийство вашей дочери. Вы меня слушаете?

Она кивнула. Руки ее дрожали. Из глаз катились слезы.

«Все же какой-то реакции я добился, — отметил про себя Гордеев. — Что-то будет дальше? Либо она выставит меня за порог, либо все-таки поговорит со мной».

— Так вот. Убить вашу дочь мог каждый из них. Еще неизвестно, Зайцев это был или нет. И даже, скорее всего, нет. Каждый из них, понимаете! А что же я смогу сделать против всей этой верхушки, когда вы отказываетесь со мной разговаривать, отказываетесь мне помогать? Вчера я попытался поговорить с вашим мужем, потому что, как я понял, он знает что-то определенное. Но он не захотел со мной разговаривать. И вот, его нет в живых. И он даже не успел никому поведать то, что он знает. Его специально убрали, понимаете? Это я вам говорю откровенно. Что еще больше доказывает то, что ваш муж что-то знал про них! Его убили, потому что он мог разорить это осиное гнездо, о котором я вам говорил. А теперь, когда все так связано, я могу найти убийцу и вашей дочери, и вашего мужа. Теперь все зависит только от вас. Решайте, в силах ли вы мне помочь, или нет. Решение за вами. Вы можете выгнать меня прямо сейчас, это ваше право. Но тогда, возможно, мы никогда не найдем настоящего преступника. Пожалуйста, помогите мне... и себе. Постарайтесь что-нибудь вспомнить, может быть, ваш муж вам что-нибудь говорил.

Гордеев закончил свою тираду и перевел дух, наблюдая за реакцией Маковской.

Та в нерешительности молчала, только плечи ее и губы дрожали от безмолвного плача. Гордеев предпринял еще одну попытку:

— Помните, вчера вы сказали, что за безвинно убиенных нужно мстить? Я с вами полностью согласен. Но кто должен мстить? Вы сами? Нет... Закон! Справедливость! Я — адвокат. Я представляю закон. И я возьму на себя эту миссию. Вспомните, ваш муж, он ведь тоже олицетворял закон...

— Да, — вдруг с надрывом произнесла она. — Но хотел мстить сам, не через закон, а через себя!

— Хорошо. Ему это можно было. Уже сама его личность, его праведный гнев олицетворяли закон. А как он хотел мстить и, самое главное, кому?

— Кому? Зайцеву! — Она долго и значительно смотрела на Гордеева. Адвокат видел, что она постепенно приходит в себя.

— Конечно, — сказал тот. — Я вам еще раз повторяю, если я буду точно знать, что это сделал Зайцев, я засажу его за решетку, несмотря на то что я его адвокат! Так расскажите мне об этом подробнее.

— Мой муж хотел убить Зайцева, как только узнал об этом! — веско и совершенно спокойно произнесла уже совершенно взявшая себя в руки Маковская. — Он приготовил пистолет. Он был взбешен. Нет, «взбешен» — это не то слово. Слишком слабое... Я не знаю — это были гнев, ненависть... Вместе с горем и скорбью. А все вместе — самая настоящая чума. Я думала, что он не остановится, а будет убивать всех, всех, без разбора. Но потом вдруг все это куда-то исчезло... Он успокоился. Нет, это он внешне успокоился, а внутренне он озлобился еще сильнее.

— Скажите... А он что-то знал? Ну, об убийстве?

Она смотрела на Гордеева глазами, наполненными слезами.

— Он ничего мне не говорил... Только все ходил куда-то. Говорил, что встречается с одним человеком, который нам очень важен.

— Чем важен?

— Ну... Кажется, он может что-то сообщить...

У Гордеева засосало под ложечкой.

— Что это был за человек, вы не знаете?

— Нет, я была убита собственным горем и не обращала внимание на то, что происходит вокруг... — покачала головой Маковская.

— Ну вспомните что-нибудь. Может быть, какое-то неосторожно выроненное слово...

— Слово? Было только одно слово — «смерть»! И в глазах его была смерть. И во всех его действиях. Вот посмотрите... — Она встала, подошла к столу, выдвинула ящик и достала оттуда какой-то дырявый лист бумаги.

Гордеев взял его. Это был не лист. Это был то ли небольшой плакат, то ли фотография какого-то человека. Что это за человек, сказать было очень трудно, потому что вместо лица у него были сплошные дыры от пуль. Остались кое-как различимыми лишь седые клочки волос, несколько морщин на дырявой щеке и такое же продырявленное ухо.

— Что это? — спросил Гордеев.

— Разве вы не видите? Это мишень.

— А дыры — от пуль! Этого человека ваш муж почему-то ненавидел?

— «Ненависть» — это слишком слабое слово в сравнении с тем, что он чувствовал и что чувствую я!

— А теперь подумайте, кого ваш муж ненавидел больше всего на свете? Кто это на мишени?

— Убийца нашей дочери! — уверенно сказала Маковская.

— Значит, это он и есть?.. Но кто именно?

— Я не знаю, — пожала плечами она.

— Да, вы правы. Не дело так скоропалительно рассуждать! Но и это уже кое-что! Разрешите мне взять это с собой? — попросил Гордеев.

— Возьмите, — после некоторого колебания согласилась женщина. — Я вам почему-то верю, хоть вы и защищаете Зайцева... У вас глаза хорошие.

— Спасибо вам огромное. Если вам еще что-нибудь придет в голову, вот мой номер сотового телефона. Звоните в любое время. — Гордеев написал ей номер мобильника.

Мысли его кружились в нескончаемом вихре, когда он шел по улице.

«Это замечательная удача, — размышлял Гордеев. — Ведь кого, как не убийцу собственной дочери, Маковский мог сделать мишенью! Но, с другой стороны, хоть, конечно, и логично, но вдруг это не так? Вдова же сказала, что он ненавидел всех. Вполне возможно, что это своеобразная разрядка. Он мог взять первую попавшуюся под руку фотографию. Хотя при чем здесь разрядка? У человека убивают дочь, а он идет разряжаться — стрелять по какому-то неизвестному мужику. И правильнее и логичнее было бы пойти прямиком к убийце и вышибить ему мозги, раз и навсегда разрядиться! Это, возможно, говорит о том, что до убийцы было не так-то просто добраться... Да что я мелю-то, в конце концов! А до кого из них легко добраться! Конечно, трудно! В любом случае эта улика — большая удача. Да, «улика» — громко сказано. Маленькая тоненькая ниточка! Но, возможно, она сослужит хорошую службу!»

Разрешение на посещение заключенного Гордеев получил у вечно недовольного Спирина.

В комнате для свиданий местной тюрьмы было душно и неуютно. Зайцев, высокий худощавый человек с умными, но очень усталыми глазами, сидел на стуле, постукивая пальцами по поверхности стола. На его изможденном лице остро обозначились скулы и подбородок, нос заострился. Седая щетина покрывала его лицо, будто иней, руки нервно дрожали. По всему облику Евгения Павловича было видно, как много он пережил за последнее время. Тем не менее держался он довольно вальяжно.

— Принесли бы вы мне, что ли, Юрий Петрович, сигар покурить... — мечтательно произнес Зайцев. — По сигарам я соскучился что-то. В передачи их класть не разрешают... Вы курите сигары?

— Нет, — ответил Гордеев, про себя подумав: «Ну и ну! Человека в убистве обвиняют, а он о сигарах думает. Ну ничего. Скоро с него вся эта спесь сойдет. Будет как миленький «Приму» курить!»

— А я вот курю. — Мечтательно закатил глаза Зайцев. — Люблю кубинские, «Монтекристо» или «Партагас»... Хотя врачи говорят, что вредно. Ну а что сейчас не вредно-то? Жить, как говорится, тоже вредно. Вот я... Жил-жил, и дожил...

— Евгений Павлович, вы знаете, что Маковского убили? — решил перейти к делу Гордеев.

— Знаю, — кивнул Зайцев. — Уже сообщили. Убирают всех, кто хоть что-нибудь знает. Понимаете? У них это все ловко получается!

— Но вы понимаете, что это был наш последний шанс?!

— Ну вы уж прямо скажете! — отмахнулся Зайцев. — Безвыходных ситуаций, Юрий Петрович, не бывает! Обязательно где-нибудь дверка потайная найдется.

— Вы всегда так оптимистичны и жизнерадостны? Или только в экстремальных ситуациях? — поинтересовался Гордеев.

— Я говорю прописные истины! Уж кому как не вам знать. Вы же адвокат, знаете всякие такие уловки.

— Вас послушать, так все дела должны быть выиграны, — усмехнулся Гордеев.

— Чьи? — улыбнулся Зайцев.

— А вот это вопрос! Действительно, чьи?

— А это зависит уже от мастерства юриста! — поднял указательный палец Зайцев. — От того, кто больше этих потайных дверок найдет — адвокат или прокурор.

— Да... И все же Маковский мог стать нашим спасением... — сокрушенно покачал головой Гордеев.

— Не знаю, кем там он был, а вот бабу его жалко! — сказал Зайцев. — Это ж свихнуться можно! Сначала ребенок, потом муж! Не дай бог кому! Даже врагу такого не пожелаешь! Выйду — обязательно о ней позабочусь.

— А вы знаете, я ведь у нее был вчера. — Гордеев решил рассказать Зайцеву о своем визите.

— У кого?

— У вдовы.

— Да? Ну и как она, расскажите, — заинтересовался Зайцев. — Совсем, наверно, никакая.

— Конечно, горем придавлена. Но не такая уж плохая, чтобы не сообщить мне нужную информацию.

— Вы что, к ней за информацией приходили? Нашли время! Ей и так тяжело, а вы со своими вопросами!

— А вам не тяжело здесь сидеть?

— Я — мужчина, я — солдат! — с пафосом произнес Зайцев. — И у меня дочь не умирала! Я могу и потерпеть! Как говорится, везде люди...

— Ну, знаете, Евгений Павлович! Вы привередливый клиент. Я же для вас стараюсь. — Гордеев задумался. — Хотя нет, не только для вас. Я и для нее, и для девочки тоже, для Сони. И для себя, в конце концов.

— Вот это вы правильно! Ценю! — Зайцев протянул руку и довольно фамильярно похлопал Гордеева по плечу. Того даже передернуло.

— Ее отец определенно что-то знал, — сказал адвокат.

— Да. Это несомненно.

— И еще... Кажется, у него был свидетель...

— Правда? — встрепенулся Зайцев.

— Но это еще точно неизвестно. И не будем об этом пока. Но вот что мне дала вдова. — И Гордеев вынул из сумки плакат-мишень.

Зайцев с любопытством посмотрел на этот дырявый лист.

— Это что? Мишень?

— Именно. Причем Маковский разряжал в этого человека целые обоймы. Видно, была причина...

— Вот так ненависть! — сказал Зайцев, рассматривая мишень. — Постойте, так это, судя по всему, он и есть! Убийца!

— Я тоже так подумал сначала, — кивнул Гордеев.

— Но потом...

— Нет, потом не было... Я подумал и просто немного засомневался. Нельзя торопиться с выводами...

— Да что тут сомневаться-то. Ведь все логично.

— В любом случае, это какая-то зацепка.

— Замечательно...

— Но как определить, кто это?

— По уху может быть? Экспертиза и все такое. Видите, остаток уха сохранился? — Зайцев взял у Гордеева изрешеченное изображение.

— Издеваетесь? «Экспертиза»! Тут же не Москва. Кто мне разрешит? Все ставят препоны. Особенно этот... следователь, чтоб его, Спирин! А если даже добьюсь, сколько ждать потом результатов! Нет, это не выход...

Зайцев, до сих пор внимательно изучающий мишень,

135

вдруг резко отложил ее, пронзительно посмотрел на Гордеева и произнес:

— Я знаю, кто это.

Гордеев всем телом подался к Зайцеву.

— Значит, у Маковского были все основания подозревать его... — промямлил Зайцев. — Я, честно говоря, тоже не раз о нем думал...

— О ком, Евгений Павлович? Кого подозревать?

— Видите эту родинку на щеке, — Зайцев указал на коричневое пятнышко. — И три маленькие родинки в форме треугольника на виске! Вертикальная, а не горизонтальная морщина на подбородке!

— Да вы просто физиогном какой-то, — хмыкнул недоверчиво Гордеев.

— Ну уж не знаю, гном или не гном, но эти все приметы я знаю точно! И особенно эти клочковатые волосы! «Благородная седина», как он называет!

— Кто же это, Евгений Павлович? Ну не томите!

Зайцев откинулся на спинку стула, внимательно и сурово глянул на Гордеева. Потом перевернул мишень и на свободном от дыр уголке написал: «Это Ершов!»

10

Лиде казалось, что все происходящее с ней — просто дурной сон. Сначала она успела вывести из гаража Кравцова машину и спокойно поехала к одной из своих старых подруг — развеяться. Затем, поздним вечером, когда она отправилась в Москву, ее остановили на дороге. Ее буквально выдернули из кабины, грубо и беззастенчиво обыскали, посадили в милицейский воронок и куда-то повезли. Теперь люди в милицейской форме тащили ее по длинному коридору с грязными стенами темно-оливкового цвета и заплеванным полом.

— Что происходит? — возмущенно кричала Лида. — Куда вы меня ведете? Перестаньте хватать меня своими грязными лапами. Да что ты вцепился в меня, в конце концов? Отпусти, я сама пойду куда надо.

— Заткнись, — грубо ответил один из милиционеров, крепко державший Лиду чуть выше локтя. — У нас приказ. Перестань орать.

— Какой еще приказ? — не унималась она. — Вы с ума все посходили, что ли? Или вам своя работа не дорога? Когда об этом станет известно вашему начальству, вы все полетите отсюда к чертовой матери.

— Заткнись, — еще раз выдавил из себя молоденький мент сквозь зубы. — Приказ начальства. Не выеживайся, если хочешь быть живой-здоровой.

— Вот падаль! — взвилась от негодования Лида. — Ты мне угрожаешь? Отведи меня немедленно к телефону. Я имею право на один звонок, даже если меня в чем-то обвиняют.

— Никаких звонков, — вступил в разговор второй милиционер. — Девочка, ты думаешь, куда попала? В бюро добрых услуг? Телефон, факс, может быть, еще чашечку кофе?

— Может быть, — зло ответила она. — Между прочим, я юрист, и хорошо осведомлена о своих правах и ваших обязанностях. Я фиксирую все ваши нарушения, о них немедленно будет доложено кому следует, и вам непоздоровится.

— Ага, мы поняли, — ответили Лиде и грубо втолкнули в мрачный кабинет.

Из-за стола поднялся маленький упитанный человечек. Форменные брюки так плотно обтягивали его толстенькие ножки, что казалось, швы сейчас не выдержат и лопнут. Человечек начал оживленно бегать по комнате из угла в угол, приговаривая:

— Так-так-так, кого привели? Девочку молоденькую. Хорошо. Ой, как хорошо. У нас девочек много, скучать не будет. Проституция? Мошенничество? Незаконная торговля? Распространение наркотиков?

— Убийство, — веско произнес один из сопровождающих Лиду.

— Какое убийство? — закричала она. — Вы озверели тут все? Или вы просто буйнопомешанные? Что за бред? Идиоты! Отпустите меня!

— Ай, какая невоспитанная девочка! Как нехорошо. Мало того что убила невинного человека, так еще и ругается некрасивыми словами. Безобразие! Форменное безобразие! — запричитал человечек. — Ведите ее в камеру, сопроводительные документы мне на стол.

— Э-э, — попыталась было возразить Лида. — Немедленно дайте мне позвонить...

Но ее уже снова тащили по коридору, по узким железным лестницам, мимо бесчисленных дверей с решетками. Наконец остановились возле одной из них, загремели замки, послышались смеющиеся женские голоса, дверь открылась. Лиду впихнули в темное помещение, дверь тотчас же закрылась, ключ повернулся в замке.

Лида оказалась в малюсенькой камере с железной решеткой на узеньком окошке под самым потолком и с тусклой лампочкой, болтавшейся на тонком проводе.

Когда глаза привыкли к полутьме, Лида рассмотрела несколько женщин, сидевших на длинных нарах и с любопытством рассматривающих новенькую.

— Привет, — наконец произнесла одна из них.

— Добрый вечер, — ответила Лида. — Извините за глупый вопрос, но где я?

В камере удивленно присвистнули.

— Ты что, малахольная? Как это где? В Жаворонковой деревне.

— Где-где? — Лида не могла поверить своим ушам.

— Где-где! — сварливо передразнили ее. — Тебе в рифму ответить? В тюрьме ты, дорогуша.

— Ничего себе, — только и смогла произнести Лида, которая с детства знала, что тюрьма в Андреевске носит именно это поэтическое название — Жаворонкова деревня...

— Ты откуда здесь? — продолжала разговор обитательница камеры.

— Сложно сказать. Вообще-то меня остановили на улице, вытащили из машины, заломили руки, надели наручники и приволокли сюда.

— Понятно. Значит, наркотики. Нашли все-таки? Прятала плохо? — подключилась к разговору долговязая девица с серьгой в носу и ярко-красными прядями в волосах. — И меня так же взяли. Хотя я товар в приборную доску заховала, все раскрутили, твари поганые.

Последнее словосочетание девица произнесла на два тона выше, чем предыдущую речь, явно рассчитывая на внимание людей, находящихся по ту сторону двери. Ей тотчас же ответили сильным ударом дубинки по железу. Женщины засмеялись.

— Вишь, не нравится им правду про себя слушать, — обратилась к Лиде первая ее собеседница. — Так что? Наркота?

— Да нет же! Ничего у меня не было, я в жизни этим не занималась, — чуть не плача отвечала Лида. — Я вообще не понимаю, что происходит.

— Правильно-правильно, — замахала вдруг руками толстая цыганка, хранившая до этого момента молчание. — Иди в глубокую несознанку. Ничего не знаю, ничего не делала, ничего не слышала. А по другому-то и нельзя. Меня, видите ли, за содержание борделя взяли! А пускай докажут. Это все родственницы мои были, тихие скромные девочки, приехали навестить старую тетку. А что мужики с ними находились, так то их интимное дело, девушки имеют право на личную жизнь. Правильно я говорю?

Цыганка обвела сокамерниц взглядом, как бы ища поддержки своим словам, но те не слушали ее, видно, давно привыкли к подобным разговорам. Они окружили Лиду, знакомились, выясняли подробности ее задержания, рассказывали свои истории. Она отвечала односложно, обдумывая сложившееся положение. Она совсем не была расположена к дружеской беседе. Хотя ситуация ее несколько забавляла: выпускница юридического факультета МГУ сидит в следственном изоляторе тюрьмы города Андреевска в окружении проституток, воровок, мошенниц, сутенерш, торговок наркотиками и ведет с ними светские разговоры. Лида даже тихонько рассмеялась, на душе сразу полегчало.

— А ты сама-то кто будешь? — спросила сутенерша со звучным именем Роза.

— В смысле? — не поняла вопроса Лида.

— Ну в смысле местная? Что-то не узнаю я тебя.

— Местная, в некотором роде. Родилась здесь, выросла тоже, потом в Москву уехала учиться, сейчас там работаю.

— Замужем? — деловито поинтересовалась Роза, как будто прикидывала, подойдет ли эта новенькая ей для работы.

— Официально да, но вместе уже два года не живем, — разоткровенничалась вдруг Лида.

— А чего так? Бил?

— Боже упаси. Просто так сложилось. Не сошлись характерами.

— Ага, знаю я эти отговорки, — вмешалась тощая девица, у которой отсутствовала добрая половина зубов. — К другой бабе ушел, что ли? Или сама себе кобелька нашла?

— Вот еще! — разозлилась Лида. — Разошлись и разошлись. Вам-то какое дело?

— Ну-ну, не гоношись, — успокоила ее Роза. — Муж-то кто? Тоже, поди, московский?

— Нет, местный.

— Вот как. И кто же? Может, знаю? Я-то многих мужиков городских знаю, — спросила сутенерша.

— Не сомневаюсь, — усмехнулась Лида. — Сергей Кравцов, припоминаешь такого?

— Кравцов? — воскликнула Роза. — Как не вспомнить!

— Неужели постоянный клиент? — поразилась Лида.

— Да нет, этот нашими услугами не пользовался ни разу, но хорошего для города, слыхала я, много сделал. Добрый он парень, хороший. Ну уж если от таких уходят, то я в жизни этой ничего не понимаю! — всплеснула руками Роза.

Лида молча пожала плечами в ответ.

Ночь Лида провела беспокойную. Да и как тут поспишь, когда под потолком горит лампочка, а вокруг храпят, присвистывают, кряхтят обитательницы камеры. К тому же ей пришлось лечь на нары рядом с девицей с серьгой в носу.

Именно ее она и увидела утром, когда все-таки проснулась.

— Слышь, а закурить-то нет? — нависла над ней девица с серьгой в носу.

Лида протерла глаза, не понимая, где находится. Затем события вчерашней ночи снова встали у нее перед глазами...

— Что? — переспросила она.

— Сигарет! Сигарет у тебя нет?

— А... нет...

Лида все-таки машинально опустила руку в карман плаща, но вместо сигарет обнаружила там какой-то сверток. Это были деньги... Осторожно, чтобы не привлекать чужого внимания, она извлекла их на свет, в голове мелькнула спасительная мысль. Лида бросилась к двери и изо всех сил затарабанила в нее кулаками.

— Вот идиотка! Перестань немедленно! — зашипели на нее из разных углов. — Накажут всех. Убьем.

— Не накажут, — задыхаясь, ответила Лида, продолжая стучать.

Дверь неожиданно открылась, и Лида чуть не вывалилась в коридор. Ее подхватил молоденький лейтенант и вопросительно уставился на нее. Некоторое время они молчали, выжидающе глядя друг другу в глаза.

— Ну, в чем дело-то? — спросил наконец контролер. — Чего ломишься?

— Выведи меня отсюда. Поговорить надо, — тихо шепнула Лида.

— О чем тебе со мной разговаривать? Говори здесь.

— Здесь не могу. Выведи, — настаивала она.

— Не положено, — уперся охранник.

Тогда Лида снова опустила руку в карман, достала что-то и осторожно, из-под локтя показала охраннику. Тот нервно вскинул голову, схватил узницу за локоть и буквально выволок из камеры. Потом он быстро провел Лиду через длинный коридор и втолкнул в небольшую каморку, располагавшуюся перед лестницей. Плотно закрыв дверь, он недоверчиво спросил:

— Откуда у тебя деньги?

— Ваши так торопились притащить меня в тюрьму, что забыли даже обыскать.

Лида понимала, что охранник боится подвоха, поэтому обстоятельно продолжала объяснять наличие у нее денег.

— Эти деньги были у меня в кармане, я забыла переложить их в кошелек, а милиция отобрала только сумку. Они убедились, что бумажник, документы и телефон в ней, и не стали обыскивать. Это, между прочим, доказывает, что они были уверены в том, что у меня нет ничего противозаконного, — абсолютно адвокатским тоном добавила Лида.

— Чего ты хочешь?

— Послушай, здесь триста долларов — твоя трехмесячная зарплата...

— Двухмесячная, — уточнил охранник.

— Тоже неплохо, согласись!

— Ну-у... — неотрывно глядя на деньги, сказал мент. — Это смотря за какие услуги...

— Не волнуйся, ничего особенного я с тебя не потребую. Я заплачу тебе триста долларов за один телефонный звонок.

Глаза стражника забегали, мысль об опасности предприятия боролась с жаждой денег. В поединке, ясное дело, победила последняя.

— Ладно, — сказал он. — Жди здесь, и чтобы ни звука.

— Угу, — ободренно ответила Лида.

Охранник запер ее в каморке и удалился. Она осталась одна, тут сомнения снова охватили ее. На самом деле Лида не знала, кому она должна позвонить — Гордееву или мужу...

«Черт! Что же делать? Кто мне может помочь? — мучилась она. — Не в милицию же звонить. Родители отдыхают на юге. Позвонить какой-нибудь подружке? И что она сделает? Передачку принесет? Что же делать? Кто мне может помочь? Нет, не годится. Может, позвонить Гордееву? Хотя какой смысл? Что он сделает в Москве... А пока он доедет сюда, если вообще поедет, со мной уже бог знает что будет. Да, остается последний вариант. Не совсем удобный, правда, но положение безвыходное. Конечно, это будет выглядеть абсолютно по-дурацки, когда я стану молить о помощи, но выхода нет. Еще бы дозвониться домой, но я не помню мобильный номер... »

Лидины размышления прервал звук открывающегося замка. В комнату, озираясь, вошел охранник, он тщательно закрыл за собой дверь и протянул ей телефон.

— Только быстро, — предупредил он.

— Хорошо, хорошо, — закивала Лида и дрожащими руками стала набирать цифры знакомого номера. Затем она замерла на время, внимательно слушая гудки, моля про себя все высшие силы, чтобы на том конце провода ответили. Услышав нервное «алле» в трубке, Лида почти закричала:

— Серега, дорогой, я влипла в какую-то странную историю. Выручай меня.

— Лида? Где ты? — удивленно произнес Кравцов. — Куда ты делась? Мы очень волнуемся.

— Мы? Кто это мы? Впрочем, сейчас неважно, у меня мало времени. Я в тюрьме.

— Где-где? — не поверил своим ушам Кравцов.

— Черт! Тебе в рифму ответить?! — разозлилась Лида. — В Жаворонковой деревне. Вытащи меня отсюда скорее.

— Хорошо, хорошо, успокойся. Но что произошло? Как ты туда попала? Что ты натворила? — зачастил Сергей.

— Ничего я не натворила. Я не знаю, в чем дело. Ты сейчас, наверное, очень удивишься, но, по-моему, меня обвиняют в убийстве.

— О господи! Надеюсь, ты все-таки никого не убивала? Хотя от тебя всего можно ожидать.

— Не смешно. Совсем не смешно. Я не знаю, что делать. Я заплатила триста долларов за этот звонок.

Охранник, глядя на Лиду страшными глазами и оживленно жестикулируя, показывал на часы.

— Сейчас, сейчас, — кивала головой она.

Охранник указал пальцем вверх и красноречиво провел ребром ладони по горлу.

— Эй, где ты? Не пропадай, — кричал в трубке Кравцов.

— Сергей, у меня больше нет времени разговаривать. Приезжай скорей сюда.

— Уже едем, — ответил муж, в трубке раздались короткие гудки.

— Кто эти загадочные «мы», интересно? — недоуменно произнесла Лида. — У моего муженька началось раздвоение личности или мания величия? Мы, Кравцов Сергей Сергеевич, скушали борща?

— Пойдем, пойдем скорее, — поторопил ее охранник. — Пока твоего отсутствия не заметили.

— Да, идем, спасибо тебе.

— Да не за что. А тебя сюда правда просто так?

— Правда, — кивнула Лида. — Честное слово, я ничего не понимаю.

— На, — охранник со вздохом протянул Лиде ее деньги. — Возьми обратно.

— Нет-нет, — замахала руками Лида, оценив, впрочем, этот поступок. — Оставь их себе, пожалуйста, ты действительно очень мне помог. Серьезно, спасибо. Оставь их.

Молодой человек качнул головой и снова спрятал деньги в карман. Они подошли к камере, охранник открыл дверь, Лида зашла. На нее с интересом уставились несколько пар глаз.

— Куда ходила? В чем дело? — посыпались вопросы.

— Да так, — уклончиво ответила Лида. — Просто стало плохо. Попросилась к врачу.

— Ясно. — Обитательницы камеры тут же потеряли к новой узнице всякий интерес, вернулись к своим делам и оставили Лиду в покое. Та прислонилась к влажной грязной стене и стала ждать...

...Кравцов положил трубку телефона и недоуменно уставился на Гордеева, который после посещения Зайцева приехал к нему.

— Ну, в чем дело? Это она звонила? Что она сказала? Где она? — нетерпеливо зачастил тот.

— В тюрьме, — еще не оправившись от удивления, ответил Сергей.

— Где-где? — вытаращил глаза ошеломленный Гордеев.

— Тебе как, в рифму ответить? — возмутился Кравцов. — Неужели не понятно? Наша Лида — девочка-одуванчик — в данный момент находится в тюрьме города Андреевска по подозрению в убийстве.

— Ничего себе, — присвистнул Юрий. — Она объяснила что-нибудь?

— Нет. Сказала, что нет времени. Ну что, едем?

— Едем, конечно, только куда? Нужно как-то договориться о посещении, получить разрешение.

— Ты в своем уме? — с насмешкой произнес Кравцов. — Ты у кого разрешение просить собрался?

— У следователя, — обиделся Гордеев.

— У какого?

— Ну я не знаю... Можно у Спирина, я только с ним знаком.

— Не говори ерунды. Поехали в тюрьму. Я понимаю, что ты столичная штучка, но у нас здесь дела делаются по-другому.

— Как это «по-другому»? Кто тебя в тюрьму просто так пустит?

— Почему же просто так? — возмутился Сергей и показал внушительную пачку зеленых бумажек.

— Уверен? — с сомнением спросил Юрий.

147

— Абсолютно, — веско ответил Кравцов. — Менты за эти бумажки мне всех заключенных на дом доставят, если понадобится.

— Тогда едем.

Молодые люди быстро выбежали на улицу и, усевшись во вместительный джип Кравцова, помчались в сторону тюрьмы. Через двадцать минут они были на месте. Сергей выпрыгнул из машины и хозяйской походкой направился к проходной. Гордеев последовал за ним. Юрий восхищенно проследил, как вместо ответа на вопрос охранника «вы куда?» Кравцов отсчитал три стодолларовые купюры и молча протянул ему. Тот схватил деньги и быстро распахнул калитку.

— Я вас не видел, — успел предупредить он. — Вы не через меня шли.

— Все поняли, не стремайся, — небрежно бросил Сергей. — Скажем, что через дыру в стене проникли.

Затем, оказавшись в здании тюрьмы, Гордеев с Сергеем разыскали дежурного и с помощью некоторого количества денег выяснили, где находится следственный изолятор. Каждый раз, глядя, как Кравцов невозмутимо отсчитывает крупные суммы, Юрий думал, что давать мог бы и поменьше. Эти олухи рассказали бы все и за гораздо более скромные суммы. Но Сергей не жалел средств ради спасения жены. Дежурный вызвался проводить визитеров. Довел их до нужного места и кликнул охрану. Подошли двое, один из них был тем парнем, что позволил Лиде позвонить.

— Ребята, — начал Гордеев, — Ермолаева Лидия Андреевна здесь находится?

Кравцов демонстративно шелестел портретами американских президентов перед глазами «ребят». Те зачарованно уставились на деньги. Юрий вдруг подумал, что такую сумму они видят первый раз в жизни. Даже стало немного жалко.

— Э-эй, очнитесь, — слегка прикрикнул Гордеев, чтобы вывести охранников из оцепенения.

— Да-да, здесь, — придя в себя, хором ответили те, заглянув в толстую канцелярскую книгу.

— А за что она здесь? — продолжал расспросы Юра.

— Да сбила, кажется, кого-то на машине. Какого-то Маковского, что ли...

— Так-так-так... Маковского, говорите? — Гордеев задумался. — Занятно.

— Ты его знаешь, что ли? — толкнул спутника в бок Кравцов.

— Немного. Потом все объясню, дело осложняется и запутывается. Кто следователь?

— Этот... Как его... — нахмурил лоб один из парней. — Спицин, кажется.

— Спирин, — исправил напарника другой.

— Ах ты черт! — Гордеев с трудом сдерживал эмоции. — Кажется, господин Кравцов, нам придется повозиться с этим дельцем. Не нравится мне все это.

— Так, а увидеть-то мне жену мою можно? — Кравцов сунул в карман одному из охранников пачку денег.

— Не вопрос. — Один из охранников исчез, а другой повел посетителей узким коридором к знакомой Лиде каморке. — Ждите здесь. Только имейте в виду, мы вас не знаем... Скажете, в случае чего, что разрешение дала предыдущая смена.

— Ладно, ладно... — улыбался Кравцов.

Второй охранник тоже исчез.

149

— Что ты хотел рассказать? — обратился к Гордееву Сергей.

— Ты слышал об убийстве маленькой девочки Сони Маковской?

— Слышал, конечно. Да в городе только мертвый об этом не слышал.

— Так вот, сдается мне, что этот Маковский, которого якобы сбила Лида, — это тот самый Маковский, отец девочки. А он, как мне кажется, определенно догадывался об истинных причинах убийства дочки.

— Но при чем здесь моя жена? — Кравцов будто бы специально для Гордеева сделал упор на последнее слово. Тот чуть поморщился, но особенно не отреагировал.

— Ну вот. В убийстве был, как ты знаешь, обвинен Зайцев.

— Неплохой, кстати, мужик, — вставил Сергей. — Мы с ним встречались пару раз.

— Но попробуй-ка угадать, кто ведет дело этого Зайцева?

— Не знаю, у меня отсутствуют навыки дедуктивного мышления. Открой мне эту тайну.

— Господин Спирин! — обличительным тоном воскликнул Гордеев. — Тот же самый следователь, что ведет дело об убийстве Маковского. Тебе не кажется, что тут существуют какие-то параллели?

— Не знаю. Во всяком случае, надо дождаться Лиду, может, она внесет ясность. Кстати, куда все пропали? Может, обманули?

— Ага, и заперли, арестовали. Представляешь, заметка в газете в разделе под названием «Курьезы жизни»: двое злостных взяткодателей самостоятельно пришли в тюрьму и с радостью проследовали к месту своего заключения, заплатив даже за это крупную сумму.

Тут, как бы в подтверждение беспочвенности подозрений, дверь открылась и на пороге появилась Лида в сопровождении охранников. Гордеев и Кравцов одновременно вскочили и рванули к ней. Лида очень удивилась, увидев Гордеева и Кравцова вместе.

— Чудно, — справившись с чувствами, произнесла она. — Какой милый дуэт. Акт третий, действие второе. Те же и Дездемона. Входит она...

— Привет, Лид, — перебил ее Гордеев.

— С тобой все в порядке? — подхватил Кравцов.

— Все нормально, ребята. У вас, видно, тоже. Первая встреча прошла в теплой дружественной обстановке? Кстати, что ты делаешь в Андреевске? — обратилась Лида к Гордееву.

— Тебя ищу, — ответил тот.

— Как трогательно... Ну вот, нашел. Как чудесно видеть вас вместе! — не могла успокоиться Лида. — Вы уже решили, что все бабы — дуры и крепче настоящей мужской дружбы и быть ничего не может?

— Перестань паясничать, — строго сделал замечание Кравцов. — Не время и не место! Лучше расскажи, что произошло.

— Я сама не знаю, что произошло, — начала Лида. — Я сбежала от тебя...

— Это я уже понял... А кстати, как сбежала? — заинтересовался Сергей.

— Расскажу, если обещаешь, что никого не накажешь.

— Обещаю.

— Втерлась в доверие к Грише, поила чаем, рассказывала всякие байки, потом уговорила показать фотографии его девушки. Пока он ходил за ними, я улизнула, — самодовольно ответила Лида.

— Но ведь на улице тоже была охрана?! И забор высокий!

— Не было. Они, узнав, что я под Гришиным присмотром, решили быстренько съездить помыть машины. Я взяла Гришины ключи, нашла свою сумку и спокойно уехала. На своей машине.

— Вот мерзавцы! — возмутился Кравцов. — Охрана, называется. Всех сгною!

— Ты обещал... — начала Лида.

— Помню, помню. Успокойся. Продолжай.

— Так вот. Я сбежала, села в машину, поехала в Москву. А потом меня остановила милиция, и, даже не проверив документы, не осмотрев машину, не обыскав, на меня надели наручники, запихнули в «уазик» и привезли сюда. И продержали вот уже почти сутки. На вопросы не отвечали, позвонить не дали, ничего не объяснили. Чудом удалось позвонить тебе, иначе не знаю, что и было бы.

Гордеев и Кравцов слушали Лиду молча, не перебивая. В дверях появился охранник.

— Пора. Заканчивайте разговор. Скоро обход.

— Да, уже завершаем, — отозвался Гордеев.

— Вот что, ребята, мне, конечно, очень интересно, как вы оказались вместе, как познакомились и что между вами происходит. Но я не буду сейчас этого выяснять. Я только очень вас прошу, вытащите меня отсюда, объединив усилия, а потом мы с вами вместе во всем разберемся.

— А чего тут разбираться? — поднявшись, спросил

Кравцов. — Все нормально будет. А тебя вытащим, конечно, не бойся. Потерпи чуть-чуть.

— Спасибо, Сережа, — прошептала Лида и погладила Кравцова по ладони. Тот отдернул руку и быстро вышел.

— Держись, Лида, — обнял ее за плечи Гордеев. — Все будет хорошо, мы тебя здесь не оставим.

Охранники снова разделились. Один увел Лиду, другой отправился провожать Кравцова с Гордеевым в надежде получить еще денег. Однако Кравцов был погружен в собственные думы и денег больше не дал...

10

Андрей Васильевич Спирин сидел за рабочим столом и вдохновенно смотрел в окно. За окном лил теплый летний дождь. Крупные капли громко барабанили по подоконнику, завораживая, гипнотизируя следователя своим звуком. Может быть, он сейчас думал о высоких философских истинах, например о бренности бытия, или, например, о том, почему на земле так много зла... А может быть, он думал о своей дочке, студентке «Керосинки», о негодной, непослушной девчонке, отказывающейся породниться с самим мэром Андреевска.

Его напряженные раздумья прервал стук в дверь, а вскоре и появившийся на пороге Гордеев, «тот самый адвокат из Москвы», как называл его Спирин.

Гордеев свободно прошел в кабинет следователя и, не дожидаясь приглашения, сел на стул напротив Спирина.

— Да, да, да, — дело озабоченным голосом проговорил Спирин. — Адвокат из Москвы, по делу Зайцева, как бишь вас, запамятовал...

— Юрий Петрович Гордеев.

— Точно, точно. Юрий Петрович. Чем могу быть полезен?

— Я пришел по поводу дела Ермолаевой Лидии Андреевны.

— Да что вы говорите? Не припомню что-то таковой. Вот Зайцев Евгений Павлович — это другое дело. Вы же, кажется, его защищаете?

— Да, его. — Они разговаривали всего несколько минут, а этот следователь уже выводил Гордеева из себя.

— Так при чем же тут какая-то Ермолаева, не понимаю?

— Ермолаева — это та, которая якобы сбила Маковского.

— А Маковский — это отец девочки, убитой Зайцевым?

— Во-первых, вину Зайцева еще нужно доказать.

— Невиновность тоже.

— У нас в юриспруденции главенствующий принцип — это презумпция невиновности, — заметил Гордеев. — Не слыхали о таком?

— Слыхали, слыхали, — ответил Спирин. — Вот будет суд, тогда и разберемся.

— Собственно, для этого я и нахожусь в Андреевске, — ответил Гордеев.

Ему уже порядком надоела эта идиотская игра во фразы.

— Как, оказывается, все сложно переплетено, все взаимосвязано! — сказал следователь.

— К чему эти банальные сентенции? Давайте перейдем к делу.

— Давайте, давайте перейдем к делу! Что же вам от меня надо на сей раз?

— Что за странное обвинение Ермолаевой?

— Нет, вы ошибаетесь. Это обвинение не ерундовое, а очень серьезное! Убийство человека, как-никак! Скрылась с места преступления, не оказала человеку первую медицинскую помощь. Хотя... Чего там оказывать, — он махнул рукой. — Моментальная смерть!

Гордеев внимательно посмотрел на Спирина, на его веселое лицо, хитрое выражение глаз, и в первый раз за все это время ему в голову пришла мысль, что и этот следователь связан с убийством девочки и ее отца. Не напрямую, конечно. Но покрывает убийцу, это несомненно.

— Какие доказательства того, что это была она?

— Извините, я что-то не понимаю, вы чей адвокат?

— Меня наняла Ермолаева, — ничуть не смутившись сказал Гордеев.

— А как же Зайцев? Вы его бросили?

— Нет, я официально остаюсь и его адвокатом.

— А! Слуга двух господ, все ясно. Ну что же вы так негодующе на меня смотрите? Денег хочется каждому. Я прекрасно понимаю!

— Я за вас чрезвычайно рад. Может быть, все-таки ответите на мой вопрос?

— Вопрос? Ах да! Доказательства. Доказательств — уйма. И главное из них — свидетели.

— Я вас внимательно слушаю. Свидетели...

Спирин достал из ящичка шкафа протокол допроса.

— Так. Гражданин Ярошенко А. И. Профессия — слесарь-сантехник, — читал занудным голосом следователь. — Около одиннадцати часов вечера возвращался домой. Показания: автомобиль вишневого цвета марки «Москвич»... на полной скорости сбил перехо-

155

дившего дорогу человека. Гражданином Ярошенко тут же была вызвана «скорая медицинская помощь» и милиция... Также свидетелями наезда были два сотрудника ГИБДД, показывающие, что за рулем данного автомобиля находилась женщина...

— Сотрудники ГИБДД конечно же попытались задержать нарушительницу, но та проявила просто чудеса маневренности, а также показала знания восточных боевых искусств и гипноза, поэтому погоня не увенчалась успехом. Но они, разумеется, сделали все, что было в их силах, — саркастическим тоном произнес Гордеев.

— Да, примерно так, — спокойно отреагировал на это Спирин. — А потом нарушительница была задержана за рулем того самого «Москвича» вишневого цвета с номером...

— Как свидетели смогли точно указать номер и цвет автомобиля, если они видели его ночью и он быстро скрылся с места происшествия?

— Вы еще спросите, как они успели заметить, что за рулем женщина.

— А почему бы и нет?

— Горели яркие фонари. У нас хорошее городское освещение.

— Да перестаньте. У вас в городе центральная-то площадь плохо освещается по ночам, а вы что-то про окраинные говорите.

— Та улица, на которой было совершено преступление, освещается хорошо. Достаточно для того, чтобы все это успеть рассмотреть.

— Я был на той улице. И она не освещена совершенно, — соврал Гордеев.

— Теперь освещена, — улыбнулся Спирин.

— Хорошо, — сказал Гордеев. Спирин был ему глубоко отвратителен. — Я желал бы ознакомиться со всеми документами, касающимися этого дела, и заключениями экспертизы.

— Да с удовольствием, — почти расплылся в сладчайшей улыбке следователь. — Приезжайте через три дня, они как раз будут готовы. Вот и ознакомитесь.

«Лис! — зло подумал Гордеев. — Пока у тебя все гладко выходит, все у тебя получается! Ну ничего, вот откроется какая-нибудь потайная дверца, посмотрим тогда, на чьей стороне закон!»

— В таком случае я намерен подать прошение об изменении меры пресечения на данный момент времени. Подписка о невыезде.

— О! — добродушно протянул Спирин, и это взбесило Гордеева еще больше. — Да вы, я вижу, серьезно настроены! Ну что ж, намерены так намерены. Я что, вас переубеждать буду?! Только это, видите ли, тоже не ко мне. Это все суд решает. Договаривайтесь с судом, любезнейший.

Бессильная злоба охватила Гордеева. Он молча поднялся и, не попрощавшись, вышел из кабинета.

Спирин самодовольно потер руки, сел и снова погрузился в состояние нирваны. Дождь, правда, к этому времени уже перестал.

— Падаль он, этот Спирин, — заметил Кравцов.

— А то я не понял! — ответил ему Гордеев.

Они сидели в гостиной дома Кравцова, целью их встречи был конечно же поиск путей освобождения Лиды из тюрьмы.

— Ну а что делать. Придется через суд. Кто там у вас председатель облсуда?

— Топорков, — мрачно ответил Кравцов. — Еще одна падаль.

— Ну а кто там не падаль? Все они... Змеиный клубок.

— Точно. Но если ты пойдешь к Топоркову, навряд ли что-то изменится.

— А что ты предлагаешь?

— Я предлагаю в обход Топоркова идти. У меня есть связи, у меня есть деньги...

— Наслышан, наслышан!

— Ну вот. Мы попытаемся добиться своими силами... И изменим меру пресечения.

— Ой, у тебя так все просто!

— Ну а чего тут сложного-то?

— У тебя есть свои судьи?

— Да, есть.

— Тогда это меняет дело. Возможно, у нас еще все получится.

— Выпить хочешь? — спросил Кравцов.

— Вообще-то не мешало бы.

— Ну давай выпьем!

— Давай. А что у тебя есть?

— А чего захочешь, то и будем есть!

— Пить, ты хотел сказать.

— И пить и есть.

Через несколько минут все было готово. Стол богача-холостяка: море дорогой выпивки, икра, ветчина, только что приготовленный шашлык и лаваш.

— Ну что, давай за нашу победу, — сказал Кравцов.

Они чокнулись и залпом выпили по стопке виски.

— Фу, — поморщился Гордеев. — Никогда не любил эту гадость. Уж лучше водки хряпнуть.

— Это потому что виски надо с содовой водой или, в крайнем случае, кока-колой разбавлять.

— Да я знаю. Просто не люблю все эти коктейли. Фигня одна.

— Хочешь водки? Будет тебе водка.

Через несколько минут на столе стояла бутылка водки.

— Все нам? — спросил Гордеев.

— Ну да. Мне, например, необходимо напиться вдрызг. Тебе, я думаю, тоже не помешает.

— Тогда, может, ребят твоих позовем?

— Не, мы сейчас с тобой выпьем, нас на задушевные беседы потянет, а им этого всего слушать не полагается.

— А-а! — протянул Гордеев.

— Ну, давай теперь за Лиду.

— Давай.

И пошло-поехало, за что они только не пили! Кравцов оказался прав, вскоре их потянуло на задушевные, слезливые беседы.

— Я когда с Лидушкой познакомился, она такая... девчушка еще была... — ностальгировал Кравцов.

— С кем, с кем ты познакомился?

— С Лидушкой... А! Ну это я так ласково Лиду зову. А еще я ее лебёдушкой называю.

— Это, в смысле, от слова «лебедь»?

— Ну да. Не от слова же «лебёдка», в смысле, трос. Оба пьяно засмеялись.

— А ты-то с ней как познакомился?

— Да она мой стажер, я ж говорил уже.

— Да? Не помню что-то.

— Ты ее любишь? — немного помолчав, спросил Гордеев.

Кравцов опустил пьяную голову на кулак и неопределенно покачал ею.

— А вот она меня...

— А почему вы с ней разошлись?

— Да я сам до сих пор не особенно врубаюсь. Вроде жили так хорошо, а потом — раз! И ничего нет! Короче, могу тебе так сказать: я — дурак, а она — гордая. Вот такие две несовместимые личности!

— Да ладно тебе, хватит горевать-то! Ты молодой. У тебя в жизни еще все наладится.

— Слушай, как ты думаешь... Она может меня простить?.. Ну это... У нас с ней может еще что-нибудь получиться?

Гордеев не был лицемером, поэтому он напрямик сказал:

— Слышь, ты не того спрашиваешь-то... Я, между прочим, на нее тоже виды имею...

— Чего? В каком смысле? — подозрительно посмотрел на него Кравцов.

— В смысле нравится она мне. Она очень хорошая.

— Это да! Только ты, слышь, смотри, чтоб все по-серьезному, если она вдруг тебя предпочтет! А то я тебя...

— Не, все по-серьезному! Ты чего, мне не доверяешь? Я, может, на ней даже женюсь...

— Погоди, я ведь с ней пока не в разводе, не забывай!

— Главное в жизни, — проникновенно глядя в глаза Кравцову, произнес Гордеев, — это чувство. А штамп в паспорте — ерунда. Ты мне доверяешь?

— Тебе доверяю. Как себе. На свадебку-то пригласишь?

— А то!

Кравцов молча покачал головой.

— Ладно, хватит уже. Не будем из-за женщины ссориться!

— Точно. Читал «Сердца трех»?

— Не, фильм смотрел...

— Да какая разница! В общем, сделаем, как они. Пусть выбирает женщина.

— Да, пусть. А мы ссориться не будем.

— За женщин?

— Так пили ж уже за них, сколько можно!

— Не, мы за отдельно взятую пили, а теперь за всех, в целом.

— А! Не, давай лучше за настоящую мужскую дружбу!

— Давай!

— Слушай, шашлык такой вкусный.

— Еще хочешь?

— Так, наверно, поздно уже. Где ж его найдешь-то.

— Я все найду. Витя! — позвал Кравцов. — Не дозовешься прям, пойду сам схожу.

Но пока он вставал, в комнату уже зашел необыкновенных размеров Витя.

— А, это ты! — весело закричал ему Гордеев, вскочил и побежал жать ему руку.

— Юр, ты чего? — не понял Кравцов.

— Это он, понимаешь. Доблестный охранник, который не пустил меня к тебе в дом в первый раз, и мне пришлось из-за него лезть через забор, а потом в подвальное окошко. Витек, ну че, помнишь?

Витек, смущенный, стоял перед Гордеевым, возвы-

6 Черный пиар

161

шаясь над ним на целую голову, и не знал, улыбаться ему или нет.

— Он тебя не пускал? — вдруг взъелся на охранника Кравцов. — Ты чего его не пускал? Это же мой друг!

— Да ты чего, чего ты? — вступился за Витька Гордеев. — Мы же тогда еще незнакомы были и даже подрались, помнишь?

— А, да. Помню. А что ж, Витек, так хреново охраняешь-то меня, что всякие там лазают у меня через заборы и в подвальные окна?!

— Ну хватит уже придираться, камеры надо ставить, за всем разве уследишь? — сказал ему Гордеев.

— Да, камеры — это хорошая идея. Так, ну ладно, мы чего тебя позвали-то? Шашлык у нас кончился...

— Да к черту шашлык! Витек, садись с нами, выпьем! Ты мне понравился!

Гордеев еще долго приставал к Витьку с вопросом, где он так круто накачал себе мышцы. «Ведь круче даже, чем у Арнольда!»

— Арнольд — не показатель, — кротко отзывался Витек.

И Гордеев все хотел устроить с ним соревнования по армреслингу. А Кравцов уже дремал, привалившись щекой к Витиному широкому плечу, и во сне ему снилась Лида в белом подвенечном платье.

Гордеев проснулся утром от невыносимой жажды. Проснулся и увидел, что он не у себя дома и даже не в своем номере. Потом постепенно он все вспомнил. Вспомнил вчерашнюю попойку. Ему захотелось постоять под душем. Кряхтя, он поднялся, голова болела достаточно сильно, но терпимо. Он спал один на большой постели. Видимо, заботливый Витек разнес их с Кравцовым вчера по разным комнатам, раздел и укрыл одеялом. «Как мамочка», — хмыкнул Гордеев, и тут же воспоминание о вчерашнем отдалось в голове тупой болью. Он понял, что, если он сейчас же не примет душ, то это мучение не прекратится. Но сначала нужно было найти хозяина дома.

Гордеев вышел из комнаты. Нигде никого не было. Тогда он зашел в комнату к охранникам.

— Привет, ребята, — сказал он.

— Доброе утро, — ответили ему Витек и еще один парень.

— Сергей Сергеевич просил передать вам, — начал Витек, — что он уехал по вашим с ним делам. А вы располагайтесь, чувствуйте себя как дома.

— А где тут ванная? — спросил Гордеев.

Вообще-то у него тоже были дела. Поэтому, приняв душ и перекусив, он поехал к себе в гостиницу.

Поздно вечером раздался звонок. Гордеев взял трубку.

— Все! Труба, — раздался в трубке сокрушенный голос Кравцова.

— Ты как себя чувствуешь?

— Нормально, а ты?

— Уже более или менее ничего. Как ты умудрился сегодня встать в такую рань? У тебя есть какое-нибудь средство от похмелья?

— Нет, у меня просто похмелья не бывает. А ты чего сбежал и меня даже не дождался?

— Так вышло. У меня дела были. Так что случилось-то?

— Труба! Я объездил всех своих знакомых и незнакомых, говорил, наверно, со всеми судьями города. Денег давал! Пустой номер!

— Почему?

— Никто не хочет да и не может браться за это дело. Потому что оно на контроле у Топоркова. Никто не хочет связываться, и сделать никто ничего не может!

— Вот черт! — выругался Гордеев.

— Труба! Что делать-то теперь?

— Слушай, ну а что еще сделаешь? Придется прямиком к Топоркову. Я завтра пойду.

— Дохлый номер! Это падаль еще та!

— Попытка — не пытка! Вдруг получится. Ведь ясно же, что дело белыми нитками шито!

— Ему, видимо, не ясно.

— Ну хорошо, там на месте разберемся. Ты не отчаивайся, самое главное. Мы Лидку вытащим обязательно! Неизвестно, может еще потайная дверка откроется...

— Да, конечно, вытащим. Уж я-то ее точно вытащу оттуда! Любой ценой!

11

Губернатор Ершов с председателем областного суда Топорковым всегда был в очень хороших отношениях. Если это так можно назвать. Судья слыл известным подхалимом и лизоблюдом. Он прекрасно чувствовал людей и знал, от кого из них ему будет реальная выгода. Ну уж от Ершова, само собой, выгода была!

Несколько лет назад все только и говорили о том, что Ершов раздаривает своим родственникам и друзьям квартиры, как перчатки. Ну, богатый человек, ему можно! Только вот почему-то все больше одиноких бабушек и дедушек оказывалось в богадельнях, в сумасшедших домах, а то и просто на улице. Начали поступать жалобы. Журналисты, конечно, как хищники на мясо, бросились раскапывать эти дела. Все разнюхивали, совали свои носы туда, куда не просят. Короче говоря, дело запахло жареным... для Ершова.

Какой-то уж слишком смелый журналист накатал разгромную статью, несколько человек подали в суд на Ершова. Дело передали Топоркову. Тут-то Топорков и смекнул, какие блага принесет ему дружба, так сказать, с губернатором. Однако пока выжидал. Ждал визитеров от Ершова или его самого. И дождался... Ершов даже не предполагал, что дело будет решено так быстро, так благополучно для него и, самое главное, так легко.

В общем, прикрыл Топорков это дело. И все у них стало шито-крыто. Конечно, он получил за свою работу немалое вознаграждение. А там и дружба завязалась.

Однажды на каком-то банкете, или на праздновании чего-то, или, может быть, в баньке сидели, разговаривали. И вот тут как раз Ершов, определенно неглупый человек, окончательно понял, что представляет собой нынешний председатель областного суда Топорков. Такой преданности, такой готовности выполнить все, что только Ершов пожелает, такого подобострастия и лизоблюдства он не видел еще ни в одном из своих приближенных. Тут-то губернатор смекнул, как крепко на крючок может попасться такая вот рыбка (причем на крючок одних только обещаний, а уж что говорить об остальном!). Что ж, решил про себя Ершов, такие люди всегда нужны. Тем более свои люди в суде! Они, правда, первыми и продадут с потрохами, как только появится новый «повелитель», но попользоваться ими можно всласть!

Гордеев еле-еле пробился на прием к Топоркову. Перед ним в шикарном кабинете сидел грузный человек с тяжелым взглядом из-под мохнатых ресниц. Редкие волосы с проплешинами покрывали его неправильной формы череп.

Топорков оглядел маленькими заплывшими глазками Гордеева с ног до головы и энергично кивнул на стул, дескать, давай быстрее, времени нет совсем.

Гордеев сел перед ним.

— К делу, — быстро произнес Топорков.

— Я по поводу дела Ермолаевой Лидии Андреевны...

— Кто такая?

— Это та, что якобы сбила на машине Маковского. Я ее адвокат.

— А! — протянул Топорков, видимо вспомнив это дело. — Почему же «якобы». Она и сбила.

— Суда, насколько я знаю, еще не было, — холодно ответил Гордеев. — Следовательно, и вина ее точно не установлена.

— Хорошо, что же вы хотите от меня?

— Я хочу просить об изменении меры пресечения...

— Да? И на что же вы хотите изменить?

— На подписку о невыезде.

— Вы с ума сошли?

— Отчего же? По-моему, вполне закономерная и логичная просьба.

— Почему же вы пришли с ней именно ко мне? — вдруг испугался Топорков.

— Позвольте, а к кому же мне еще идти, когда это дело на вашем личном контроле?

— Да? — переспросил судья.

У него была дурацкая манера задавать подобные вопросы, будто он сам в первый раз об этом слышит. Это почти вывело из себя Гордеева. Ему показалось, что судья постоянно переспрашивает лишь потому, что не знает, что ему ответить.

— Но я не могу удовлетворить вашу просьбу.

— Почему же?

— Потому что есть веские доказательства ее виновности. И потом, я не уверен, что она останется в Андреевске.

— А кто же ее выпустит с подпиской о невыезде?

— Ну знаете этих женщин, — нервно хохотнул Топорков. — Да нет, нет. У меня уже были такие случаи, когда подозреваемые, имея подписку о невыезде, сбегали из города.

— Хорошо, допустим, — злился Гордеев. — Какие же веские, как вы выражаетесь, доказательства ее виновности вы можете привести?

— Ее же видели! Есть свидетели!

— Не факт!

— Нет, факт! И потом, экспертиза...

— Мне сообщили, что заключения экспертизы будут готовы только через три дня.

— Некоторые уже готовы.

— Позвольте ознакомиться.

— Нет. Вам покажут, только когда будут готовы все заключения.

— Хорошо. — Гордеев уже понял, что дело совершенно бесполезное, но продолжал с каким-то извращен-

167

ным остервенением доставать нервничающего судью. — Так какие же заключения экспертизы доказывают ее вину?

— Выяснилось, что она ехала на маленькой скорости. Она могла свернуть или затормозить, но она как будто умышленно наехала на человека.

— Угу, то есть преднамеренное убийство вешаете?..

— Что значит «вешаете»! Что значит «вешаете»? — распалился судья. — Это экспертиза...

— Отлично. Что еще?

— Еще она была в нетрезвом состоянии...

— Угу, отягчающие обстоятельства, значит. С ума сойти, сколько всякой ахинеи!

— В чем дело? — разгневался судья.

— Я только не понимаю, почему, если вы мне сами все это рассказали, вы отказываетесь показать документ. Может быть, его и нет вовсе?

— Да как вы?.. Его нет у меня на руках! И вообще, материалы у следователя. Вот к нему и обращайтесь. Вам сказали через три дня, значит, через три дня.

— Я понял...

— Все! И никаких изменений мер пресечения!.. Вы свободны!

— Вы тоже! — злобно ответил Гордеев и, выходя, громко хлопнул дверью.

«Все с тобой ясно, тварь! — думал Гордеев. — Тоже всеми ниточками повязан с этой бандой. И какую чушь-то гнал! Боже ты мой! А еще судья! Таких судей гнать надо... Нет, таких надо сажать!»

— Я тебе говорил — дохлый номер! — сказал Гордееву Кравцов, когда они опять вместе сидели у него дома.

— Сергей, понимаешь, это дохлый, как ты говоришь, номер не потому, что судья — гад и падаль. Вот просто захотелось ему! А потому что они все связаны между собой. Как и дела эти... Ну понимаешь, девочку хотят повесить на Зайцева, а ее отца — на Лиду. И все нормально! И никаких концов! Черт! Теперь я точно знаю, что Зайцев никого не убивал! Найти бы главного всей этой шайки!

— А почему именно на Лиду?

— Не знаю... Может, просто под руку попалась, а может, есть какой-то план.

— Какой?

— Ну, например, опорочить тебя. Или меня...

— Хм... Я, конечно, помогу всем, чем смогу. А Лиду я вытащу, каких бы трудов мне это не стоило! Но объективно, если эта шайка состоит из всех этих шишек, из верхушки, то... — он отрицательно покачал головой. — Ничего, наверно, не получится.

— Но должна же быть какая-то справедливость на свете!

— По сути, конечно, должна. Только вот что-то не видна она совсем последнее время. Слушай, а чего ты мне по телефону насчет какой-то дверцы толкал?

— А! Это любимая фраза Зайцева. Вот если для нас с тобой, Сережа, эта дверца откроется, мы справимся.

— Ну и какие идеи?

— Ты понимаешь, идея основная и самая главная — найти свидетеля... Того, что был у Маковского. А он непременно был. Уж слишком явно говорило об этом поведение отца Сони. Эти странные встречи с кем-то, подозрительное затишье его праведного гнева. Да и убрали его, возможно, из-за этого свидетеля. Вот так! Он их всех хотел на чистую воду вывести, понимаешь?

— Понимаю, Юра! Вот как только отыскать того свидетеля?

— А вот это и есть главный вопрос! Надо отыскать, Сергей, надо!

12

Все было взаимосвязано, Гордеев понимал это. Одно цеплялось за другое, как в сказке про волшебного гуся. Юрию казалось, что дело Зайцева — это и есть та самая жирная птица, к которой приклеилось все остальное.

«Нужно немедленно со Спириным поговорить. Он может пролить свет на всю эту подозрительную цепь событий», — думал Гордеев, подходя к зданию андреевской прокуратуры.

— Он не может вас пока принять, — неприветливо произнесла спиринская секретарша. — Ждите.

— Мне некогда ждать, — ответил Юрий и решительно взялся за ручку двери.

Спирин завтракал. Он с аппетитом поглощал огромный бутерброд, густо намазанный маслом и обложенный со всех сторон сыром, как горчичниками.

— Добрый день. Приятного аппетита, — сказал Гордеев и уселся напротив.

— Что такое? Я же сказал не пускать! — завелся следователь.

— Я говорила! Он сам прошел, — оправдывалась секретарша, стоящая в дверях.

— Ладно. Исчезни.

Секретарша быстро выбежала из кабинета и плотно прикрыла дверь.

— Зачем пришли? — Спирин уставился на Гордеева.

— Отчего так нелюбезно? Где привычное русское гостеприимство? — съехидничал Юрий.

— А вы ко мне на блины пожаловали? Или, может, перейдем поближе к делу? — не остался в долгу следователь.

— Конечно, перейдем. Мне нужно еще раз посетить в тюрьме арестованного Зайцева.

— Вот как?! С каких это пор вам требуются разрешения для посещения кого-либо в тюрьме? Вы, по-моему, и без этого отлично справляетесь.

— Что вы имеете в виду? — сделал непонимающий вид Гордеев.

— Я имею в виду то, что мне известно, как вы со своим приятелем Кравцовым встречались с Ермолаевой. Я уж не знаю, каким образом вам это удалось, хотя могу подозревать. Конечно, я не могу воспрепятствовать вашему посещению Зайцева. В качестве адвоката, разумеется. Но в качестве заключенного вы можете очутиться в тюрьме гораздо раньше. Еще одна подобная выходка, и вы встретитесь и с Ермолаевой, и с Зайцевым, только уже будете их соседом. Я понятно говорю? — Спирин с ненавистью смотрел на Юрия.

— Так-так-так, — протянул Гордеев. — Вы, кажется, мне угрожаете?

— Ни боже мой! Предупреждаю. Дружеский совет, так сказать.

— Ой, спасибо за заботу. Прям отец родной, — фальшиво заулыбался Юрий. Но тут же сменил тон на серьезный и спросил:

— Значит, и разрешение на посещение обвиняемого адвокатом тоже дать отказываетесь?

— Вот именно! — Спирин высокомерно улыбался.

— Хорошо. Я, надеюсь, не очень вас разорю, если с вашего телефона позвоню в Москву?

— Не очень. Для дорогого столичного гостя я готов пожертвовать всем. А кому это вы собрались звонить?

— Я? — Гордеев выдержал паузу. — Я сейчас позвоню Меркулову Константину Дмитриевичу. Это, если вы запамятовали, заместитель Генерального прокурора России. И расскажу ему, что в городе Андреевске нарушаются всякие юридические нормы и государственные законы. И даже приведу пример, как адвоката не пускают к своему клиенту. Сделайте одолжение, подвиньте телефон поближе, а то я со своего места до него не дотянусь.

Юрий закончил говорить и выжидающе смотрел на Спирина. На лице того явно отображалась борьба различных чувств, происходящая в его душе. Наконец он рывком отодвинул ящик стола, достал из него какой-то бланк, быстро и нервно что-то написал и почти швырнул Гордееву. Тот аккуратно взял бумагу со сверкающей полированной поверхности стола и прочел:

— «Посещение разрешить». Вот спасибо. Как приятно с вами работать.

С этими словами Юрий вышел из кабинета, оставив следователя в бессильной злобе.

Вскоре Гордеев опять ожидал своего подзащитного в комнате для свиданий Жаворонковой деревни. Темно-бурые стены наводили тоску, массивный деревянный стол был исцарапан различными надписями, окон не было. Юрию стало не по себе, захотелось поскорее уйти отсюда. Наконец ввели Зайцева. Гордеев поднялся, протянул руку для пожатия. Зайцев крепко пожал ее, затем опустился на второй стул.

— Как поживаете? — начал Юрий.

— Как может поживать человек в тюрьме? Плохо, конечно... — тихо произнес мужчина. С него сошла вальяжность — видимо, сказывалось пребывание в заключении. — Что у вас новенького?

— Да в общем-то, ничего особенного. Если не считать того, что погиб отец Сони Маковской, но вы об этом уже знаете.

— Да, это уже серьезно... — сказал Зайцев задумчиво.

— Почему вы так думаете?

— Потому что, я думаю, это не может быть случайностью.

— Думаете, гибель Маковского как-то связана с вашим арестом?

— Возможно, возможно... — задумчиво ответил Зайцев.

— А кого вы подозреваете в этом? Ершова? Топоркова?

Тут Зайцев сделал резкий взмах рукой, Гордеев осекся. Зайцев указывал пальцем на стены и на стол. Юрий вопросительно взглянул на него, затем достал ручку, листок бумаги и протянул Зайцеву. Тот написал одно слово: «Прослушка». Гордеев понимающе кивнул. Затем Евгений Павлович снова придвинул к себе бумагу и написал: «Байдуков». Затем, ниже «Веселовский». И протянул листок Юрию. Тот взял записку и тут же спрятал в карман.

Зайцев поднялся, тем самым дав понять, что свидание окончено и больше ему пока сказать нечего.

— Передайте брату, что со мной все в порядке. Пускай не волнуется. И спасибо вам.

— Держитесь, — кивнул Гордеев.

Зайцев постучал в дверь, она тут же открылась, и два дюжих охранника увели заключенного.

«Кем бы мог быть этот Байдуков? И этот Веселовский? И что они значат во всей этой истории?» — думал Юрий, стоя на улице возле здания тюрьмы. Затем достал телефон и быстро набрал номер Кравцова.

— Привет. Это Гордеев.

— Здорово. Что нового? — ответил голос Сергея.

— Только что вышел из тюрьмы...

— Звучит оптимистично, — рассмеялся Кравцов.

— Ну да. Я имею в виду, что только что встречался с Зайцевым.

— Да ну? Узнал что-нибудь полезное для нас?

— Пока не могу точно сказать. Ты случайно не знаешь, кто такой Веселовский?

— Честно говоря, что-то знакомое, — задумался Кравцов. — Но вспомнить не могу.

— Ясно, следующий вопрос. А кто такой Байдуков, ты знаешь?

— Конечно. Он начальник андреевского РУБОПа.

— Такая же сволочь, как и все остальные?

— Нет, хороший мужик. Порядочный. Кстати, самый близкий друг Зайцева. Они вместе в Афгане воевали. Рассказывали даже, что несколько раз друг друга от смерти спасали, из-под пуль вытаскивали. Зайцев Байдукова однажды в одиночку от троих боевиков отбил, когда того во время боя ранило, он сознание потерял. А наши отступили и забыли про него. А потом, после боя, его боевики нашли, тут бы ему и конец, да

Зайцев вернулся. Представляешь, один троих уложил за друга. Но Байдуков тоже в долгу не остался, в другой раз он Зайцева с тяжелейшим ранением несколько суток из окружения вытаскивал. Зайцев, говорят, даже застрелиться хотел, чтобы друг уйти мог спокойно. Байдуков еле успел пистолет вырвать.

— Вот как? — поразился Гордеев. — А где этого Байдукова найти можно?

— Пиши адрес, — Кравцов продиктовал ничего Юрию не говорящее название улицы и номер дома. — Там центральное здание РУБОПа. Найдешь, или подъехать за тобой?

— Найду. Спасибо. Ну, до связи.

Вскоре такси привезло Гордеева по указанному Кравцовым адресу, он расплатился, вышел из машины и направился к центральному входу. Его тут же тормознули на проходной.

— Вы куда?

— Мне нужно к Байдукову.

— Пропуск есть?

— Нет у меня пропуска.

— В журнале посещений записаны?

— Нет.

— Тогда обратно. Договариваться нужно заранее.

— Слушай, — сказал Гордеев. — Ты ведь ему позвонить можешь?

— Теоретически могу, — отозвался охранник.

— Так вот, сделай это практически и передай, что пришел адвокат Зайцева, хочет поговорить по поводу его дела.

Через пять минут сам Байдуков спустился за Юрием. Гордеев увидел высокого статного человека с погонами генерал-майора и почему-то сразу понял, что это и есть Байдуков, чем-то неуловимым он напоминал Зайцева.

Мужчины поздоровались и поднялись в кабинет Байдукова.

— Ну, чем могу быть полезен? — начал хозяин.

— Видите ли, я недавно был в тюрьме, навещал Евгения Павловича, и он написал мне вашу фамилию. Я подумал, что вы можете что-то рассказать. Потому что история крайне странная, я никак не могу найти концов.

— Это все, разумеется, из-за выборов. Город и область давным-давно полностью куплены и поделены. По закону здесь уже ничего не решается. Все кругом повязаны и прекрасно сосуществуют в такой обстановке. У них только две кости в горле стоят — это Женька и я. Меня постоянно пытаются сместить. Страшно сказать, но у меня за последние два года четыре заместителя сменились. Да не просто так, они все умирают, понимаете? Меня пытаются опорочить, но пока не получается, у меня такая репутация, что ее испортить сложно. Хотя эта свора ни перед чем не остановится.

А Женька им тоже много крови попортил. Он собирал материалы против всей этой компании. О взяточничестве, о нарушении законодательства, об их махинациях с выборами. Он, например, раскопал, что Батурин, есть у нас тут такой деятель, у которого затмение мозгов от больших денег произошло, незаконно финансировал избирательную кампанию Ершова. А это ведь дело серьезное, если до суда дойдет, то вовек они потом не отмоются.

— А как же они могли узнать об этой работе Евгения Павловича? Не думаю, что он кому-то кроме вас об этом рассказывал, — поинтересовался Гордеев.

— Да что вы, Юрий. В этом городе на юге чихнешь, на севере «будь здоров» крикнут. Тут шпионов и стукачей больше, чем нормальных жителей. А то, что они про Женькин компромат знали, я не сомневаюсь.

— Почему вы так в этом уверены?

— Дело в том, что отчасти я виноват, что Женьку посадили. Так как это я надавил на следствие и заставил закрыть дело о самоубийстве девочки и завести новое об убийстве. И оказал тем самым медвежью услугу, но я же не знал, что они так дело повернут! А они взяли — и сразу Женьку за решетку упекли. А это о чем говорит? Это говорит о том, что они его страшно боялись и, воспользовавшись случаем, тут же постарались избавиться от него. То есть знали они прекрасно о тех материалах, что Женя собирал. Это же ежу понятно, что Зайцев не виновен.

— Знаете, — перебил Гордеев пылкую речь генерала. — Мне кажется, что отец девочки тоже был в курсе, что убийца его дочери не Зайцев.

— Почему вы так считаете? — насторожился Байдуков.

— Во-первых, Маковский погиб при загадочных обстоятельствах. Его сбила машина, а обвинили в этом мою знакомую. Могу дать голову на отсечение, что она не виновата. Во-вторых, я видел его перед смертью. Это был человек, который не испытывал ненависти к Зайцеву. Он был страшно подавлен, но не пытался мстить вашему другу, не требовал расправы над ним. Странное поведение для отца, если предположить, что он считал убийцей Евгения Павловича, не правда ли? И наконец, в-третьих, жена Маковского отдала мне странную фотографию — на ней изображен Ершов, а лицо его изрешечено пулями. Маковский стрелял в фотографию! Вы чувствуете, сколько должно быть ненависти к человеку, чтобы поступить так! Поэтому я думаю, что у Маковского была какая-то информация. Он что-то знал. Может, существует какой-то свидетель, может, еще что-нибудь, это нужно непременно раскопать. Только тайно, чтобы ни одна живая душа, кроме нас с вами, об этом не знала. Иначе все старания пойдут прахом.

— Вы мне это объясняете? — грустно улыбнулся Байдуков. — Но что же мы можем сделать? Единственный человек, который что-то знал — отец девочки, — погиб. Мы снова в тупике. Неужели Женя ничего больше не сказал, не просил мне передать?

— Ах, черт! — воскликнул Гордеев. — Забыл. Там же была еще одна фамилия.

Юрий вытащил клочок бумаги из кармана и протянул генералу.

— Веселовский, — прочитал тот. — Я, кажется, начинаю понимать.

— Поделитесь, — попросил Гордеев.

— Веселовский — мой бывший заместитель. Он мне никогда не нравился, но я взял его по принуждению. На меня очень сильно надавили. Но вскоре я его уволил, потому как узнал, что Веселовский занимается незаконной прослушкой. Причем всех и вся. У него были переговоры мэра, губернатора, прокурора, одним словом, всех, кто имеет какое-то отношение к власти. Кроме того, этот Веселовский имеет какое-то отношение к комиссии Государственной думы по выборам, а это тоже настораживающий факт.

— Неужели эта комиссия имеет какой-то вес? — удивился Гордеев.

— Еще какой. Это очень важное звено во всех выборах, с его помощью можно влиять на центральную избирательную комиссию. Когда я уволил Веселовского, он внезапно исчез, а вместе с ним и материалы прослушивания, и компромат, который собрал Женька.

— То есть он их попросту украл?

— Да, выходит так. Скорее всего, вся эта каша заварилась из-за пропавших документов.

— Так нужно немедленно найти Веселовского! — воскликнул Юрий. — Это же ключ ко всем загадкам.

— Вы правы, но я не могу. Он исчез, у меня нет никакой информации о месте его нахождения. Хотя вы можете поехать в Москву, в эту самую комиссию. Там должны что-то знать о нем, но не думаю, что вам будет просто получить какие-нибудь сведения. Однако попробуйте. Мне кажется, Веселовский работал на два фронта. Езжайте в Москву. Постарайтесь что-нибудь выяснить там.

— Я не могу сейчас уехать из Андреевска, — ответил Гордеев.

— Почему?

— Я говорил вам, в тюрьме невиновная девушка. Я не могу ее оставить.

— Простите за цинизм, но если она в тюрьме, то никуда оттуда не денется. Тем более похоже, что Жаворонкова деревня — сейчас самое безопасное место в городе.

— Но я все равно не могу уехать без нее. Вы можете помочь мне вытащить ее?

— Расскажите, в чем дело? — попросил Байдуков.

— Я сам практически ничего не знаю. Это все похоже на какой-то бред. Лида ехала на своем автомобиле в Москву, ее остановили, без объяснений надели наручники, затолкали в машину и привезли в СИЗО. Следователь отказывается отвечать на мои вопросы, материалы дела не показывает, ничего не известно. Мы с ее мужем пытались действовать по всякому, даже с судьями пытались договориться — все бесполезно.

— Я думаю, что тут не надо ни с кем договариваться. Нужно действовать по закону. Добейтесь доступа к материалам следствия, и на их основании попытайтесь добиться полного освобождения. У вас есть такая возможность?

— Нужно попробовать.

Гордеев достал телефон и набрал знакомый номер. На другом конце провода ответили.

— Алле? Александр Борисович? — прокричал в трубку Юрий. — Это Гордеев беспокоит. Да-да, все в порядке. У меня к тебе очень важное дело. Времени немного, поэтому постараюсь обойтись без подробностей. Я сейчас нахожусь в городе Андреевске. И здесь творится полный беспредел. Одну девушку арестовали за убийство человека, но она абсолютно не виновата. Я стал ее адвокатом, но мне чинят всякие препятствия. Следователь по ее делу отказывается предоставлять какую-либо информацию, скрывает материалы следствия, не разрешает посещений. Я очень прошу твоей помощи, повлияй на ситуацию, иначе она пропадет.

— Что от меня требуется? Как я могу заставить ос-вободить твою знакомую только потому, что ты говоришь, что она невиновна. Это абсурд, ты понимаешь? — возмутился Турецкий.

— Я не требую этого. Просто попроси Меркулова, чтобы тот сделал один звонок следователю Спирину. Это возможно?

— Ну, в принципе... — протянул Турецкий, — возможно, конечно... Кстати, где, говоришь, все это происходит?

— В Андреевске.

— А-а.. — протянул Турецкий, — кажется, припоминаю. Мне Костя Меркулов говорил о том, что поступила какая-то жалоба от группы избирателей на предвыборный беспредел. И поручил разобраться в этом деле.

— Серьезно? — обрадовался Гордеев. — Ну вот и повод. Помоги, Александр Борисович, очень нужно...

— Ну ладно, — недовольно ответил Турецкий, — постараюсь.

— Хорошо бы заставить его показать материалы. Это ведь мое абсолютно законное право, не так ли?

— Ну, это пожалуйста. Только не понимаю, неужели для этого нужен звонок заместителя генерального прокурора?

— Да. Никакие другие средства на этих людей не действуют.

— Хорошо. Еще раз. Андреевск?

— Совершенно верно.

— Фамилия девушки?

— Ермолаева Лидия Андреевна, — радостно орал в трубку Гордеев.

— Ох, не кричи так. В ушах от тебя звенит. Успокойся и езжай к своему Спирину. Он даст тебе все, что полагается по закону, — проворчал Турецкий.

181

— Спасибо, Саша. Ты очень помог. Спасибо.

— Да не за что. Вернешься — сразу ко мне. Расскажешь, что за дела происходят в этом загадочном Андреевске, где для просмотра уголовного дела адвокатом требуется санкция генерального прокурора.

— Обязательно. До свидания.

Гордеев убрал телефон и торжествующе посмотрел на Байдукова.

— Ну что? — спросил тот. — Вышло?

— Да. Турецкий может. Меркулов Константин Дмитриевич, заместитель генерального прокурора, его друг. Я мчусь к Спирину.

— Надо же, какие связи! — усмехнулся генерал. — Удачи вам, Юрий.

— Спасибо. — Гордеев направился к выходу.

— Это вам спасибо, — крикнул Байдуков вслед. — Спасибо, что помогаете Женьке. Это необыкновенный человек и, может быть, самый достойный из тех, кого вам доводилось защищать.

— Я сделаю все возможное, чтобы помочь ему, — тихо отозвался Юрий.

Через полчаса Гордеев снова входил в кабинет Спирина.

— Вот видите, я к вам по несколько раз на дню хожу. Как на работу.

Следователь молчал.

— Я надеюсь, вам уже позвонили из Москвы? — продолжал Юрий.

— Позвонили, — буркнул Спирин в ответ.

— Так когда же я могу получить материалы?

— Никогда. Произошла чудовищная ошибка, материалы следствия были уничтожены, с Ермолаевой сняты все обвинения. Можете ехать за ней.

— Ох, как интересно! — воскликнул Гордеев. — Мыши, поди, дело съели? Ну да ладно, с этим мы потом разберемся. Дайте бумагу на освобождение.

— Там уже в курсе. Я звонил, — Спирин был серым от злости.

— Чудно. Целую.

Гордеев вприпрыжку, как мальчишка, выбежал на улицу и тут же, подчиняясь внезапному порыву радости, набрал номер Кравцова.

— Серега! Как дела?

— Потихоньку. Ты чего орешь так? По какому поводу радость?

— Радость по поводу освобождения Лиды из тюрьмы!

— Да ты что! — воскликнул Кравцов. — Тебе удалось? Ты гений! Как все получилось?

— Да так, нажал на следствие по своим каналам, — хвастливо ответил Гордеев. — Но самое интересное знаешь в чем?

— В чем?

— На нее не было заведено дела! Ни единой бумажки, ни паршивенькой справочки — ничего!

— Вот те на... — протянул Сергей. — В каком чудном государстве мы живем. Где сейчас Лида?

— Еще в тюрьме. Нужно ее оттуда забрать, — ответил Юрий.

— Немедленно еду, заберу ее. Вот она обрадуется, — отозвался Кравцов.

Сердце Гордеева сжалось от обиды и несправедливости. Он, не щадя живота своего, мучился, носился, добивался освобождения Лиды. А все сливки снимет Кравцов. Приедет за ней, будет рассказывать, как много сделал во имя свободы своей жены. Лида бросится ему на шею, будет благодарить — такие кадры мелькали в голове Юрия. Но Сергей вдруг продолжил:

— Ты где? У Спирина? Оставайся там, захвачу тебя через пятнадцать минут.

Когда Кравцов и Гордеев подъехали к тюрьме, Лида уже ждала их у ворот. Завидев машину бывшего мужа, она бросилась к ней. Мужчины тоже вышли из автомобиля и встали как вкопанные, смущенно поглядывая друг на друга.

— Ну вы чего? — спросила Лида, подбежав к ним. — Родные мои! Как я вас люблю. Это же вы меня вытащили? Как вам это удалось?

— Да это Юрка проявил чудеса дипломатии, — ответил Кравцов.

— Да и ты тоже немало постарался, — подхватил Гордеев.

— Боже! Как это трогательно, — хохотала Лида. — Спасибо, мальчики. Как хорошо, когда вокруг тебя есть такие мужчины.

Она подошла ближе и обняла их обоих.

— Теперь вези меня домой, — обратилась Лида к мужу. — Мне срочно нужно в ванную. Я хочу много пены. Я надеюсь, у тебя есть пена?

Сергей растерянно кивнул.

— Чудно. Наверное, и одежда моя еще осталась. Мне кажется, что эта ко мне уже прилипла. А еще по дороге купим огромную пиццу. Я голодная как собака. Если бы вы видели, чем там кормили! Это даже нюхать нельзя, не то что есть. Ну что, едем?

— Давайте, езжайте, — сказал погрустневший Гордеев.

— А ты куда? — удивилась Лида.

— Пойду в гостиницу. Тоже отдохну, а то замотался, как лошадь колхозная.

— Ты это, — сказал вдруг Кравцов. — Поехали с нами. Чего тебе в гостинице делать?

— Поехали, поехали, — подхватила Лида. — Все мне дома расскажете. А отсюда нужно бежать скорее, пока еще кого-нибудь из нас не посадили.

Лида первая уселась в машину. Гордеев не заставил себя долго уговаривать и последовал за ней. Через минуту мрачное здание тюрьмы осталось далеко позади, и автомобиль помчался к дому Кравцова.

13

В доме Кравцова было подозрительно тихо. Охрана, проворонившая пленницу, старалась не попадаться на глаза хозяину и сиротливо жалась по углам. Сергей, оставив Лиду с Гордеевым в гостиной, ушел распорядиться насчет ужина.

— Как я по тебе соскучилась! — Глаза Лиды сияли радостью. — Время, проведенное в тюрьме, оказывается, заставляет по-новому взглянуть на прожитую жизнь. А компания у меня какая замечательная была, ты себе не представляешь! Проститутки, наркоманки, воровки, сутенерши — все до одной чудные женщины. А самое смешное то, что они, узнав, что я юрист, валом повалили за консультациями. Будь то в обычной жизни, я бы столько денег заработала! Ты чего молчишь-то?

— Да ситуация какая-то дурацкая, не находишь? — ответил Юрий. — Я в доме мужа своей... э-э... ну короче, своей хорошей знакомой, и она там же, и вот мы все втроем собираемся ужинать и вести светские беседы. Дурдом.

— Брось ты. Все нормально. Никто ни на кого с кулаками не бросается.

— Уже бросались, — мрачно заметил Гордеев.

— Да что ты?! — с интересом воскликнула Лида. — Вы били друг другу морды?

— Было маленько.

— И кто же победил?

— Дружба! — Юрию не нравились ее восторги по поводу прошлой драки.

— Вот и чудно. Ну и чего ты теперь переживаешь? Ты его боишься, что ли?

— Вот еще, — Гордеев оскорбился. — Никого я не боюсь. Да и Серега, кстати, хороший парень. Поэтому мне и неудобно. Чувствую себя Иудой каким-то.

Лида хотела было что-то ответить, но тут же осеклась — в комнату вошел Кравцов с откупоренной бутылкой вина и тремя бокалами.

— Ну-с, отметим благополучное вызволение пленницы из острога? — Сергей пытался казаться веселым, но взгляд выдавал его напряжение. Гордеев тоже чувствовал себя не в своей тарелке. Одна Лида была беззаботна и не придавала никакого значения сложившейся щекотливой ситуации.

— Ау-у, — протянул Кравцов. — Не слышу ответа.

— Наливай, — отозвался Юрий.

— Давай-давай, — подхватила Лида. — Мое люби-мое? Замечательно. Наливай.

Сергей молча разлил вино по бокалам, протянул каждому, все, не чокаясь, молча выпили.

— Ну вот, как на поминках, — рассмеялась она. — Чего грустные-то такие? Или вам было так хорошо вместе, что мое присутствие нарушило вашу идиллию? Так ведь я и уйти могу. Только поем сначала, ладно?

— Перестань паясничать, — резко ответил Крав-цов. — Давайте лучше решим, что делать будем.

— Давайте, — эхом отозвался Гордеев.

— А чего решать-то? — Лида непонимающе хлопа-ла глазами. — В чем проблема? Мы с Юрой уедем в Москву завтра, и все будет, как раньше.

— Нет, Лид, так не годится, — Юрий заметно нерв-ничал. — Нужно обо всем поговорить. Серега ночами не спал, по всему Андреевску носился, чтобы тебя ос-вободить, весь город на ноги поднял, а ты хочешь сделать ручкой и исчезнуть. Это нехорошо.

— А я его просила, что ли, ночами не спать и но-ситься? — разозлилась она. — Мог бы сидеть себе спо-койно, не дергаться. И без него бы справились.

— Не справились бы, — веско заметил Гордеев. — А даже если бы и справились, то все равно нужно испы-тывать хоть какое-то чувство благодарности за то, что человек переживал.

— И что ты мне предлагаешь? Броситься ему на грудь и заорать: я ваша навеки?! — негодовала Лида.

Кравцов молчал все это время, как будто тема раз-говора никоим образом его не касалась. Затем поднял-ся с дивана, подошел к окну и, не глядя на остальных, произнес:

— Прекрати истерику. Ты же нормальный человек. Признаю, я сделал глупость, когда похитил тебя и привез сюда. Я думал, смогу тебе втолковать, что люблю, что та история, послужившая поводом для расставания, просто чепуха какая-то. Был не прав тогда, но тоже согласись, я тебя не видел неделями, приезжаю, а на моем диване, в моих тапочках, пьет чай из моей кружки какой-то пацан. Я что подумать был должен?

— Ты мог подумать все что угодно. Но почему-то решил, что я тебе изменяю. Я разве повод давала? Это тебя все андреевские проститутки знают, а я в Москве училась и по мужикам не шлялась, — Лида почти кричала.

Гордееву вдруг стало ясно, что это обычная семейная сцена, рядовой скандал между мужем и женой. А как известно, милые бранятся — только тешатся, и значит, ссора завершится горячим примирением, а ему, Юрию, здесь делать больше нечего.

Принесли ужин, взаимные обвинения на время поутихли: ронять свое достоинство перед прислугой в этом доме было не принято. Домработница накрыла на стол и удалилась. Выяснение отношений сделало новый виток.

— Ты, между прочим, всю жизнь требовал отчетности в каждом моем шаге. Куда пошла, с кем была, что делала! А я тебя когда-нибудь контролировала?

— Вот дура! — не выдержал Кравцов. — Да я волновался за тебя просто. У меня и в мыслях не было тебя проверять. Ты моя жена, я чувствую за тебя ответственность. Когда я тебе запрещал что-нибудь? Ты всегда делала только то, что считала нужным, и я не возражал, потому что доверял тебе.

— Ребята, — робко вставил Юрий. — Я, пожалуй, пойду.

— Останься! — хором крикнули Кравцов и Лида. Гордеев послушно сел в кресло.

— Если бы ты мне доверял, то не устроил бы такую истерику в тот раз!

— Я же извинился. Я признаю, что виноват, но неужели ты считаешь тот случай достаточной причиной для расставания?

— Считаю. Я тебе уже однажды сказала, что если люди друг другу не верят, им не нужно быть вместе.

— Но я тебе верю! — в отчаянии крикнул Кравцов.

— А я тебе уже нет, — холодно ответила Лида.

— Я все-таки пойду, — сделал вторую попытку уйти Гордеев. Сергей растерянно молчал, а Лида впилась в его лицо таким сердитым взглядом, что Юрий снова поспешно опустился в кресло.

— Я встретила человека, с которым мне хорошо, — продолжала она. Гордеев боялся поднять свои глаза на Сергея. — Я не знаю, что будет дальше, да и не хочу думать, пока я счастлива, и никакими силами ты меня не удержишь.

— Я не собираюсь тебя удерживать силой. Счастлива с ним, — Кравцов кивнул в сторону Юрия, — значит, будь счастлива. Он, похоже, человек неплохой, переживал за тебя. Но скажи тогда, к чему были эти разговоры и обещания, которые длились год с лишним: не торопись, Сережа. Мне нужно подумать, Сережа. Для чего?

Лида смущенно молчала, Гордеев с интересом уставился на нее. На столе остывала ароматная пицца со специями, пармезаном, грибами и ветчиной. Каждый

189

раз, когда взгляд останавливался на ней, Юрий судорожно сглатывал слюну. С утра у него во рту не было ни крошки. Гордеев даже не знал, чего на данный момент жизни ему хочется больше: получить любимую женщину или нормально поесть.

— Нет, ну ты ответь, пожалуйста, — не успокаивался Кравцов. — Если ты все это время знала, что не вернешься ко мне, то для чего тогда оставляла какую-то надежду?

— Я не хотела делать тебе больно, — лепетала Лида.

— Вот как?! Ну, конечно, это все объясняет. Только ты еще хуже сделала. Я мог бы уже давно начать новую жизнь, девушку найти, в конце концов! Так нет же, я все жду, когда же наконец объявится Лида и даст мне ответ. А Лида уже, оказывается, и думать забыла про меня и про все, что нас связывало. У Лиды уже другая жизнь, другие интересы, другой мужчина. Только я, идиот, все жду чего-то. А чего, спрашивается, я жду? Не знаешь, Лид? А?

Лида напряженно молчала, обдумывая ответ.

— Слушай, может, тебе просто деньги нужны? — предположил вдруг Сергей. — И ты думала, что если окончательно пошлешь меня, то я перестану тебя содержать? Так ты не бойся, это мой долг — содержать свою жену, пускай даже бывшую. Как бы там ни получилось, ты все равно бедствовать не будешь.

— Да как ты смеешь так говорить?! — разошлась она. — Ты хочешь сказать, что мне от тебя только деньги нужны были? Может, еще предположишь, что я и замуж за тебя из-за них вышла? Да как у тебя язык вообще повернулся?!

Гордеев осторожно, чтобы не привлекать ничьего

внимания, начал сползать с кресла, под каблук ботинка попался бокал, непредусмотрительно поставленный на пол, раздался предательский треск хрусталя. Лида, заметив попытку к бегству, замолчала на секунду, затем, гневно сверкая глазами, прокричала:

— Да сядь ты наконец в это чертово кресло и сиди!

— Не ори на него! — завопил Кравцов. — Он в моем доме! Что хочет, то и делает!

— Ах, вот как! Значит, в твоем?! — Лида схватила со стола блюдо с пиццей и в ярости зашвырнула им в стену. Блюдо разбилось, пицца, съехав по стене, с глухим звуком шмякнулась на ковер. На обоях осталось отвратительное жирное пятно, аккуратно нарезанные шампиньончики медленно сползали по стене на пол. Такого удара и без того ослабленное сердце Гордеева не выдержало. Он вскочил на ноги и проорал:

— Прекратите истерику, вы оба! Как маленькие дети, ей-богу. Неужели нельзя обо всем договориться без ломания мебели и рукоприкладства? Что вы ведете себя, как две соседки на коммунальной кухне? Смотреть противно!

Супруги пристыженно молчали, исподлобья поглядывая на разбушевавшегося Юрия. В этот момент они напоминали двух нашкодивших котят.

— Сядьте быстро! Оба!

Лида и Сергей послушались.

— Теперь отвечайте на вопросы. Лида, ты хочешь вернуться к мужу?

— Нет, — ответила она.

— Сергей, ты отпускаешь ее и обещаешь больше никогда не преследовать ее?

— Да, — пробурчал Кравцов.

191

— У вас есть какие-нибудь претензии друг к другу?

— Нет, — супруги ответили хором.

— Серег, по-честному, ко мне претензии есть? — Юрий выжидающе смотрел на Кравцова.

— Да какие к тебе претензии? Все нормально. Хороший ты мужик, — отвечал Кравцов. — Береги ее. Но смотри, узнаю, что обидел, убью.

— Не обижу, будь спокоен.

Мужчины пожали друг другу руки.

— Сделку заключили? — ехидно поинтересовалась Лида. — Как будто корову продаете.

Ей никто не ответил. На какое-то время воцарилось молчание. Наконец Гордеев не выдержал:

— Раз уж все решилось, может, поедим все-таки? Если еще чего-нибудь осталось, конечно, — прибавил он, глядя на растерзанную пиццу.

— Осталось, не бойся, — улыбнулся Кравцов. — Сейчас принесут.

Сергей снова вышел из гостиной.

— Разрулил. Молодец, — усмехнулась Лида, глядя на Гордеева.

Юрий молча кивнул головой.

Лида с Юрием долго сидели в тишине, пока дверь гостиной не распахнулась с невообразимым грохотом, и в комнату не влетел всклокоченный Кравцов. На лице его была написана неудержимая ярость. Гордееву почему-то подумалось, что Сергей только что ощутил горечь утраты, осознал, что любимую женщину увел тот самый тип, что в данный момент сидит в его кресле и ждет ужина, и сейчас начнется мордобой дубль два. Но

192

Кравцов вовсе не выказывал агрессивного настроя по отношению к Юрию. Он носился по гостиной, потрясая в воздухе толстой газетой, и изрыгал проклятия в адрес какого-то мистического Шпунько.

— Вот гад! Он у меня попляшет, собака! Да я всю их редакцию разнесу! Да он всю оставшуюся жизнь будет школьные стенгазеты оформлять. Уничтожу, падаль!

— Что случилось? Успокойся. Объясни, что произошло, — уговаривала его немного испуганная Лида.

— Серега, в самом деле, ты чего взбеленился? — поинтересовался и Гордеев.

— Да вы только посмотрите, я это на кухне нашел, — Кравцов продемонстрировал свежий выпуск «Андреевского вестника». — Здесь статья. Только послушайте!

Кравцов стал громко зачитывать заметку с громким подзаголовком: «Семью Маковских постигла новая трагедия: вслед за дочерью погиб отец семейства».

— Так, бла-бла-бла, это мы пропускаем, здесь про убитую горем мать. Ага, вот: следует напомнить читателям, что девятилетняя Соня Маковская была хладнокровно застрелена Евгением Зайцевым — одним из кандидатов на пост губернатора, который уже взят под арест и в данное время дожидается суда и справедливого возмездия в тюрьме города Андреевска. Отец девочки погиб в среду вечером под колесами автомобиля. Виновницей трагедии стала некая Лидия Ермолаева, являющаяся женой известного в городе бизнесмена Сергея Кравцова и, ко всему прочему, любовницей Юрия Гордеева — заезжего адвокатишки из Москвы, который, как стало нам известно из достоверных источников, за огромную сумму вознаграждения взялся защищать убийцу и душегуба Зайцева. Кроме того, те же источники нам сообщают, что у Маковского были неопровержимые улики и доказательства в пользу виновности Зайцева. Исходя из этого, не кажется ли странной зловещая цепь событий и действующих лиц? Смеем предположить, что любовница адвоката Ермолаева, благодаря влиятельности мужа уверенная в своей безнаказанности, убивает ненужного свидетеля, тем самым облегчая работу Гордееву и обеспечивая нужный исход дела. Дальше все должно было бы быть следующим образом: лицемерная парочка, получив огромные деньги от благодарного Зайцева, уезжает из Андреевска в Москву и там безбедно существует на вырученный гонорар. Убийца выходит на свободу и снова получает возможность истреблять наших детей и затмевать мозги народа обещаниями. В тюрьму садится невинный человек, которого приспешники Зайцева не преминут отыскать, а несчастная мать и вдова будет лить слезы и напрасно пытаться добиться справедливости.

Но, к счастью, всего этого не произойдет. Наша доблестная прокуратура вовремя раскусила зловещие планы этих нелюдей, и теперь все преступники, включая и Ермолаеву, находятся за решеткой. Справедливость торжествует, и жители Андреевска могут спокойно спать в своих квартирах и быть уверены, что в нашем городе ни одно преступление не останется безнаказанным и любой убийца, вор и мошенник понесет заслуженное возмездие.

Кравцов перестал читать и воззрился на остальных, ожидая их реакции. Гордеев витиевато выругался. Лида только всплеснула руками. Потом, после недолгого молчания, произнесла:

— Я же вовек от этого теперь не отмоюсь. Хорошо,

что родителей нет в городе, если бы мама это увидела, у нее случился бы инфаркт. Все, в Андреевске мне отныне жить нельзя. Каждый встречный будет плевать вслед.

— Вот что, — деловито сказал Кравцов. — Я сейчас же еду бить морду этому журналюге Шпунько.

— Да оставь ты, — махнула рукой Лида. — Что ты этим докажешь? На следующий день появится новая статья с заголовком «Правда глаза колет».

— Боюсь, что следующего дня для этого Шпунько не наступит, — снова завелся Сергей. — Я вытрясу из него его подлую душонку, если завтра же не найду в этой убогой газетенке опровержения с извинениями. Неужели этот выродок считает, что может оскорблять мою жену, моего друга, позорить мое имя, и ему за это ничего не будет?!

С этими словами Кравцов выбежал из комнаты, хотя Гордеев и пытался безрезультатно его задержать.

— Поехали с ним, — шепнула Лида. — А то он и впрямь ненароком убьет этого несчастного Шпунько.

— Ага, несчастного! — возмутился Юрий. — Убьет и правильно сделает, я бы тоже убил.

— Не злобствуй, — она толкнула Гордеева в бок. — Пошли скорей, пока он один не уехал.

Вскоре машина Кравцова остановилась перед зданием редакции «Андреевского вестника». Сергей выскочил из автомобиля и устремился к входной двери. Гордеев с Лидой последовали за ним. Кравцов вихрем пролетел мимо охраны, схватил за грудки первого попавшегося человека и страшным голосом проорал:

— Где здесь сидит подлая собака по фамилии Шпунько?

— Третий этаж, восемьдесят седьмая комната, — заблеял от испуга случайный встречный.

Сергей немедленно отпустил руки и кинулся в указанном направлении, Юрий с Лидой еле поспевали за ним. Наконец Кравцов остановился перед дверью с латунной табличкой, набрал воздуха и что есть мочи пнул ее ногой. Дверь с жалобным скрипом распахнулась и с огромной силой влепилась в стену. Невысокий человек в джинсовой куртке вскочил из-за своего стола и негодующе уставился на посетителей. Не дав тому раскрыть рта, Сергей выступил вперед и, грозно глядя хозяину кабинета в глаза, спросил:

— Шпунько?

— Да! — непонимающе воскликнул тот. — А вы, я извиняюсь, кто будете?

Продолжить свою речь Шпунько не успел, потому что в тот же момент оказался поднятым в воздух мощными руками Кравцова, и только беспомощно болтал в воздухе ногами, не ощущая привычной опоры под подошвами ботинок.

— Что за безобразие?! — наконец получилось у него выговорить. — Кто дал право? Хулиганы! Я позову охрану!

— Зови-зови, — прошипел Кравцов, потряхивая Шпунько за шиворот. — И я свою позову. Посмотрим, кто кого?

— Да кто же вы, скажите? — чуть ли не плача, взмолился Шпунько.

— Кравцов Сергей Сергеевич. Имя о чем-нибудь говорит? А за моей спиной хладнокровная убийца Ермолаева и вместе с ней продажный заезжий адвокатишка.

Шпунько побледнел и как-то сразу осунулся, глаза

196

тревожно забегали, он судорожно хватал ртом воздух и громко сглатывал.

— И мы, такой компанией, — продолжал Кравцов, — можем задушить тебя тут же, на месте, услуги адвоката даже оплачивать не придется, друган все-таки.

— Что вы от меня хотите? — жалобно просипел Шпунько.

— Я лично хочу тебя убить. В крайнем случае, покалечить. Но, может быть, у друзей моих есть еще какие-нибудь пожелания? Что делать с ним будем? — обратился Сергей к Гордееву.

— Я думаю, нужно узнать, кто заказал ему подобную похабщину. Не сам же он додумался? — ответил тот.

— Разумная мысль. Слышь, Шпунько, говори, по чьему приказанию ты эту пакость настрочил? — спросил Кравцов, все еще не отпуская коротышку из своих рук.

— Н-никто, — заикаясь и захлебываясь в судорожных рыданиях, отвечал журналист.

— Ах, никто? — взбеленился Сергей. — Ну ладно.

Кравцов подошел к окну, распахнул его и на вытянутых руках вывесил коротышку на улицу. Тот задергал ногами, как велосипедист, и заорал что есть мочи.

— Будешь говорить? — спокойно поинтересовался Сергей.

— Буду-буду! Только отпустите меня! — закричал Шпунько.

— Отпустить? — удивился до глубины души Кравцов.

— Нет-нет! — испугался еще больше журналист. — Втащите меня в кабинет, поставьте на ноги.

— Как скажешь, — усмехнулся Сергей.

Через секунду Шпунько на ватных ногах стоял на подоконнике. Неловко спрыгнув на пол, он стал судорожно ощупывать себя, как бы проверяя, жив ли он, и жалобно причитал.

— Ну, ты говорить будешь? — потерял терпение Гордеев.

— Ой, буду-буду. Только не трогайте меня. Я все расскажу, только отзовите своего приятеля, он меня убьет.

— Убьет, — подтвердил Юрий. — Если не начнешь рассказывать, то прямо сейчас.

— Так что вы хотите узнать? — немного успокоившись, спросил журналист.

— Мы хотим узнать, — медленно произнес Кравцов, — кто тебе, паскуде, заказал эту статью.

— Это все люди Ершова! — выпалил коротышка. — Я не виноват. Это они принесли материал. Я с самого начала не верил в эту информацию.

— А что ж писал тогда? — не выдержала молчавшая до этой поры Лида.

— Они пообещали много денег, если я напечатаю это. А если нет, сказали, что я потеряю работу.

— Понятно. Это все, что они хотели от тебя? — спросил Юрий.

— Нет. Они заручились моим согласием, что я напишу еще статью, если им потребуется, — с жаром докладывал Шпунько.

— Надеюсь, ты понял, что с тобой будет, если ты ее напишешь? — зловеще поинтересовался Кравцов, красноречиво поигрывая ножиком для резки бумаги.

— Понял-понял! Не сомневайтесь, — вскрикнул журналист, радуясь, что так легко отделался.

— И еще, — сказал Сергей, направляясь к выходу. — Завтра же на первой полосе должно быть опровержение, понял меня? Не будет — пеняй на себя. Уничтожу.

Кравцов кинул такой зловещий взгляд на Шпунько, что тот не сомневался в правдивости его обещаний.

Молодые люди вышли из редакции и сели в машину.

— Запугал бедного, — хохотала Лида. — Он теперь откажется от журналистской деятельности и уедет выращивать капусту.

— Пускай, там от него больше пользы будет. Ненавижу этих продажных тварей, которые за два рубля любого готовы с дерьмом смешать, опорочить честного человека ни за что ни про что, — все никак не мог успокоиться Сергей. — Он нас в глаза не видел, а готов обвинить во всех смертных грехах по приказанию хозяина, который денежку отстегнет. Ты о чем думаешь? — обратился Кравцов к притихшему Юрию.

— Я думаю... — многозначительно произнес Гордеев, выдерживая паузу. — Так вот, я все думаю... Мы поедим сегодня наконец или нет?!

— Бедный. Оголодал, — рассмеялся Кравцов. — Поедим-поедим. Едем в ресторан, я знаю неподалеку одно хорошее местечко. Тем более что гражданка Ермолаева, понахватавшись мерзких тюремных привычек, уничтожила наш ужин. Согласны?

— Я бы сейчас согласился даже на тюремный обед, не то что на ресторан, — довольно ответил Гордеев, с радостью предвкушая сытную трапезу.

14

Работу в своем предвыборном штабе губернатор Ершов начал, как всегда, в десять часов утра. Привычная суета радовала его. Самое гадкое состояние, которое Ершов ненавидел больше всего, было состояние неизвестности. Но именно это и подхлестывало его. Главный соперник Ершова — Зайцев — был выведен из игры. Тот сидит за решеткой, а он, Ершов, теперь, скорее всего, будет избран губернатором Андреевской области на третий срок. Ершов был почти уверен в этом. А это маленькое «почти» давало еще больше сил и энергии. Ершов даже насвистывал веселую мелодию.

«Вызвать, что ли, к себе Светлану? Пусть расскажет мне, как идут дела. А то совсем не работает. Как ни взглянешь, все ногти свои красит. То стирает, то красит, то стирает, то красит! Как они у нее еще не отвалятся! И будто других дел нету!» Светлана была секретаршей Ершова. Губернатор испытывал к девушке большие симпатии, несмотря на то что, по его же словам, она только и делала, что «наводила красоту». Симпатии его, разумеется, были связаны с внешними данными юной секретарши. Все находили в ней большое сходство с известной американской актрисой Памелой Андерсон. А так как в наше время почти каждый третий мужчина влюблен в эту диву, Светлана пользовалась славой не только за пределами офиса Ершова, но и на своем рабочем месте.

— Светочка, милая, как идут дела? — нежно спросил у вошедшей секретарши Ершов.

— Дела? Да вроде хорошо.

— Я тебя о предвыборной кампании спрашиваю.

— Ну я так и поняла.

— Слава богу. Давай, докладывай. Чайку или кофейку хочешь?

— Нет.

— Садись, садись, — Ершов нежно взял ее за талию и подвел к креслу, здесь его рука сползла пониже.

200

Девушка села.

— Да вроде все нормально. Листовки там всякие, программа ваша... Все это размножается и печатается... Вы бы лучше Иннокентия спросили. Он же главный в этом деле. Он вам все расскажет.

— Ах да, Иннокентий. Голубушка, ну а у тебя как дела?

— Спасибо. Все замечательно.

— Обворожительна! Сногсшибательна! — умилялся Ершов. — Скажи, как это тебя еще умудрились не пригласить сниматься в кино?

— Ах, да зачем им вторая Памела Андерсон! Да и мне это кино не нужно!

— Действительно. Ты — девушка умная. — слукавил Ершов. — Будешь работать у нас, авось деловой леди станешь... когда-нибудь.

Светлана лучезарно улыбнулась. По-видимому, это и правда входило в ее планы.

— Ну хорошо. Вызови мне тогда Иннокентия.

Через некоторое время в кабинет вошел худосочный, средних лет мужчина в сером костюме.

— Вызывали? — спросил он подобострастно.

— Да. Садись, Кеша. Расскажи, как идут дела. Доложи обстановку.

— Дела идут, на мой взгляд, превосходно. Листовки печатаются, реклама крутится. Вот только маленькая проблемка...

— Какая? — обеспокоенно спросил Ершов.

— Закончились деньги... печать плакатов приостановилась...

— Ну а в фонд финансирования обращался?

— Вот, как раз собирался, и тут вы меня вызвали... Я просто решил вам сообщить... На всякий случай...

— Да, ты молодец. Ты от меня ничего не утаивай, пожалуйста. И впредь все так же обстоятельно рассказывай.

— Хорошо.

— Ну а как с реальными действиями?

— Вчера привезли гуманитарную помощь в совет ветеранов. Будет раздаваться инвалидам войны.

— Молодцы.

— Да! Завтра у вас встреча с избирателями в кинотеатре «Радуга», в одиннадцать ноль-ноль.

— Отлично. Как насчет речи?

— Речь должна по времени продлиться час двадцать минут. Затем там будут накрыты столы. И в такой неформальной беседе избиратели вам будут задавать вопросы.

— Слушай, так это все кому не лень попрутся. У нас же народ какой, лишь бы пожрать на халяву!

— Ничего страшного. Все предусмотрено. Сейчас мы занимаемся вашей речью. Вы ее получите около четырех часов.

— Отлично. Ну что ж, я доволен твоей работой. Можешь идти.

Иннокентий направился к двери.

— Кеш, а студенты-то как? Все нормально? Не отказываются работать?

— Да кто ж откажется, что вы! Деньги все-таки платим. У них стипендия-то какая! С гулькин нос, только на хлеб да на лапшу хватит. Работают, куда они денутся!

— Замечательно, — подытожил Ершов.

— Только маленькая проблемка, — как будто вспомнил Иннокентий.

— Опять?

— Да нет, ничего такого. Вчера просто какие-то

202

ребята-отморозки избили одного студента, когда он наши листовки в ящики почтовые бросал.

— О господи! И что с ним?

— В больнице.

— Ну надо решить эту проблему. Виновников придется наказать. Он их в лицо видел?

— Видел. Но не помнит. Ему вроде память отшибло, что ли...

— А-а! Ну тогда дело быстро решается. Найдите там каких-нибудь, чтоб не жалко...

— Да, я так и подумал...

— Ну, все, занимайся делом.

Почти сразу же, как только вышел Иннокентий, вошла секретарша.

— К вам гость. Это Дмитрий Балаш, — произнесла она.

— Да, да, да. Зови же скорее.

Открылась дверь, и вошел человек среднего роста. На нем были обыкновенные синие джинсы и белоснежная футболка, куртку-ветровку он держал в руках. При всем его нереспектабельном виде можно было оценить навороченный сотовый телефон на ремне его брюк и золотое кольцо с сапфиром на мизинце. От человека приятно пахло дорогим одеколоном. Он вежливо улыбнулся, подошел к окну и задернул его темной шторой.

— Добрый день, — произнес он с расстановкой.

— А! Дмитрий! — встретил Балаша Ершов. — Проходите, проходите. Ну как у нас дела, рассказывайте.

— Надеюсь, вы не возражаете, — он указал на окно. — Яркий свет меня сегодня нервирует.

«Капризуля», — пронеслось в голове у Ершова, но вслух он сказал:

— Что вы, что вы. Конечно, конечно. Я не против.

Они поздоровались за руку. Балаш сел в кресло, положил ногу на ногу и задумчиво устремил свой взгляд куда-то вдаль. Ершов не любил, когда Балаш так делал. Это означало, что дела плохи, что у него, у Балаша, не слишком хорошее настроение и что придется бегать на цыпочках, заискивать перед ним, заглядывать в глазки. А это не входило в привычки Ершова, он был человеком дела, любил, когда все решалось быстро, без лишних слов и телодвижений. В конце концов, большинство людей заискивало именно перед ним, Ершовым. Но Балаш... Это было другое дело. Балаш был его политтехнологом. В принципе, это в основном он и делал для успеха выборов Ершова все, что возможно.

— Светлана, сделайте нам два кофе. Мне, как всегда, а моему гостю... — он многозначительно посмотрел на Балаша.

— Если можно, чай, — ответил тот. — Не сладкий и с лимоном.

— Один кофе для меня и несладкий чай с лимоном, — повторил Ершов. — Сигару?

— Я не курю, и вы это прекрасно знаете. И все равно почему-то в каждый мой к вам визит предлагаете мне сигары.

— Забыл, простите, — растерялся Ершов.

С минуту они сидели, молча глядя друг на друга. Наконец тишину нарушил Балаш.

— А дела-то наши не слишком хороши.

— Да, — Ершов сразу так все и понял. — В чем же наши проблемы?

— Ваши, — уточнил Балаш.

— Но ведь вы работаете на меня, значит, наши, — решил взбрыкнуть Ершов.

Балаш приподнял бровь:

— Я работаю на вас, но я не ваш раб. Сегодня на вас, завтра на другого.

— Да, это я понимаю. Но я плачу вам деньги. И вы работаете на меня.

— Вот именно. Приоритетную роль играет ваша личность. И с тем, что народ вам не слишком, мягко говоря, доверяет, я ничего поделать не могу.

— Что вы имеете в виду?

В этот момент вошла, призывно виляя бедрами, Светлана с подносом в руках. Она поставила его на стол перед Балашом, нагнувшись настолько, чтобы тот видел ее чувственно вздымавшуюся грудь в разрезе обтягивающей ее стройное тело кофточки (надо сказать, что при всем сходстве с Памелой Андерсон грудь Светланы, к сожалению, порядком отставала от размеров сексуальной американки). Своим наметанным глазом Светлана давно уже оценила Балаша как интересного и, главное, состоятельного кавалера. Однако Балаш оставался холоден как к самой Светлане, так и ко всем ее попыткам привлечь к себе его мужское внимание. Видимо, у него были совсем другие идеалы в этой жизни. «А может быть, семья? — подумала Светлана, выходя из кабинета. — Да нет, о какой семье может идти разговор в моем присутствии. Может быть, он извращенец какой-нибудь? Педик? О боже! Как мне не везет в этой жизни!»

— Плакаты, листовки — все это очень хорошо, — продолжил Балаш, взяв в руки чашку чая. — Но, видимо, мало...

— Мы же раздаем гуманитарную помощь малоимущим, проводим встречи с ветеранами, помогаем инвалидам...

— Вы всегда это делаете... исключительно перед выборами. А в остальное время, согласитесь, вам плевать на ваших избирателей. И они об этом прекрасно знают. Что же вы делаете еще?

Первую часть высказывания Балаша Ершов оставил без комментариев.

— Еще? Что-то еще... Забыл... Студенты раздают мою программу...

— Сами-то эти студенты за вас голосовать будут?

— Мы же платим им деньги за это. Обеспечиваем их бесплатными билетами в кино и всякие концерты.

— Угу. Охота этим студентам идти на концерт какой-нибудь... не знаю... Кто к нам недавно приезжал?

— Людмила Зыкина, — понуро ответил Ершов.

— О! На концерт Людмилы Зыкиной им, по-вашему, охота ходить?

— Ну, во-первых, я не виноват, что к нам так редко приезжают настоящие рок-звезды, а во-вторых, ну и что же! Людмила Зыкина — очень хорошая певица. Не они, так их родители или бабушки с дедушками сходят. А если нет, то они эти билеты продадут кому-нибудь и будут иметь лишние деньги.

— Деньги лишними не бывают, — заметил Балаш. — Ну ладно. Это я так.

— Объясните же уже наконец, в чем дело. Мой рекламный ролик постоянно крутится по телевизору. Победа практически гарантирована. Вы мне сами об этом говорили.

— Есть один кандидат, который теперь может составить вам серьезную конкуренцию.

— Кто же это?!

— Господин Зайцев.

Ершов нервно хмыкнул.

— Вы шутите? Зайцев за решеткой! Как он может составить мне конкуренцию!

— А теперь тот факт, что он за решеткой, работает на его популярность.

— Что за глупости... Он убил девочку!

Балаш покачал головой:

— События вокруг Зайцева не утихают уже длительное время. В каждых новостях его не оставляют в покое. И это создает ему рекламу.

— Да вы издеваетесь! Какой нормальный человек будет голосовать за убийцу! Да и, слава богу, его кандидатуру сняли с выборов!

Ершов встал и начал ходить по офису туда-сюда, как тигр в клетке.

— И тем не менее. По данным опроса населения большинство людей отдали бы свои голоса за Зайцева.

— Но это же маразм! Они что, все ненормальные?!

— Ну, во-первых, еще не доказано, что он убийца.

— Ничего, докажут!

— Даже если и докажут, как вы говорите... Слушайте дальше. Опять же по опросу... Настроения народа перед выборами изменяются чуть ли не каждый день. Цитирую некоторые новые высказывания, — он достал из сумки скрепленные между собой листы бумаги. — «Генерал Зайцев — достойнейшая из всех кандидатура в губернаторы области», «Если бы не дело об убийстве, голосовал бы за Зайцева». Так вот, большая часть населения вообще не собирается идти на выборы. В это число входят и те, кто, во-первых, не собирался туда идти, и, во-вторых, те, кто собирался голосовать за Зайцева. Военные просто совсем категоричны. Это, в основном, те, кто прошел Афганистан и Чечню. Цитирую: «Либо генерал Зайцев, либо никто». Дальше... Более двадцати процентов населения собираются прийти на выборы только для того, чтобы проголосовать против всех. Итак, что мы имеем. Подавляющее большинство голосов люди готовы отдать за Зайцева и не верят, что обвинения в убийстве маленькой девочки имеют существенные основания. Множество людей не хотят голосовать вовсе либо собираются голосовать против всех. Осталась небольшая группка людей, собирающихся прийти на выборы. Из них, опять же по результатам опроса, множество людей еще не знают, за кого они будут голосовать. Их легко могут переманить на сторону Зайцева. Кстати, были и такие довольно оригинальные ответы: «Воспользуюсь детской считалочкой. На чьей фамилии она закончится, за того и отдам свой голос». А кроме вас, господин Ершов, есть и другие кандидаты. Нет, это не означает, что у вас совершенно нет избирателей. Но настроения, согласитесь, действительно упаднические! — Балаш поставил на стол остывший, так и не выпитый чай.

— Но как же...

— Конечно, некоторое количество голосов мы сможем скорректировать... Но это не добавит вам больше пятнадцати процентов...

Ершов был в шоке. Чего он не ожидал от жителей Андреевска, так это такой фанатичной преданности Зайцеву. Их не останавливает даже совершенное им убийство маленькой девочки! Ершов закурил третью сигарету. Он ходил по комнате, время от времени хватаясь за голову. Ах, как же ему не хотелось терять свое место. Балаш с интересом наблюдал за мечущимся губернатором. В уголках его глаз образовались надменные морщинки. Казалось, Балаша веселит создавшаяся ситуация и сам губернатор, поставленный им в тупик.

Да, Балашу удалось. Он поставил Ершова в тупик, довел почти что до паники. Теперь ему оставалось сделать решающий ход конем, и он терпеливо ждал, когда губернатор спросит его о том, что же делать.

— Но что это значит? Ведь это еще не стопроцентная уверенность, что я не пройду? — спросил Ершов.

— Девяностопроцентная, — «успокоил» его Балаш.

Ершов беспомощно упал в кресло.

— Неужели ничего уже нельзя сделать?

Вот он — наступивший час Балаша. Балаш поднялся со своего места и подошел к Ершову.

— Можно, — бархатистым голосом произнес он.

Ершов отнял руки от лица и посмотрел на Балаша. Тот нежно ему улыбнулся.

— Выход есть всегда. И у меня есть по этому поводу вполне спасающие положение мысли и действия...

— Так говорите же!

— Зачем же сразу говорить. Вам, депутатам, все бы только говорить попусту. А нужно действовать...

Ершов согласно кивал.

— А для того, чтобы действовать, нужны средства... материальные. Деньги, короче говоря. Что же вы все киваете, как китайский болванчик. Я вам говорю — деньги, и очень большие деньги!

Ершов был в таком состоянии, что не слишком воспринимал все происходящее. Так, он пропустил мимо ушей явное издевательство над собой в сравнении его с китайским болванчиком. Продолжая по-прежнему бестолково качать головой, он произнес:

— Деньги? Да. Хорошо.

— Отлично, — произнес Балаш и написал на листочке бумажки нужную ему сумму.

Эта цифра, вероятно, и вывела из шока Ершова,

поскольку, по известной пословице, клин клином вышибают. Или, если обращаться к медицинской сфере, из шока выводят оказанным на пациента повторным шоком. Нечто подобное случилось сейчас и с Ершовым. Ученик средней школы, посмотрев на Ершова, сказал бы примерно следующее: «Хлебало отвисло».

— Это что? — спросил Ершов.

— Я вам сразу сказал, что денег потребуется много.

— Так это сумма?! А я-то сначала подумал, что вы пишете мне номер своего мобильного телефона.

— Приятно видеть, что в данной ситуации вы не потеряли чувство юмора, — усмехнулся Балаш.

Ершов задумался.

— Хорошо. Вы получите эту сумму, — ответил он.

— Я хотел бы иметь гарантии.

— Я тоже, знаете ли.

— Хорошо. Я все понял. Я действительно имею дело с деловым человеком, — Балаш взял свою сумку. — Значит, договорились?

Ершов кивнул. Уже около самой двери Балаш остановился и произнес:

— И вы действительно сделаете все, чтобы выиграть эти выборы! Опасный вы человек.

Дверь за ним закрылась.

— Да, — твердо произнес в пустоту Ершов. — Я готов пойти на все ради губернаторского поста!

Посидев несколько минут в тишине, Ершов снял трубку телефона и набрал какой-то номер.

— Батурина, пожалуйста, — сказал он, когда на том конце провода ответили. — Это губернатор Ершов говорит... Побыстрее, пожалуйста... Алло, Юрий? Да, это Ершов. Необходимо встретиться... Сегодня, как можно скорее... А когда ты можешь? Хорошо, давай в шесть... Да, для меня это очень важно... Ну, как всегда, в нашем ресторанчике... Не шути, пожалуйста, это очень серьезно... Я? Я надеюсь на твою помощь... Да... Счастливо. До вечера.

Он повесил трубку и закурил последнюю в пачке сигарету. К тому времени пепельница на его столе уже была переполнена. Ершов задумался. Он не знал точно, располагает ли Батурин той суммой, которую требовал Балаш. И если располагает, то согласится ли помочь. В конце концов, нужно сделать для этого все возможное и невозможное, решил Ершов. А там, когда он станет губернатором, эти денежки возвратятся к ним в удвоенном или даже утроенном размере!

Наступил вечер. Солнце все прдолжало жарить. И в этом пекле, как карамель, плавились дома и автомобили.

Ершов уже сидел в ресторане восточной кухни «Женьшень», чьими яствами могли наслаждаться лишь постоянные и очень состоятельные клиенты. Поэтому именно этот ресторанчик обычно выбирался деловыми людьми для важных переговоров. Здесь можно было сидеть в просторном зале, любуясь на огромный аквариум с золотыми рыбками в центре, а можно было заказывать отдельные, отгороженные от остальных цветными китайскими ширмочками, комнатки. Именно так всегда и поступал Ершов. Минимум внимания как со стороны посетителей, так и со стороны обслуживающего персонала вполне устраивал его. Кроме того, Ершов был латентным националистом. Он, конечно, любил этот ресторанчик за все его неоспоримые достоинства, но вот его служащие... Нет, разумеется, Ершов не призывал на каждом углу: «Бей жидов, спасай Россию!» и не скандировал на своих выступлениях что-то типа: «Россия для русских!», и так далее, но маленькие желтокожие официанты и официантки вызывали в нем какое-то отталкивающее чувство. Кстати, он не был уверен, что эти монголоиды, работающие здесь, настоящие китайцы. Скорее всего, какие-нибудь монголы, буряты или, уж если на то пошло, корейцы. «А! Кто их разберет! Все равно, один хрен, маленькие и узкоглазые!»

Вот уже около пятнадцати минут Ершов сидел в гордом одиночестве (если не считать преданного телохранителя Трофима) и изучал рисунок на китайской ширме. На ней был изображен, насколько понимал Ершов, вишневый сад. Сакуры роняли свои прекрасные белые цветы на гуляющую по саду японку. «Или китаянку, хрен их разберет!» Батурин постоянно опаздывал. И это всегда бесило Ершова. Но сегодня он готов был ждать Батурина хоть целую вечность, лишь бы тот только пришел и согласился дать ему денег.

— Трофим, ты как думаешь, это японка или китаянка? — спросил Ершов своего телохранителя, указывая на ширму.

Трофим покосился на рисунок.

— А вам как хочется? — ответил Трофим густым басом.

— Молодец, — похвалил его Ершов.

Ширмочка отворилась, и в проходе показался Батурин. Он был в спортивном костюме, выглядел бодро и широко улыбался. Ершов встал и подал ему руку для пожатия. Поздоровались. Батурин уселся напротив Ершова. А рядом с Трофимом встал огромный парень по кличке Большой Билл, телохранитель Батурина.

212

— Только что из спортзала? — поинтересовался Ершов.

— Да. Играли с коллегами в теннис.

— Кто выиграл?

— Обижаешь такими вопросами. Мы, конечно. А ты чего не ешь ничего? — Батурин изучал принесенное меню.

— Что-то желудок пошаливает. Я вот минералочки лучше...

— А-а! А я жрать хочу, как боров!

— Я, кстати, заказал для тебя твои любимые суши.

Батурин покосился на Ершова.

— Серьезно? Гляди, какой предусмотрительный! С чего бы это?

Ершов слегка покраснел.

— Я одними сушами не наемся. Так, Билл, тащи сюда узкоглазого.

Вскоре подошел светящийся улыбкой лысый китаец и стал записывать заказ Батурина.

— Значит, так, — диктовал тот. — Суп «ахьяко», обжаренные королевские креветки, дим, гинг и грасс... Так, что еще... Давайте еще утку по-пекински. Так... И чего-нибудь на десерт... Во, яблочный тартатан с мороженым капуччино. Ну и суши мне уже заказали.

Китаец с улыбкой поклонился и побежал выполнять заказ.

— Эй, и побыстрее там! Жрать хочу! — крикнул ему вслед Батурин.

Ершову стало почему-то нехорошо, когда он представил, как Батурин все это будет поедать.

— Или маловато заказал? — задумчиво произнес Батурин. — Ну ладно. Если что, еще потом чего-нибудь закажу.

Ершов чуть не поперхнулся.

— Как дела-то? — спросил Батурин.

— Дела? Плоховато дела идут. Опрос не в мою пользу. Я, собственно, для этого с тобой и встречаюсь. Понимаешь...

Но Батурин его не слушал. Ему только что внесли первое блюдо, горячий суп. И тот наслаждался его ароматом.

— Слушай, ты зря не заказал этот супчик, — перебил его Батурин. — Это просто сказка! Я такого вкусного еще не ел в своей жизни!

— Ты просто голоден, — ответил ему Ершов.

— Да нет! Ты только попробуй!

— Пробовал я! По мне, так борщ обыкновенный в тысячу раз вкуснее.

— Ну тебя! Ты не понимаешь изысков восточной кухни!

— Уж куда мне!

— О! Я знаю, что я забыл заказать! У них же, видишь, сейчас новая фишка! Они решили сочетать восточную и латиноамериканскую кухню! Эх, надо было бурритос заказать. Ты пробовал?

— По-моему, на шаурму похоже.

— Вот все ты эквиваленты ищешь. Ничем тебя не удивишь!

— Удивишь!

— Да?

— Вообще-то я пришел с тобой о деле поговорить... Внесли следующее блюдо, и Батурин занялся им.

— Я тебя внимательно слушаю, — проговорил он набитым ртом.

— У меня серьезные проблемы... С выборами...

— Голосов не хватает?

— Это мягко сказано... В общем...

— В общем, тебе нужны деньги...

— Да.

— Эх, деньги, деньги! Деньги всем нужны!

— Да, деньги, и большие...

— Ух ты! Даже так?!

— Ага.

— А большие, это какие?

Ершов вынул из сумки бумажку, на которой Балаш написал ему нужную сумму, и отдал Батурину.

— Ого! — тот присвистнул. — Ты собираешься скупить весь город?

— Мне обещали, что за эти деньги сделают все возможное, чтобы я прошел в губернаторы.

— Это кто же тебе обещал? Это твой пиарщик, что ли, проходимец!

Ершов молчал. Батурин играл у него на нервах.

— Господин Ершов, а ты не пробовал избираться честными путями? Помогать, скажем, пенсионерам и малоимущим... Город обустраивать? Всякие там гуманитарные помощи... Жилищные условия улучшать?

— Делаю, делаю. Я все это делаю.

— Ты только перед выборами это и делаешь! А в остальное время тебе на город и на его жителей плевать. Карманы свои набиваешь.

— Ой, только не надо мне читать мораль. Ты, можно подумать, как Робин Гуд, раздаешь деньги бедным людям!

— Я, по крайней мере, в губернаторы не избираюсь.

— Юрий, нельзя ли уже к делу перейти?

— К делу? Можно и к делу. Ты, как я понимаю, хочешь эти деньги с меня потребовать?

— Не потребовать, а попросить...

— Ну что же я могу на это ответить? В принципе, я располагаю такой суммой денег...

Ершов даже приподнялся со своего места. После долгой преамбулы он уже почти перестал надеяться.

— Но тогда возникает другой вопрос...

— Какой?

— Что с этого поимею я?

— Ты? Боже мой! Да все что угодно. Когда я стану губернатором, эта сумма вернется к нам с процентами, в утроенном размере. Ты в проигрыше не останешься. Я сделаю для тебя все, что ты попросишь...

— Какая пламенная речь! Нельзя так поспешно давать необдуманные обещания, — задумчиво произнес Батурин. — Была такая сказка, знаешь ли... Солдат попросил помощи у одного колдуна, чтобы выручить принцессу. Она, кажется, заколдована была. Ну или какая-то нечисть держала ее в плену — это неважно... Колдун спросил, а чем ты мне за это отплатишь... И солдат так же необдуманно, вот совсем как ты сейчас, пообещал сделать все, что только колдун не попросит. Колдун тут же попросил у него ровно половину вознаграждения, которое отдаст ему король, когда тот освободит принцессу. На том и порешили. Ну все, конечно же, благополучно завершилось. Принцессу он освободил. Король наградил солдата. И, ясное дело, отдал ему в жены принцессу, потому что солдат с принцессой полюбили друг друга. Зажил солдат счастливо, а про колдуна забыл. Тогда колдун сам к нему нагрянул. И говорит: ах ты, мол, падаль неблагодарная, чего ж ты, кинуть меня решил, да? Солдат отвечает, мол, нет, что ты, просто счастье глаза туманом заволокло, забыл совсем, прости меня, дурака такого. Ну, колдун и говорит, уговор-то, мол, помнишь? Конечно, отвечает солдат, помню. Бери половину денег. А половину принцессы? — спрашивает колдун. Ее тебе тоже в награду дали. Вот и делись! Отдавай мне половину принцессы! Испугался солдат. Ты что, говорит, свихнулся, старый? Как это я тебе половину своей жены отдам? Лучше меня убей! А колдун отвечает, мол, не волнует меня, что ты там переживаешь, не фига было необдуманных поспешных обещаний давать. А раз дал, выполняй!

— На «Сказку о золотом петушке» похоже, — не выдержал Трофим.

Ершов и Батурин молча покосились на него. Трофим снова принял самый серьезный вид.

— Чем закончилось все? — поинтересовался Ершов.

— Да хорошо все закончилось.

— Что, не стали резать принцессу на две части?

— Нет...

— Ну вот видишь!

— Только потому что это сказка. В жизни обычно все по-другому заканчивается.

— Слушай, я не понимаю. К чему ты мне эти всякие притчи рассказываешь! Жена моя, слава богу, стара уж для тебя. А если ее придется распилить на две половины, я буду только рад. Так что во всем поделюсь с тобой по-братски, не переживай. Все сделаю, что в моих силах!

— Да не надо меня будущим временем кормить! Неизвестно, как все повернется! А такие деньги огромные мне терять совсем не хочется.

— А если я дам гарантию, что все будет превосходно?

— И гарантии мне твои не нужны. Я дам тебе эти деньги, если ты для меня сделаешь что-нибудь реальное, и не в будущем, а в настоящем.

— Хорошо, — вздохнул Ершов. — Что же ты хочешь от меня потребовать?

— Есть одна идея!

— Надеюсь, она выполнима? Не так, как в рассказанной тобой сказке?

— Она выполнима.

— Ну хорошо. Говори.

— Так вот... Известно мне стало, господин Ершов, что в нашей бедной, богом и столицей забытой области открыли месторождения красных алмазов... Или не месторождение... Но в этом духе... Короче, алмазы...

Ершов стал белее савана. Он большими глотками осушил стакан с минеральной водой. Лоб его покрылся испариной.

— У! — как ни в чем не бывало говорил Батурин. — Какой сказочный десерт! Боже мой, что за повар работает в этом ресторане! Я найму его к себе на работу!

— Алмазы? — откашлялся Ершов.

— Алмазы, — покачал головой Батурин. — И только не надо прикидываться, будто ты ничего об этом не знаешь. У меня точная, проверенная информация!

— А откуда об этом знаешь ты?

— Мог уже давно заметить, что мне известно все, что надо. А все остальное, что меня не интересует и не касается, я знать не хочу. Но алмазы заинтересовали! Ты бы знал, господин Ершов, как они меня заинтересовали, — игривым тоном сообщил Батурин.

У Ершова перехватило дыхание.

— Вот за алмазы такие деньги отдать не жалко, а за тебя, извини уж, жалко, — продолжал Батурин.

— Чего ты хочешь? — сдавленным голосом спросил Ершов.

— Я думал, ты догадался. Ты мне должен дать допуск на разработку этих красавцев, этих королей среди остальных драгоценных камней!

— Но это же невозможно!

— Вот об этом я и говорил в сказке. Зачем давать необдуманные обещания! «Я сделаю все, что ты попросишь»! Мне это не нравится, господин бывший губернатор.

Это был тупик. Конечно, Ершов сам имел виды на эти алмазы. С какой стати ему нужен кто-то еще в этой сфере. Руки его задрожали, как дрожат они у тех, у кого отбирают их силу, их власть, их кормушку. Вот оно, наступило самое страшное, подумал Ершов. Алмазы — это все! Это власть, это слава, это богатство! Что же теперь делать! Этот подлый человек собирается все это у него отнять! Но надо было рассуждать трезво. Ершов взял себя в руки. С одной стороны, алмазы — это конечно же все! Но с другой стороны, если он не станет губернатором, если его не изберут на третий срок, то он вообще никогда не увидит алмазов.

— Ты понимаешь, что это государственная концессия? — сделал еще попытку Ершов. — Это будет очень трудно сделать!

— Вот видишь, — расплылся в улыбке Батурин. — Мне нравится ход твоих мыслей. Сначала было «невозможно», теперь уже «трудно».

— Но как же я это сделаю? Ты меня подставляешь под удар! Я не знаю... Это очень сложно...

— Я просто думал, что господин Ершов готов на все, чтобы стать снова губернатором. Подумай, что для тебя главнее... Алмазы или губернаторский пост.

«Тварь, — думал Ершов. — Он загоняет меня в тупик! Но, в конце концов, он прав... Если я не стану губернатором, то вообще никогда не увижу алмазов... А так все-таки есть выход. Во-первых, деньги действительно придут в утроенном количестве. Во-вторых, власть будет в моих руках. Ну и что, что я дам ему доступ к разработке?.. Сам-то я тоже не оставлю это дело. А там посмотрим... Или придется делиться поровну, как в чертовой сказке... Либо еще поборемся! И посмотрим, чья возьмет! А без его денег я совсем пропаду... Не стану губернатором, да еще и алмазы потеряю. А он будет хохотать надо мной, подкидывая в воздух драгоценные камушки, к которым я же его и допустил! Ну ничего! Мы еще посмотрим! Мы еще поборемся!»

Ершов с ненавистью смотрел на поедающего огромную порцию мороженого Батурина.

— Я сделаю все, что в моих силах, — сказал он наконец.

— А что в твоих силах? — спросил его Батурин.

— Я организую тебе доступ к разработке алмазов, а ты продолжишь мое финансирование.

— Отлично! Я знал, что ты примешь самое разумное решение.

— Так ты дашь мне денег?

— Мы же договорились! Ты мне, я тебе, как говорится, — Батурин похлопал Ершова по плечу. — А ты настоящий политик, господин Ершов. Готов просто по трупам идти к своей цели.

— Да нет... Это ты готов по трупам идти, а не я, — угрюмо ответил Ершов.

— Да ладно, ладно. Что ты! Все отлично, сделка состоялась. Ничего сверхъестественного я у тебя не просил. К тому же все на добровольных началах. Не так ли?

— Так...

— Вот и замечательно! Тогда позволь с тобой распрощаться, у меня сегодня еще много дел... Билл, ну что, пойдем вербовать к себе на работу узкоглазого повара?

Билл молча кивнул головой. Батурин встал, похлопал себя по животу, протянул руку Ершову (Ершов на этот раз не стал вставать, а просто подал ему свою вялую руку), и они с Биллом удалились.

— Созвонимся, — кинул ему на прощание Батурин, и ширмочка за ним закрылась.

Ершов обреченно покачал головой.

— Трофим, — обратился он к своему телохранителю. — Ну скажи, ведь мразь последняя, сволочь!

— А как вам хочется? — пробасил Трофим.

Ершов злобно посмотрел на своего телохранителя, кинул на стол салфетку и поспешно вышел. Трофим потрусил за своим хозяином.

15

Гордеев сидел у себя в номере и задумчиво потягивал кофе с коньяком из маленькой фарфоровой чашечки. Ему совершенно не хотелось еще раз ехать к Маковской, но многие обстоятельства были еще не выяснены, и Гордеев корил себя за то, что не узнал у нее все сразу. Хотя терзать бедную женщину многочисленными расспросами в тот момент было выше его сил. Он благодарил бога уже за то, что она отдала ему тот портрет-мишень. И вот, нужно опять ехать к ней, пытать вопросами, бередить раны...

Из новостей и от следователя Гордеев узнал, что в тот проклятый день Соня была на даче у подруги. Там все и произошло.

Гордеев оделся и спустился в холл. Надежда, девушка с рецепшн, завидев его еще издалека, начала призывно улыбаться и строить глазки. «Черт, — подумал Гордеев. — Я и забыл про нее совсем. Кажется, это с ней я знакомился в первый день своего прибытия».

— Доброе утро, — как можно лучезарнее улыбнулся он.

— Доброе утро, — жеманно ответила девушка.

Гордеев протянул ей ключи от номера. Надежда взяла их с какой-то неуверенностью, было видно, что она хочет что-то ему сказать, но не может подобрать нужных слов. Ей на помощь пришла ее напарница.

— Как вы устроились? Никаких жалоб? — с самым доброжелательным выражением лица спросила она.

Гордеев посмотрел на нее и подумал: «Чего это я к этой Надежде привязывался, когда рядом такой бриллиант!» Девушка и впрямь была красива. При первом мимолетном взгляде она проигрывала в яркости своей белокурой напарнице, но, вглядевшись внимательнее в ее лицо, можно было отметить, что она вовсе и не проигрывает, а наоборот, выигрывает во внешности. Темно-каштановые волосы ее были убраны в аккуратный пучок, лицо открытое и интеллигентное, с большими глазами и тонким прямым носом, вежливая, но не заискивающая улыбка.

— Устроился превосходно, — не отрывая от нее глаз, произнес Гордеев. — Никаких неудобств! Да я готов терпеть тысячи неудобств, лишь бы каждый день видеть ваши прекрасные улыбки!

«Пригласить, что ли, ее на ужин? — пронеслось у него в голове. — Развеяться никогда не помешает».

— Скажите, девушки, а что вы делаете сегодня вечером? — обратился Гордеев к брюнетке, не забыв, однако, и про Надежду. Все-таки в первый день его заинтересовала именно она, и нетактично было бы сразу же, причем в ее присутствии, переметнуться к другой юбке.

— Кажется, ничего, — поспешно ответила Надежда.

— Я просто подумал, не поможете ли вы мне сегодня вечером скоротать время?..

— То есть вы приглашаете нас на свидание? — спросила брюнетка.

Гордеев самоуверенно кивнул головой.

— Сразу обеих? Оригинально!

— Это будет дружеское свидание, — произнес Гордеев.

— Ну что ж, — покачала головой брюнетка. — Раз так...

— Вот и отлично. Встречаемся здесь, в холле, в восемь часов вечера.

Гордеев улыбнулся, помахал рукой и направился к выходу. «Интересно, чем это все закончится? — подумал он, выходя на улицу. — И повезло же Сергею. В его гостинице такие девочки работают!»

Как только он очутился у дома Маковских, на него снова напала тоска. Он не знал точно, как он начнет разговор, что спросит, но ему опять стало не по себе. Он почему-то ощущал себя виноватым, виноватым не в том, что произошло с девочкой (здесь он явно был ни при чем), а в том, что у него, в сравнении с Маковской, все так благополучно и замечательно. Ему было жаль бедную женщину. И он ненавидел себя за то, что опять шел к ней со своими дурацкими вопросами, уверениями, что хочет помочь, хочет наказать преступника, что понимает ее. Гордеев не знал, как выстроить разговор, чтобы это не выглядело, будто он хочет примазаться к чужому горю. «Ладно, — решил он, — на месте разберусь. В конце концов, защищая Зайцева, я помогаю найти настоящего убийцу...»

Дверь открыла все та же сухонькая старушка, что и в прошлый раз.

— Здравствуйте, я адвокат Гордеев, — напомнил о себе он.

— А! Да, да, — отозвалась старушка. — Проходите.

Юрий прошел в коридор.

— А где Екатерина Васильевна? И как она? — спросил он.

— Ну а как она может быть, милок? Горе-то такое! Ну вы проходите, — она проводила его в комнату. — А Катерина спит. Она вообще сейчас редко встает с кровати. Лежит все да лежит. Я ей говорю: Кать, встань, походи, погуляй, все лучше, чем лежать. Займись, говорю, делом каким-нибудь, хоть отвлечешься. А она все лежит. Не могу, говорит. Там, на улице, говорит, солнце, дети гуляют, тошно! Вот и лежит целыми днями. Кое-как заснет, и то хорошо, забудется на время. Сон-то, говорят, все болезни лечит.

Гордеев покачал головой.

— А вы Сонина бабушка?

— Да уж почти что и бабушка. Соседка я. Соню-то со мной оставляли, когда Катя с Алексеем уходили куда-нибудь. Я, можно сказать, ближайшая родственница. А вот сейчас перебралась к Катерине. Живу у нее. Одной-то ей совсем тошно было бы. Вот, ухаживаю, гляжу за ней, чтоб, не дай бог, руки на себя не наложила. Баба-то она молодая. Пожить-то еще надо. А эта боль, она со временем притупится, и жизнь дальше потечет. Уж мне-то не знать. Я сама двоих детей схоронила. И мужа.

— Да, вы все правильно делаете, — Гордеев больше

224

не нашел никаких слов. — Вы тогда не будите Екатерину Васильевну. Пусть спит. Я тогда лучше с вами побеседую. Вы же должны знать что-нибудь...

— Да уж, конечно, что-нибудь знаю.

— Соня ведь была в гостях у подруги? Расскажите подробнее.

. — Ну да. Подруга у нее была. Поля Белопольская. Из обеспеченной семьи. Она на год ее старше. А на праздники, на Девятое мая, они попросились к Полине на дачу. Ну, с ее родителями, все чин чином. Кто же знал, что такое произойдет. Катя и с родителями ее разговаривала. Папа у нее такой представительный. И мама — не какая-нибудь там... А вот, видите, не уследили. Тоже, небось, мучаются, места себе не находят, виноватыми себя считают, грех какой на душе! Только теперь уж ничем не поможешь.

— Да, — протянул Гордеев. — А дача у них, значит, как раз там, где все и произошло?

— Ну, по всему видать, так. Я не знаю. Я там ни разу не была.

— Спасибо вам огромное, — Гордеев встал со стула.

Он понимал, что нужно спросить, то есть предложить свою помощь, но он не знал, как это сделать, поэтому не уходил, мешкал.

— А вы передайте Екатерине Васильевне, что я продолжаю поиски преступника, — наконец сказал он, и эта фраза показалась ему настолько глупой, настолько нелепой, что он даже покраснел. — Что я все силы приложу, чтобы найти его.

Старушка покачала головой.

— И вот еще... Я спросить хотел... Может быть, вам помощь какая-нибудь...

— А какая помощь! Нам сейчас все, кому не лень, помогают. И телевидение, и кандидаты все эти — депутаты. Да и просто родственники. Только от этой помощи разве ж легче становится!

Гордеев покачал головой, попрощался и вышел на улицу. Но сегодня он вышел из этого дома не как всегда, опустошенным и жалким, а, наоборот, полным сил и решимости. Он решил не медлить, а сегодня же поехать на дачу к Белопольским.

Солнце перепрыгивало с дерева на дерево, гналось за машиной, в которой ехал Гордеев. Дачные места Андреевска были очень живописными. Светлые березовые леса, цветочные полянки, юркие тропиночки. И среди всего этого великолепия резные, как теремки, домики богатых людей.

Гордеев поблагодарил водителя и направился искать дачу Белопольских. Его не покидало странное чувство волнения — именно здесь, неподалеку, была убита Соня Маковская. Гордееву казалось, что он, как никогда, близок к разгадке.

Он шел вдоль высокого деревянного забора. Вдруг навстречу ему выбежал мальчишка лет десяти с футбольным мячом в руках. «Ну уж дети-то наверняка знают здесь всех своих ровесников», — пронеслось в голове у Гордеева, и он успел схватить мальчика за рукав. Тот испуганно посмотрел на Гордеева и рванулся.

— Да не бойся ты, — сказал ему Юрий. — Я просто спросить хотел. Ты не знаешь, где тут Поля Белопольская живет.

— Там, — мальчик указал пальцем в сторону красивого аккуратного домика, обитого сайдингом белого цвета, и побежал дальше.

Гордеев медленно пошел по направлению к этому

домику. Он был уверен, что родители Полины с ним разговаривать не станут. Во-первых, они уже и так устали от всевозможных вопросов милиции и прессы, а во-вторых, Юрий не был следователем, он был адвокатом Зайцева, возможного убийцы девочки. Так с какой стати они будут отвечать на его вопросы? Что же было делать? Единственным выходом был разговор с самой Полей. Но как поговорить с ней , чтобы никто этого не увидел?

Гордеев подошел к дому Белопольских. Через сплошной забор ничего не было видно. Юрий около получаса бродил вдоль их забора, прислушивался к разным звукам, пока эти занятия ему не надоели. Это было бесполезно. «Не лезть же мне опять через забор, а потом в дом через подвальное окошко, — он невольно вспомнил свое приключение в доме Кравцова. — Да, так дело не пойдет. Что же делать?».

И тут он вспомнил про мальчишку с футбольным мячом. «Только бы он далеко не убежал!» — Гордеев быстрым шагом пошел в ту сторону, куда побежал мальчик.

На его счастье он играл в мяч с другим парнишкой на небольшом пространстве перед воротами. Мяч подкатился к ногам Гордеева, и Юрий вступил в мальчишескую игру — продемонстрировал пару финтов. «Надо завоевать их доверие, чтобы деньги не платить», — подумал он, вспомнив продажного пацана из Лидиного подъезда.

После нескольких пасов Гордеев подхватил мяч и, крикнув: «А так умеете?», стал быстро-быстро чеканить его то мыском ноги, то ребром, потом высоко подкинул и принял его головой. Ребята с открытыми ртами глядели на это зрелище.

— На́учите? — сказал один из них.

— Легко! Тебя как зовут?

— Артур, — отозвался смугленький мальчик.

— А тебя?

— Данила.

— Отлично. Я вас научу. Только у меня к вам большая просьба.

— Какая?

— Вы Полю Белопольскую знаете?

— Знаем. Мы у нее на дне рождения были.

— А вы можете позвать ее погулять?

— Погулять? Зачем нам девчонка нужна! — пренебрежительно высказался Данила.

— Да вы и не будете с ней гулять. Вы ее просто позовете. Понимаете, мне с ней поговорить надо. — При этих словах мальчики подозрительно посмотрели на Гордеева, но тот им все объяснил: — Вы же слышали про случай с ее подружкой?

— Да, — они закивали.

— Так вот. А я из милиции, и мне надо с ней поговорить. Просто не хочу, чтобы ее родители знали, что я с ней разговариваю. А то они переживать будут, — более правдоподобного повода Гордеев выдумать не смог, но на ребят это почему-то подействовало, видимо, они привыкли к тому, что все родители всегда переживают.

— Ладно, мы позовем, — сказал Данила. — Только вы обещаете, что научите нас так... с мячом.

— Обещаю.

— А у вас пистолет есть? — спросил Артур.

— Зачем же пистолет, когда я с детьми разговариваю?

— У настоящего милиционера пистолет всегда должен быть с собой.

228

— А у меня есть пистолет, только он в машине остался.

— В милицейской?

— Угу.

— А она где?

— Машина? Да тут, недалеко... В укрытии.

— А-а! — Мальчики понимающе покачали головами.

— Только она, наверно, не выйдет, — резюмировал Данила.

— Это почему же?

— Она с нами почти никогда не ходит гулять. Ей с нами неинтересно.

— А нам с ней, — добавил Артур.

— А вы скажите, что с вами еще какая-нибудь девочка гуляет. Ну какие там у нее подруги есть?

— Ленка Шмакова, Дашка, которая на той стороне живет.

— Ну вот, вы и скажите, что они с вами гуляют.

— Хорошо. А если ее мама не отпустит?

— А вы скажите, что не надолго, на полчасика. Короче, упросите как-нибудь. Только про меня не говорите.

— Ладно, — ребята вошли в калитку.

Через несколько минут из калитки вместе с мальчиками вышла темноволосая девчушка с толстой длинной косой и огромными глазами. Она на целую голову была выше обоих мальчиков и гордой поступью вышагивала рядом с ними.

— Вон тот дядя милиционер хотел с тобой поговорить, — услышал Гордеев и направился к ним навстречу.

Полина несколько растерялась, а ребята побежали к нему.

— Теперь вы нас научите в мяч? — наперебой закричали они.

— Непременно. После разговора с Полей.

Они все вчетвером отправились к тому пустырю, где играли в мяч. Мальчишки продолжили свою игру, а Гордеев с Полиной уселись на бревнышке, чуть-чуть поодаль.

— Поля, я из милиции, и мне нужно задать тебе пару вопросов, — начал Гордеев.

Но Поля отрицательно покачала головой.

— Я понимаю, что ты уже устала всем об этом рассказывать, но, будь добра, расскажи еще разок мне, что тогда произошло?

— Мы с Сонькой решили построить в леске шалаш, — неохотно начала она. — Мы обиделись на мальчишек, потому что они дразнились и кричали, что мы — девчонки и ничего не умеем. У них был свой шалаш, и они нас туда не пускали. А мы решили построить свой шалаш. И мы пошли в этот лесок, — она указала рукой в сторону леса.

— Так, а когда это было, днем, утром?

— Днем, после обеда.

— Так. И что было дальше, давай по порядку.

— Дальше я домой побежала, а она — в лес.

— Подожди, я что-то не понимаю. Вы же решили шалаш вместе построить, почему же ты пошла домой?

— Я забыла свитер. И еще я хотела взять с собой чипсы. Потому что мы же ведь работали бы. А потом, когда устали бы, захотели кушать и поели бы этих чипсов. Вот я и побежала домой.

— А Соня тебя ждать не стала, да?

— Да. Она сказала: «Вечно ты все забываешь». И пошла к тому месту, где мы договорились построить шалаш. Она сказала: «Я там буду, а ты догоняй».

— Так. И что было дальше?

230

— Я прибежала домой. Мама начала говорить, чтобы мы далеко не ходили.

— Как же вас мама отпустила-то одних в лес.

— Она не знала, что мы в лес пойдем. Мы ей сказали, что будем тут, на пустыре, или рядом с домом. И она сказала, что через полчаса к нам придет, когда что-то там закончит делать.

— Хорошо. А дальше?

— А потом вдруг раздался такой страшный грохот. И мама мне сказала, чтобы мы никуда не ходили. А я сказала, что Сонька уже ушла и ждет меня. Тогда мама пошла вместе со мной. Она думала, на пустырь. Но там никого не было. И она стала на меня кричать, спрашивать, где Сонька. И мне пришлось все рассказать про шалаш. И мы туда побежали, а там уже было много народа, и кто-то сказал, что здесь убили девочку. А мама начала плакать, ей стало плохо. — У Полины потекли слезы.

— Все ясно, — прервал ее Гордеев. — Значит, ты не дошла с ней до шалаша и ничего не видела?

Девочка покачала головой.

— А когда вы с мамой пришли туда, кто там был из взрослых?

— Я их никого не знаю. Из того дома был дядя, — она показала рукой на виднеющийся из-за деревьев добротный дом. — Его еще по телевизору часто показывают.

— Все ясно, — задумчиво протянул Гордеев. — А ты до леса с Соней дошла?

— Да, до леса дошла.

— А ты не видела, в лесу не было каких-нибудь людей? Ну, грибники всякие?

— Нет, там грибников не было. Там только дядя Витя ходил, зверобой собирал.

231

— Где ходил? В лесу?

— Да, он все время по лесу ходит. Он там травы лекарственные ищет.

— А кто такой дядя Витя?

— А это сторож с соседнего участка. Туда хозяева редко приезжают. И он у них дом сторожит. А когда нас нет, он и за нашим домом присматривает. Мама только говорит, что ему платят деньги за то, что он там просто живет, а если туда залезут воры, он ничего сделать не сможет.

— Ясно. А ты мне покажешь этот участок, который дядя Витя сторожит?

— Покажу. Только его там уже нет.

— Участка?

— Да нет, дяди Вити нет.

— А где же он?

— Я не знаю. Он уехал. Нам Марья Дмитриевна сказала.

— Так. Кто такая Марья Дмитриевна?

— Марья Дмитриевна со мной сидит, когда мамы и папы нет дома. Она у нас как домработница.

— А, понятно. А сейчас Марья Дмитриевна где?

— Дома.

— А твои мама с папой дома?

— Сейчас дома. Только они скоро должны уехать в город за какими-то материалами.

— Сегодня должны уехать?

— Да.

— Хорошо. Ну давай я тебя до дома провожу. Только ты, пожалуйста, маме с папой не говори, что я с тобой разговаривал, хотя бы до вечера, ладно?

— Ладно.

Гордеев проводил девочку до ворот, и сам остался

ждать, когда уедут родители Полины. Скучать ему не пришлось, он пытался научить мальчиков чеканить мяч. Надо сказать, педагог из него выходил не очень хороший. Он все никак не мог понять, как это такие элементарные вещи могут не получаться.

Наконец из ворот дома Белопольских выехал темно-вишневый джип. За рулем сидел толстоватый, хмурый мужчина, а рядом с ним тоже полная, миловидная женщина. Сначала Гордеев дернулся, он хотел, чтобы его никто не видел, но потом решил, что ничего страшного нет, и, скорее всего, он напоминает заботливого отца, играющего со своими отпрысками.

Как только машина скрылась из виду, Гордеев дал последние наставления ребятам относительно чеканки мяча и направился к воротам. Сначала он постучался, но никто, видимо, не услышал. Калитка открывалась легко, стоило только протянуть руку в один из зазоров и повернуть деревянную вертушку вверх.

Он так и сделал. Очутившись на участке, он увидел вдалеке, на огороде, полную женщину и окликнул ее. Женщина обернулась и, увидев незнакомца, поспешно направилась к нему.

— Добрый день, — поздоровался Гордеев.

— Здравствуйте, — она отряхивала руки от налипшей на них земли.

— Адвокат Гордеев, — представился он. — Нужно задать вам несколько вопросов по поводу совершенного убийства Сони Маковской.

— Так сколько ж можно уже этих вопросов? — возмутилась женщина. — Да и нет хозяев дома.

— А вы кто же?

— Я? — как будто испугалась она. — Я — домработница.

— Ну вот вам-то я и задам несколько вопросов. Не откажетесь помочь следствию?

— Да отвечу, отвечу я.

— Ну вот и хорошо.

Они присели на скамейку.

— Вы знаете человека, который проживал на соседнем участке? — спросил Гордеев.

— Соседний с какой стороны?

— Там жил сторож, — уточнил Гордеев.

— Виктор Филиппович, что ли?

— Да. Значит, Виктор Филиппович. А фамилия как?

— Коваленко.

— И давно он тут сторожем?

— Простите, а можно узнать, при чем здесь Виктор Филиппович?

— Видите ли, мы пытаемся найти всех возможных свидетелей.

— Ох, господи, а я-то думала... Мне прямо нехорошо стало...

— Так давно он тут сторожем?

— Да года четыре. Они, соседи-то, редко когда приезжают. А домик охранять надо. Они и наняли его. Платили ему мало. А ему чего надо-то? Крышу над головой да поесть. Его тут просили, он за многими домиками приглядывал. Где охраны нет...

— А где же теперь Виктор Филиппович?

— А он уволился. Не знаю, правда, зачем. Вроде все его устраивало, всем был доволен. А только собрал свои вещи и уехал.

Этот факт насторожил Гордеева.

— Скажите, а вы с ним в дружеских были отношениях?

— Ну, в общем-то, да. Можно так сказать. В приятельских.

— И вы часто с ним общались?

— Куда как часто! Я ему и еду приносила. И зимой иногда приезжала.

— И он что, когда уехал, ничего никому не сказал? Ни с кем не попрощался?

— Почему не попрощался? Попрощался. Со мной и попрощался.

— И как он объяснил причину своего отъезда?

— А никак не объяснил. Я ему говорила, чтоб он эту работу не бросал. Где ж он еще такую найдет. Да и обидно. Подружились мы вроде. Друг другу всегда помогали. Мне только, знаете, показалось, что он болеет чем-то. Как-то руки у него так дрожали, будто в лихорадке. Вот. И жар у него, кажется, был.

— И куда же он уехал?

— Куда-то уехал, — она потупила взгляд.

— Ему было куда ехать?

— Не знаю.

Гордеев чувствовал, что он находится на краю огромной пропасти. Был, был последний свидетель! И тот куда-то испарился! Что же это такое?! Гордеев посмотрел на домработницу; она опустила глаза и нервно теребила подол своего фартука. Что-то подозрительное было в ее поведении. Юрию показалось, что она что-то скрывает.

— Скажите, а вы были в тот день, когда застрелили девочку здесь?

— Да, была.

— Простите за некорректный вопрос... И все же мне хочется его задать. Вас не мучает некоторое чувство вины за то, что вы не уследили за детьми?

Она молчала, только губы ее подрагивали. Она кое-как сдерживала себя, чтобы не заплакать.

— Простите, — сказал Гордеев. — Я не имел права задать вам этот вопрос. Просто я думал, что любой, особенно близкий человек, захочет, чтобы поймали настоящего убийцу. А видите, как получается... Свидетели пропадают...

— Понимаете, он велел ни в коем случае никому не говорить, где он... — она плакала. У Гордеева и правда был талант убеждения!

— Так вы знаете, где он? — оживился Юрий.

— Он оставил свой адрес. Только мне. Больше никому. Он заклинал меня, чтобы я никому не говорила, где он.

— К чему такие предосторожности?

— Я не знаю. Видимо, он не хотел, чтобы его кто-нибудь нашел.

— Да, скорее всего. Но мне вы можете доверять. Понимаете, он может дать нам ценную информацию... Так легче будет найти истинного убийцу! Вы же хотите, чтобы убийца сел за решетку?

Женщина со вздохом встала и поплелась в дом. Через пять минут она возвратилась и отдала Гордееву бумажку, на которой корявым почерком был написан адрес.

— Огромное спасибо. Я только хочу вас попросить, чтобы вы действительно больше никому не говорили, где он. Раз он сам просил об этом, значит, у него были на то причины.

— Да, хорошо.

— Еще раз спасибо огромное!

Предчувствие опять не обмануло Гордеева. Он вышел с заветной бумажкой в руках. Решив, что раз уж удача сегодня ему так улыбается, то не стоит терять ни минуты, он поймал машину и поехал по адресу, указанному на маленьком бумажном клочке.

Это была совершенно забытая богом окраина Андреевска. Низкие трехэтажные домики стояли впритык друг к другу, и вокруг них уже тянулись поля, а за ними лес. Казалось, кто-то совершенно невменяемый решил поместить блочные трехэтажки там, где должна была бы располагаться самая обыкновенная деревенька. Кстати, она там и была. Ближе к лесу тянулся ряд сереньких старых деревянных домишек. По полю лениво прогуливались три тощие коровы.

Улочка, если ее можно было так назвать, вся была завалена мусором. Как будто жильцам лень было доносить его до мусорных баков. Впрочем, нигде и мусорных баков-то не было.

Водитель запросил у Гордеева непомерную плату за то, что вез его в это захолустье. Юрий расплатился с ним и стал искать дом под номером девять. Тут он обнаружил, что номера на домах тоже не висят. Задачу облегчало то, что домов всего было девять, и нужный Гордееву был либо крайний правый, либо крайний левый.

«Вот так запрятался! — подумал Гордеев про сторожа. — А я раньше думал, что в областных городах ни скрыться — ни укрыться нельзя».

Он наугад пошел в тот дом, что был к нему ближе всего. Поднялся на второй этаж и остановился перед указанной дверью.

«Если сторож так запрятался, значит, боится. Значит, так просто мне не откроет. Кем же мне представляться на сей раз? Почтальоном? Соседом? Боже мой, как уже надоело! У меня скоро паранойя начнется! Раздвоение личности! И я уже не буду знать, кто я на самом деле: почтальон, или милиционер, или еще кто-нибудь», — думал Гордеев. А палец его между тем уже нажимал на кнопку звонка.

Вопреки всем здравым рассуждениям Гордеева, дверь открыли быстро, и притом не спрашивая, кто это. Высунулась голова с всклокоченными волосами, и человек вежливо спросил:

— Вы ко мне?

— А вы Коваленко Виктор Филиппович? — спросил в свою очередь Гордеев.

— Да, — робко ответил тот.

— Ну, значит, к вам. Меня зовут Гордеев Юрий Петрович. Я — адвокат. И я к вам по делу об убийстве Сони Маковской, — Гордеев протянул ему руку.

Человек вздрогнул, тоже протянул руку.

— Да я, собственно... И ничего не знаю...

— Позволите пройти? Я вам всего несколько вопросов задам.

— Хорошо, проходите.

Гордеев вошел в прихожую, сторож отрешенно закрыл за ним входную дверь. Казалось, он лихорадочно о чем-то размышляет.

— Не снимайте, не снимайте, у меня все равно неубрано, — засуетился он, видя, что Гордеев снимает ботинки. Или, может быть, он надеялся, что этот гость не задержится долго в его квартире.

— А вы всегда так неосторожно дверь открываете? — поинтересовался Юрий.

— В каком смысле «неосторожно»?

— Ну, не смотрите в глазок, не спрашиваете, кто там.

— А кого мне бояться?

238

— Я подумал, что у вас есть основания бояться, раз вы так неожиданно уволились с работы, уехали сюда...

Тот промолчал.

— Да даже если и бояться некого... Сколько на свете проходимцев.

— Это вы правы, правы...

— Значит, утверждаете, что ничего не знаете об убийстве?

— Не знаю, — он отрицательно покачал головой.

В этот момент раздался звонок в дверь. Сторож подозрительно покосился на Гордеева.

— Вы кого-нибудь ждете? — спросил Юрий.

— Нет...

— Ну тогда все-таки советую вам спросить, кто там.

— Кто там? — наклонившись к двери, спросил сторож.

— Телеграмма, — услышал Гордеев густой грубый голос из-за двери.

— Телеграмма, — повторил Коваленко, обращаясь к Гордееву. — Странно. От кого?

Он открыл дверь. На пороге стояли двое мужчин, оба в темных очках. Увидев за спиной сторожа с интересом разглядывающего их Гордеева, они поспешно спрятали за спину руки, в которых на секунду сверкнуло что-то холодным металлическим блеском.

— Вот так телеграмма, — присвистнул Гордеев.

— Мы, кажется, ошиблись... квартирой, — выдавил один из них.

— Да, наверно, — подтвердил Гордеев, отстраняя сторожа и закрывая перед ними дверь.

— Это по вашу душу две телеграммочки, — заметил он.

— Что значит «по мою душу»? — у Коваленко затряслись коленки.

— Да вы не пугайтесь, но, судя по всему, мне придется вас отсюда препроводить как особо ценного свидетеля в место, более безопасное.

— Так вы думаете?.. — Теперь у него тряслась челюсть.

— А что они за спиной прятали, вы разве не приметили?

— Нет... Ох ты господи боже мой!

— Не надо паниковать прежде времени. Давайте вы сначала расскажете мне все, что знаете.

— Хорошо, — смирился сторож.

Он был не молодой и не старый, лет этак сорока пяти, но тут вдруг весь поник, затрясся, как старый дед.

— Пройдем в комнату? — видя состояние Коваленко, Юрий взял командование в свои руки.

— Да, конечно... А может быть?.. — он показал глазами на дверь. — А если они вернутся?

— Только пара вопросов, и мы уходим отсюда.

Коваленко опять затряс головой. «Легко сказать — уходим! — подумал Гордеев. — Видимо, их спугнул я, лишний свидетель. А что делают с лишними свидетелями? Как выбираться из этой трущобы? Меня довезли-то сюда со скрипом, деньги непомерные взяли. А уехать-то отсюда... Ни одной тачки нет наверняка!»

— Так вы были свидетелем убийства? — спросил он. — Давайте сразу, коротко и по делу.

Коваленко судорожно кивнул.

— Что это значит? Были?

— Был.

— Кто убийца, видели?

— Видел.

— Кто? — строго спросил Гордеев.

Коваленко испуганно таращил на него глаза.

240

— Ну кто, кто? — не вытерпел Гордеев.

— Гу-губ-бернатор, — заикаясь, ответил Коваленко.

— Ершов?

— Д-да.

— Вы что, заикаетесь?

— Это я от волнения...

— А! Ну так возьмите же себя в руки. Все отлично. Вот теперь убийца будет сидеть!

Гордеев ликовал. Все его догадки подтвердились. И на данный момент он был уверен, что Ершов действительно будет сидеть. Ведь справедливость должна восторжествовать! И это он, Гордеев, добился справедливости.

— Еще один вопрос, — вспомнил Гордеев. — Это с вами встречался отец девочки, Алексей Маковский?

— Да, со мной.

— Теперь все ясно. Ну что, сматываем удочки?

Коваленко с готовностью встал со своего стула.

На улице не было ни одной машины, как и подозревал Гордеев. А между тем уже начало смеркаться.

— Где тут у вас можно какой-нибудь транспорт найти? — спросил Гордеев, подозрительно оглядывая стоящую вдалеке черную машину.

— По будням ходит автобус. Только до остановки не так уж близко.

— По будням, говорите? А сегодня что?

— Пятница.

— Будний день!

— Нет. Вечер пятницы уже выходным считается, — с расстановкой объяснил Коваленко.

— Маразм! — Юрий всплеснул руками. — Замечательно! По будням ходит автобус! А в выходные что прикажете делать! В выходные что, все по домам должны сидеть?! — Он удрученно посмотрел на Коваленко. — Может, такси вызвать?

— Я не знаю как, — пожал плечами сторож.

— В справочную позвонить.

— Я не знаю как...

— По-моему, вы повторяетесь, — произнес Гордеев. Его почему-то раздражал вид и поведение главного свидетеля. Тот стоял с опущенными плечами, держа в руках какие-то кульки, не зная, что делать... Совершенно жалкий вид.

— Какого черта вам эти кульки? — не вытерпел Гордеев.

— Как? — поразился Коваленко. — Тут все самое необходимое! Документики, спички, еда, одежда кой-какая... Вдруг уж не придется возвращаться.

— Господи! Такое впечатление, будто я вас на Колыму везу!

— А куда? — резонно поинтересовался Коваленко.

— В Москву.

— Ну все равно... Мало ли что по дороге... И не оставлять же все врагу, — он судорожно хохотнул.

— Плюшкин! — презрительно кинул ему Гордеев. Они обогнули очередной дом.

— Скажите, а как вы думаете... — Коваленко замялся.

— Что?

— А эти люди... Они приходили, чтобы... чтобы... ну, вы понимаете. — Ему было страшно произнести даже слово «убить».

— Ну? — Гордеев как раз заметил приткнувшуюся к тротуару «Таврию» и направлялся прямиком к ней.

— Как вы думаете, почему они не сделали... ну, сразу... ну, вы понимаете...

242

И тут Юрий увидел тех двоих. Они выходили из-за угла самого последнего дома и пока не замечали Гордеева с Коваленко.

— Ну как вы считаете, почему они не сделали все сразу?.. — гундосил свидетель.

— Еще успеют! — Гордеев схватил его под локоть и быстрее потащил к машине.

— Что, что случилось? — с замиранием, как перепуганная девица, запричитал Коваленко.

Гордеев ничего не отвечал. Он посмотрел, нет ли сигнализации. Красный огонек не горел. В другое время Гордеев нашел бы более цивилизованный выход из ситуации, но времени совершенно не было, он натянул рукав свитера на запястье и локтем ударил им по стеклу. Стекло со звоном посыпалось на асфальт.

Ошарашенный Коваленко запричитал:

— Что вы делаете?

А двое парней уже бежали по направлению к ним.

— Давай, садись, — запихивал Гордеев в машину причитающего Коваленко. — Да быстрее же. Да не за руль. Дальше двигайся, дальше! И убери ты свои кульки!

Он прыгнул на сиденье и с остервенением выпотрошил наружу все проводки, находящиеся под рулем.

— Давай, заводись!

Коваленко испуганно наблюдал за всем происходящим, прижимая к себе как самую большую драгоценность в этом мире свои свертки. Наконец раздался сладкий звук работающего мотора, и Гордеев вдарил по газам. Они вырвались практически из уже протягивающихся к ним рук двоих головорезов.

Выехав на шоссе, Гордеев первый раз взглянул на Коваленко. Тот, казалось, находился в какой-то прострации.

— Эй! Виктор Филиппович! Все уже позади! Можете отцепляться от своих кульков, на них никто уже не покушается.

Коваленко взглянул отсутствующим взглядом на Гордеева.

— Вам нехорошо?

— Мне... мне хорошо, — выдохнул Коваленко.

Гордеев решил оставить его на время в покое.

— Вы угнали машину? — будто очнувшись, через некоторое время спросил сторож.

— Я вам жизнь спас, а вы о какой-то мелочи.

— Да-да, — согласился Коваленко.

— Виктор Филиппович, мы правильно едем? Нам надо на поезд. До Москвы мы на этой развалюхе не докатимся. К тому же бензин на исходе.

— Да, кажется, правильно.

Гордеев взглянул в зеркало заднего вида. Их неумолимо догоняла черная машина.

— Вот черт! Приехали! — Гордеев прибавил скорость.

— Что, что опять? — Коваленко беспомощно схватился за сердце.

— Лучше вам и не знать!

— Сейчас, уже скоро поворот будет! Это на платформу! Там можно сесть на поезд! Там поезда! — истерично закричал свидетель.

— Отлично! — ободряюще ответил Гордеев. — Удивительно, какие только возможности открываются у человека в экстремальной ситуации! Вот вы, например, ничего не знаете, всего боитесь...

— Перестаньте! — перебил его Коваленко. — Перестаньте! Следите за дорогой! Не провороньте поворот!

244

— Спокойно, спокойно. Вот уже он.

— Вам легко говорить. Вас не хотят... это самое...

— Хотят, хотят, — обнадежил его Гордеев. — Я тоже ненужный свидетель. Так что мы с вами до самого конца! В прямом смысле этого слова. Вас это ободряет?

В этот момент машина смачно ударила «Таврию» по заднему бамперу. Их сильно тряхнуло. Гордеев до предела утопил педаль газа в пол. Сзади ударили опять.

— Быстрее, быстрее! — трясся Коваленко.

— Быстрее некуда! — Гордеев взглянул на сторожа. Тот дрожал как осиновый лист, прижимая к груди свои кульки. На лбу его выступили крупные капли пота. У Гордеева была странная особенность: в таких ситуациях, когда, казалось бы, шутить неуместно, у него вдруг просыпалось чувство юмора. И сейчас ему стало смешно глядеть на этого бедного, готового умереть от страха человека.

— Молитесь, — загробным голосом произнес он. — Давайте сразу попрощаемся... Знаете, когда я увидел вас в первый раз, — говорил Гордеев, — я сразу понял, какой вы замечательный человек. Необыкновенной, широкой души...

Коваленко плакал. Впереди были железнодорожные пути. Слышно было, что по ним мчится поезд, шлагбаум уже опускался. Гордеев с остервенением придавил педаль газа и, сбив шлагбаум, на полной скорости выехал на рельсы. На секунду их осветили огни поезда и оглушил громкий гудок. Коваленко закрыл лицо руками, а когда открыл, они уже приближались к платформе. Черная машина осталась позади, за поездом.

Гордеев затормозил.

— А теперь быстро, быстро! Не время сейчас пугаться! Мы живы, мой дорогой Виктор Филиппович! — Он вытолкал из машины совершенно уже невменяемого Коваленко и поволок его к платформе.

Им везло в этот вечер. Как раз подходил какой-то пассажирский поезд. Точнее не подходил, а проходил мимо, замедлив свой ход.

Гордеев смекнул сразу, что другого выхода нет, как только прыгать на его подножку. Следующий поезд неизвестно когда подойдет и неизвестно, остановится ли. А преследователи близко. Юрий схватил под локоть Коваленко и потянул его за собой.

— Да бегите же быстрее! Надо запрыгнуть на подножку!

— Вы издеваетесь?! — сопротивлялся Коваленко.

Этим он еще сильнее злил Гордеева.

— Знаете что, — на бегу кричал Юрий. — Я, например, не намерен здесь оставаться. А вы — как хотите!

— Что вы, что вы! Только меня не бросайте! — сам вцепился в Гордеева Коваленко.

Они почти уже достигли цели.

— Прыгайте!

— Я боюсь!

— Прыгайте, черт вас возьми!

Коваленко бежал, размахивая в разные стороны своими пожитками.

— Да выкиньте вы ваши кульки наконец! Они же только мешаются!

Но в этот момент сторож как-то изловчился и вспрыгнул на подножку.

— Падаю! — истерично завизжал он и действительно стал соскальзывать вниз.

Гордеев бежал за ним и запихивал его обратно на подножку. Наконец ему это удалось. И он сам вскочил на нее следом за Коваленко.

Сторож, жалкий, как побитый щенок, сидел в углу тамбура и затравленно озирался по сторонам, прижимая к груди так и не брошенный им в трудную минуту кулек. Гордеев поговорил с проводницей, выяснил, что поезд идет не в Москву. Пришлось выяснять, где можно сойти, чтобы пересесть на поезд, следующий до Москвы. Проводница была миловидная светловолосая девушка. Гордеев вспомнил о намечавшемся на сегодня двойном свидании и грустно вздохнул. Ему совсем не хотелось возвращаться к этой июне Коваленко. Он с удовольствием бы выпил с проводницей еще стаканчик чаю, но у него были некоторые опасения, что у оставшегося в одиночестве Коваленко может случиться от страха приступ эпилепсии. Он вернулся к своему свидетелю, который почему-то как загипнотизированный смотрел в сторону.

— Что с вами? — устало спросил Гордеев. — Увидели тень отца Гамлета?

— По-моему, это они, — выдавил из себя Коваленко.

Гордеев вздрогнул, он сразу понял, о ком речь. За стеклянными дверьми, ведущими в тамбур, шевелились две тени. Гордеев на цыпочках подошел к дверям и прислушался.

— А она такая вся из себя фифа, — услышал он чей-то высокий голос. — Я ей говорю, мол, не выпендривайся!

Гордеев приоткрыл дверь. Там стояли и курили два представительных мужчины.

— Извините, — сказал он им, когда они с удивлением взглянули на Юрия, и возвратился к Коваленко.

— У вас, кажется, мания преследования началась, уважаемый, — обратился к нему Гордеев. — А из меня скоро заику сделаете! Расслабьтесь уже! Все позади! И хватит с такой нежностью, словно Мадонна своего младенца, жать к себе эти кульки.

— Я не вынесу, — пропищал Коваленко.

— Это я не вынесу! Вашего общества. Хватит ныть! Я, между прочим, из-за вас сегодня такое свидание пропустил! Ну да ладно. Не будем о плохом.

Москва встретила их обычной суголокой, от которой Гордеев уже успел отвыкнуть в тихом сонном Андреевске. Впрочем, он знал, что тишина эта была обманчивой...

Турецкий с интересом смотрел на измотанного, но вдохновленного удачей Гордеева. Коваленко спал в специально отведенной для него комнате, тревожно прижимая к груди свои кульки «с необходимыми вещами».

— А я тебе что говорил! Я говорил, чтобы ты был как можно осторожнее! — напоминал Турецкий Гордееву.

— Говорил. Я единственного понять не могу, как они обнаружили его жилье! Ведь это не жилье, а черт знает что такое! У черта на куличках!

— Ну а как ты обнаружил? Так же и они...

— Все дело-то в том, что Коваленко только той женщине и оставлял свой адрес, больше никому. И она уверяла, что никому о нем не рассказывала.

— Не такое уж это хитрое дело — найти живого человека, зная точно, что он в определенном городе. Самое главное, что ты нашел его первым и привез сюда.

— Да, но каких трудов мне это стоило! Я думал, что уж из этого переплета я не выберусь. Причем основную проблему составляли не эти головорезы, а сам свидетель. Ты бы знал, как я с ним намаялся!

— Но, слава богу, все закончилось благополучно! Я вот что решил. Надо постараться это дело изъять оттуда...

— А кому передать? — подмигнул Гордеев.

— Кому, кому. Турецкому, естественно... Кто у нас козел отпущения?

— Вот это правильно! Вот это отлично! — покивал Гордеев.

— Ну конечно, не ты же с ног сбиваешься, одновременно ведя десять дел... Впрочем, — Турецкий внимательно отлядел Гордеева, — Юра, ты бы пошел отдохнул. А то мне на тебя смотреть жалко.

— Ладно. Мне действительно не мешало бы поспать часок.

— Ну иди, иди.

Турецкий приехал в Генпрокуратуру довольно быстро. Зашел к Меркулову.

— Ну что? — весело спросил Меркулов. — Наверняка какое-нибудь дело спихнуть хочешь?

— Не спихнуть, а наоборот, забрать...

— Ну да, ну да...

— Это то дело Зайцева, якобы убившего маленькую девочку.

— С чего бы это вдруг?

— Ну ты же знаешь, я весь в работе. Но тут практически решенное дело. К тому же у тебя ведь есть жалоба «группы избирателей».

— Так раз оно практически решенное, зачем нужно его забирать из Андреевска? Да и потом, кем оно решено?

— Так в том-то и дело... Распутал его Юра Гордеев.

— Ах! Опять этот наш Юра!

— Да. Гордеев даже свидетеля привез.

— Ну ладно. Раз так... Только под твою ответственность.

— Давай быстренько рассказывай, — обратился Турецкий к Гордееву, когда тот через пару часов приехал в Генпрокуратуру и теперь сидел в кожаном кресле и потирал сонные глаза.

— Значит так, я нашел свидетеля преступления. Он видел, кто убил девочку. И утверждает, что это губернатор Андреевска Ершов, а вовсе никакой не Зайцев, находящийся сейчас за решеткой. Это, кстати говоря, подтверждает и то, что на свидетеля было покушение. И вообще, Александр Борисович, это было нечто! Мы еле ноги унесли!

— Ты там тоже, что ли, был?

— Ну конечно! Благодаря мне и живы!

— Н-да, от скромности ты не умрешь!

— Но ведь так и есть! Если бы ты там оказался... Ох, и намучался я с этим свидетелем!

— Ну хорошо, хорошо. Пойдем допрашивать.

Коваленко, сонный и всклокоченный, жадными глотками пил горячий кофе.

— Что, Виктор Филиппович, успокоились? Все уже позади, — начал Гордеев.

— Да-да. Успокоился.

— Тогда расскажите нам, пожалуйста...

— Я очень хотел бы вас попросить, — обратился Коваленко к Турецкому. — Ваш коллега вам, наверно, уже рассказал, что на меня было совершено покушение...

Турецкий кивнул головой.

— Так вот, я хочу попросить вас, чтобы вы приняли все возможные меры моей безопасности. Ведь нет же гарантии, что покушение не повторится вновь.

— Хорошо. Мы обещаем принять все меры...

— Нет-нет. Я хочу знать наверняка! Я же знаю, что в нашей стране нет службы по защите и охране важных свидетелей. Я хочу знать, какие меры вы предпримете.

Гордеев устало посмотрел на Турецкого, мол, я же тебе говорил... Турецкий ответил ему понимающим взглядом.

— Хорошо, — ответил он. — Вы будете находиться у нас. Мы поселим вас на время на квартире. Там вас никто не тронет. Это вас устроит?

— Вполне.

— Тогда прошу вас. Начинайте свой рассказ. Только все по порядку, не торопясь. Сколько лет вы работаете сторожем...

16

— Вообще-то, я родился и вырос непосредственно в Москве, — начал свой рассказ Коваленко. — Я коротко сейчас расскажу о том, как я оказался в Андреевске, и надеюсь, что эта информация не будет распространяться без моего на то согласия.

Я работал главным бухгалтером в одной московской фирме. У меня были довольно хорошие отношения с директором. Надо сказать, я знал, что наша фирма занимается обналичкой. А тут налоговая проверка. И подписи-то на всех бумагах и документах мои! И засадят-то меня, если что! Что делать?! Я — к директору. Сидеть-то не хочется вообще, а за другого человека тем более! Ну и директор знает, что мне своя шкура дорога и что я молчать не буду. Он мне и говорит: «Филиппыч, мол, нужно тебе на некоторое время на дно залечь!» Я говорю, какое дно? Вы в своем уме! Будто я бандит какой-то! Мне полтинник скоро стукнет, а я — на дно залегать! Да и на какие шиши я «залегать» буду! А он мне: «Оформи административный отпуск и езжай ко мне на дачу, в Андреевск (у него вообще-то две дачи, одна в Подмосковье, а вторая — под Андреевском, о которой никто и не знал). Все равно я там не бываю. Семьи у тебя, говорит, нет. А я, говорит, буду тебе деньги кое-какие высылать. А как все наладится, я тебя обратно вызову». Ну и вот так получилось, что я там под видом сторожа уже около четырех лет проживаю...

— Извините, а что, за четыре года ничего не наладилось? — спросил Гордеев.

— Видимо, нет, раз он меня до сих пор не вызывал. И потом, я так перетрухнул, что мне и самому уже там работать не хочется. Деньги мне высылают, природа — сказка, никто меня не трясет, ни директор, ни налоговая. Я живу себе тихо-спокойно... Жил...

— Ну, давайте уже к делу. Все подробно: что видели, где, как...

— Да... Так вот, значит... Я там четыре года живу. А неподалеку находятся дачи высокопоставленных лиц Андреевска. Так вот, у них что ни праздник, то гульба. А потом стрельба...

— Не понял, что значит стрельба? — спросил Гордеев.

— Ну что непонятного, напьются да пальбу начинают.

— В смысле охота, что ли? Или они бессмысленно, в воздух стреляют?

— Ну какая охота! Там охотиться-то не на кого! Так просто, стреляют. В воздух или по сторонам, не знаю. В тот день стреляли явно не в воздух... Короче говоря, покоя никакого не было. А то и ночью стрелять начнут, вообще не заснешь!

— Хорошие развлечения, — с сарказмом заметил Турецкий. — Им бы надо у московских чиновников уроки брать, как развлекаться нужно. А то — постреляли да спать завалились, ну что это такое!

Гордеев усмехнулся этой реплике, а вот Коваленко было не до смеха. Чем ближе он подходил к конкретным событиям, тем сильнее он нервничал.

— Ну давайте уже о событиях того злополучного дня.

— Тот день... Это как раз праздник был, Девятое мая. Я помню, мне надо было зверобоя набрать... Мне для желудка отвар зверобоя полезен... Я и пошел в лесок...

— Это сколько времени было?

— Я точно не помню, кажется, около пяти часов вечера. Вот... Я и пошел в лесок...

— Девочку видели?

— Да... Две девочки, моя соседка по участку и ее подруга, тоже пошли в лес. Одна из них возвратилась, не знаю зачем, по-моему, они немножко поссорились. А вторая пошла в лес. Я шел за ней, практически не отставая, потому что я собирал зверобой, как я уже сказал, а она какие-то ветки собирала...

— Они шалаш строить собирались, — пояснил Гордеев.

— А эти... ну, высокопоставленные чиновники... у них пикник был... Они, видимо, напились порядком уже... Девочка там ходила...

— Рядом с ними?

— Нет, не рядом, вдалеке... А я как раз нашел целую полянку...

— А вы находились близко к этим чиновникам?

— Я, во-первых, сидел на корточках, поэтому меня, как мне кажется, им видно не было... А я все видел прекрасно, хоть и находился от них достаточно далеко...

— Так, продолжайте, что было дальше?

— Дальше они там что-то кричали пьяными голосами. А потом, как всегда, принялись стрелять, — голос его задрожал. — И убили девочку.

— Вы видели, кто именно из них убил ее?

— Да.

— Кто это был?

Коваленко молчал, только видно было, как мелко дрожат его руки.

— Чего вы теперь-то боитесь? — завелся Гордеев.

— Юр, подожди, — перебил его Турецкий. — Виктор Филиппович, вы даете свидетельские показания, они записываются на пленку. Вы сказали, что видели, кто конкретно застрелил Софью Маковскую. Так кто же это был? Вашу безопасность мы вам гарантируем.

— Губернатор, — тихо произнес Коваленко.

— Это был губернатор Ершов?

— Да. Ершов.

— Вы в этом уверены?

— Я же сказал, я видел...

— Но вы сказали, что начали стрелять, как я понял, несколько человек. Как же вы поняли, что убил девочку именно Ершов?

— Когда девочка упала, никто не стрелял. К тому времени стрелял только один Ершов. Он в нее и попал.

— Он стрелял точно в нее, или он ее не видел?

— Я не могу ответить вам точно. Скорее всего, он ее не видел. Он просто стрелял по деревьям. А там оказалась девочка.

— Все понятно. Ваши дальнейшие действия?

— Я очень испугался. И побежал из леса в дом.

— Почему вы уехали, никому ничего не сказав, никого не предупредив?

— Понимаете, я очень испугался...

— Угу, — тихо подтвердил Гордеев.

— А потом, мне показалось, что, когда я убегал, они могли меня слышать или видеть. Самым первым решением, пришедшим мне в голову, было скрыться. И я уехал...

— Тем более у вас уже есть опыт «залегания на дно», — усмехнулся Гордеев.

— Ничего смешного! — обиделся Коваленко. — Ведь это же сам губернатор! — тихо, расширив глаза, произнес свидетель.

— Почему вы не пошли в правоохранительные органы? Вы так сильно боялись? — спросил Турецкий.

Тут уже вступился Гордеев.

— Да какие правоохранительные органы! — сказал Юрий, сам с ними столкнувшийся в Андреевске. — Один Спирин чего только стоит!

— Это же сам губернатор! — продолжал испуганно шептать Коваленко.

— Так. Хорошо. Вы скрылись. Но вы мне признались, что это вы были тем человеком, с которым встречался Маковский, отец девочки. Расскажите об этом, — попросил Гордеев.

— Да. Я встречался с ним. Сначала я спокойно жил там, куда уехал (я снял там квартиру). Девочку, конечно, было очень жалко и родителей ее тоже... Но сделанного не воротишь, а я тоже еще пожить хочу...

— А как же справедливость, Виктор Филиппович? — спросил Гордеев, но Турецкий толкнул его локтем, и тот с презрением отвернулся от свидетеля.

— Ну, справедливость — понятие растяжимое. И потом, я же хотел справедливости! Я, когда услышал по телевизору эту версию о самоубийстве, мне прямо плохо стало! Я так разозлился! Меня это так взбесило! Потом выдвинули версию, что ее убил Зайцев. Но я-то знал, кто настоящий убийца! Показывали по телевизору похороны... Состояние родителей. Жуткое зрелище! У меня тогда чувство страха заменилось чувством негодования. И я решил во что бы то ни стало все рассказать Маковскому, тем более что он был лейтенантом милиции. Но потом здравый смысл ко мне вернулся, и я понял, что это бессмысленно — рисковать собой!

— Но вы все же сообщили Маковскому какую-то информацию.

— Да. Я решил, что он должен знать правду, потому что он отец. Я просто представил себя на его месте... Ужасно! Я знал, что я очень сильно рискую. Поэтому, когда я с ним связался, то не назвал своего имени. Я встретился с ним поздно вечером, специально, чтобы он не видел моего лица. На мне была шляпа с широкими полями. Мы встретились на автобусной остановке. Я делал вид, что совершенно посторонний человек, прохожий. Я просто шепнул ему на ухо, что убийца Ершов. Маковский вел себя спокойно, тоже делал вид, что не знает меня, что я обычный прохожий, который ждет автобуса. Он спросил, откуда я знаю. Я ответил, что сам видел, своими глазами. И сразу предупредил его, что не собираюсь быть свидетелем, что я скрываюсь. Он тогда спросил, может ли он рассчитывать на мою помощь, и я честно ответил, что, скорее всего, нет. Он спросил, могу ли я еще что-нибудь рассказать ему, какие-нибудь подробности. И я ответил, что тогда сам с ним свяжусь. Мне уже пора было уходить, мы и так долго с ним разговаривали... Мне казалось, что за мной следит каждый куст, каждый случайный прохожий. Я вернулся в свое укрытие. У меня тогда было чувство облегчения, чувство выполненного долга. Я не исключал возможности, что еще свяжусь с ним... Но так и не связался. А потом в новостях услышал, что его сбила машина и что это, скорее всего, не случайность, а убийство. Мол, убивают свидетелей. Я тогда подумал, что он ведь не был свидетелем. И мне стало так страшно! Значит, узнали обо мне! Страх вырос, превратился просто в кошмар! Я не спал по ночам. Но за мной все не шли и не шли. И я понял, что в этой глуши меня не найдут.

— Но вы же оставили адрес своей соседке...

— Только потому, что я был с ней в очень хороших отношениях. И то, я попросил, чтобы она не давала никому мой адрес и чтобы сама мне не писала и не приезжала ко мне в течение нескольких месяцев.

— Какая непростительная ошибка! — прокомментировал Гордеев. — Ведь именно она дала мне ваш адрес.

— Да... А вы знаете, как это страшно... Страшно, что тебя найдут, но еще страшнее вот так взять и пропасть без вести, порвать все связи с окружающим тебя прежде миром, стереть себя из памяти друзей, из их собственной истории...

Гордеев отвернулся от Коваленко, а Турецкий терпеливо кивал свидетелю.

Через полчаса Турецкий с Гордеевым совещались о дальнейших действиях. Коваленко, как ему и обещали, был поселен в одной из спецквартир.

— Занимательная история, — говорил Турецкий.

Гордеев смотрел на своего коллегу.

— А что ты так улыбаешься? — спросил его Турецкий. — Все это, конечно, замечательно. Свидетель преступления и все такое... Но на основании его показаний мы ничего сделать не можем. Я надеюсь, ты это понимаешь.

— Понимаю. Он единственный свидетель. А у них свидетелей человек двадцать. Он конечно же мог не увидеть что-нибудь с такого расстояния, на котором он находился, и так далее и тому подобное... Уж мне ли не знать обо всех этих уловках... Но тем не менее свидетель есть! И это большой плюс. И с этим фактом никак не поспоришь. Надо только правильно использовать это обстоятельство.

— Да. С этим мы разберемся. Пока оставь в покое нашего трусливого свидетеля. Подумай лучше, на основе каких фактов нам пока удобнее всего действовать? — Турецкий испытующе посмотрел на Гордеева.

— Автоматная пуля? — неуверенно спросил тот.

— Ай молодец! Какой догадливый! Хвалю, ценю!

Турецкий дружески хлопнул Гордеева по плечу.

17

Еще с самого утра к зданию городской тюрьмы стали подтягиваться люди. Они тащили с собой лозунги, транспаранты, термосы с кофе и чаем, складные стульчики. Приблизительно около одиннадцати часов народ перестал прибывать, разделился на две группы, все заняли позиции, причем каждый хотел оказаться поближе к воротам, из-за этого возникла толкотня и возня. Наконец люди застыли на своих местах и с ожиданием и нетерпением уставились на решетчатую калитку. Только операторы телевизионных каналов все еще продолжали суетиться, выбирая наиболее подходящие ракурсы для съемок. Неподалеку от толпы стояли две черные машины с тонированными стеклами, их окружили несколько крепких ребят устрашающего вида. В воздухе повисла тишина, народ напряженно молчал, то и дело в разных местах раздавались щелчки зажигалок, начинали струиться сигаретные дымки. Наконец из первых рядов послышались неуверенные голоса:

— Кажется, идут. Идут.

— Идут! — уже увереннее подхватывали сзади.

Вскоре все сборище накрыла волна нетерпеливых выкриков:

— Это он! Мы видим! Идут! Идут!

Тюремная калитка открылась, из нее вышел Зайцев в сопровождении охраны, толпа немедленно хлынула к нему. Телохранители тут же взяли его в кольцо и не давали никому приблизиться слишком близко. Зайцев принужденно улыбался и безостановочно махал рукой приветствующим его. Взметнулись вверх плакаты. Раздалось дружное скандирование:

— Зай-це-ва в гу-бер-на-то-ры! Зай-це-ва в гу-бер-на-то-ры!

— Мы те-бе ве-рим!

— Дер-жись, ге-рой!

Но были и другие выкрики. Где-то нестройный хор голосов повторял:

— У-бий-ца!

— Да-ешь са-мо-суд!

— Без-за-ко-ни-е!

Зайцев поморщился, как от писка назойливого комара, но не потерял присутствия духа, еще раз обвел глазами толпу и сделал знак рукой, как бы объявляя о своем желании сказать речь.

— Тихо! Тихо! Говорить будет! — раздалось в толпе. Тотчас все затихло.

Зайцев откашлялся и начал хорошо поставленным голосом:

— Дорогие друзья! Я очень рад приветствовать здесь вас всех. Я должен выразить мою огромную признательность и благодарность всем тем, кто поддерживал меня в эти трудные и беспокойные дни. Всем тем, кто не переставал верить мне, кто не усомнился в моей честности, порядочности и невиновности.

— У-бий-ца! — снова донеслись слабые голоса, но они тут же потонули в громе аплодисментов.

— Я принял это испытание, выпавшее на мою долю, — продолжал Зайцев. — И хочется верить, что принял с честью и достоинством, потому что знал и верил, что за мной стоит народ. И эта провокация направлена не только против меня, но и против русского народа, который избрал меня своим защитником и радетелем. Поэтому мой долг был бороться за справедливость до последнего, не ради себя, а ради всех вас. И мы справились. Вы видите, мы справились! Я на свободе. Но это только маленькая победа в ряду огромных свершений, которые нас ожидают впереди. Нам еще много придется бороться, добиваться справедливости, изобличать предателей и мошенников, воров и убийц, защищать невинных и обиженных. Я обещаю вам, что сделаю все возможное для достижения этих целей, если вы будете со мной.

В толпе раздался восторженный рев, женские крики, аплодисменты. Некоторым смельчакам все же удалось пробиться к Зайцеву и получить автографы. Журналисты выстроились в полукруг и, вооружившись микрофонами, непрестанно задавали вопросы, сияли вспышки фотокамер, звонили телефоны. Зайцеву надоело быть в роли всенародного героя, он вволю искупался в лучах славы, а теперь устал, и ему хотелось домой. Он еще раз поблагодарил всех присутствующих за сочувствие, извинился, сел в машину и уехал. Через пять минут на месте действия завязался крупный мордобой: сторонники Зайцева одолели его противников. Но об этом происшествии сам кандидат в губернаторы узнал уже из новостей, находясь дома и попивая любимый виски. Он ощущал полное блаженство. Только что вышел из горячего душа, пообедал запеченным в духовке парным мясом и теперь расположился перед телевизором со стаканчиком любимого напитка, предполагая весь оставшийся день провести в благостном ничегонеделании. Но надежды разбились в тот самый момент, когда в комнату зашел Сева и доложил:

— Евгений Павлович, вас там спрашивают.

— Сева! — укоризненно произнес Зайцев. — Я же сказал, что меня ни для кого нет.

— Я говорил, но он настаивает. Утверждает, что вы непременно захотите с ним пообщаться.

— Вот как? И кто же там такой самоуверенный?

— Балаш какой-то. Ну что, передать, что вы не можете его принять? — Сева преданно смотрел на хозяина.

— Нет-нет, — засуетился вдруг Зайцев. — Проводи его в кабинет, я скоро подойду.

— Понял. — Сева вышел.

Зайцев заметался по комнате, одной рукой он стягивал с себя теплый махровый халат, другой натягивал брюки, одновременно с этим пытался надеть ботинки. Наконец он был готов, тщательно оглядел себя в зеркало, пригладил волосы и вышел в кабинет. Там вдоль многочисленных стеллажей с книгами уже прогуливался Балаш.

— Добрый день, Евгений Павлович, — мягким вкрадчивым голосом произнес он.

— Здравствуйте, Дима. Чем обязан? — чуть холодно ответил на приветствие Зайцев.

— Рад видеть вас в добром здравии и на свободе, — продолжал гость, будто не слышал вопроса.

— Спасибо, — сухо отозвался Зайцев. — Так для чего вы пришли ко мне?

— Я пришел по делу, — невозмутимо ответствовал посетитель.

— Я и не сомневался, — хозяин начинал нервничать. — Такие, как вы, просто так не приходят. И что же это за дело?

— Хочу предложить вам свои услуги.

— Вот еще, — рассмеялся Зайцев. — Зачем мне ваши услуги?

— Вы ведь хотите стать губернатором? — наигранно удивился Балаш.

— Хочу. Но в ваших услугах абсолютно не нуждаюсь, — отрезал хозяин.

— Почему вы так в этом уверены?

— Вы телевизор смотрите? — насмешливо поинтересовался Зайцев.

— Случается. Было что-то особенное?

— Да. Вы видели, какое огромное количество народа пришло сегодня к тюрьме? Я и так победитель. Ершов сел в лужу, у меня больше нет серьезных соперников. Победа в моих руках.

— Нельзя быть настолько самоуверенным, Евгений Павлович. Политик должен быть осмотрительным и расчетливым. А еще должен знать золотое правило: врагов лучше переоценить, чем недооценить.

— Я объективен. Я вообще по натуре реалист и всегда верно оцениваю ситуацию. Я уверен, что теперь мне нечего опасаться, я на коне.

— Ох, как торжественно звучит!

— Да уж. Ответьте мне, Дмитрий, для чего вы пришли ко мне?

— Видите ли, я не люблю проигрывать и всегда ставлю на победителя. Раньше я работал с вашим конкурентом Ершовым, но тут случился такой казус... Дело гиблое, я оставляю бесплотные попытки вытащить его на поверхность.

— Ну вот, сами подтверждаете, что удача в моих руках! — воскликнул Зайцев.

— Я бы выразился иначе, — мягко поправил Балаш. — В ваших руках много шансов, но еще не победа. А я предлагаю и гарантирую вам именно ее.

— Я чего-то не понимаю? Вы сами себе противоречите.

— Все просто. Свободное волеизъявление народа крайне важно для нас всех и, безусловно, влияет на конечный результат, но... Вы уже догадались, что есть одно маленькое «но»?

— Я вас внимательно слушаю, — насторожился Зайцев.

— Все решает думская комиссия по выборам, вы в курсе?

— Не уверен.

— Могу вас в этом убедить. Любые результаты зависят только от нее. Кроме того, я располагаю одними очень важными материалами.

— Какими же?

— Компроматом на Ершова, — жестко ответил Балаш.

— Но зачем он мне?

— Чтобы укрепить позиции. Черчу приблизительный план действий: сначала состоялся триумфальный выход бессребреника Зайцева из тюрьмы, затем в газетах появится компромат на бывшего лидера в губернаторской гонке, потом... — Балаш выдержал паузу. — Потом я разговариваю с одним очень влиятельным человеком из думской комиссии, и вы — новый губернатор Андреевской области.

— Как интересно. — Зайцев пристально смотрел на Балаша. — Мне нужны гарантии.

— Какие гарантии? — на этот раз искренне удивился Балаш.

— Ну, я так предполагаю, что вы не бесплатно мне помогать будете? Не из-за борьбы за светлые идеалы? Мне придется платить деньги. Очень большие деньги, я думаю. Поэтому мне хотелось бы быть уверенным в исходе дела.

— Согласен. Так какие же вам нужны гарантии?

— Я хочу встретиться с председателем комиссии Салием или, на худой конец, с вашим влиятельным человеком.

— Это невозможно.

— Отчего же?

— Оттого, что этот человек не хочет светиться. Он сильно рискует. А самого Салия я вам совсем уж пообещать не могу, — упорствовал Балаш.

— Тогда нам не о чем разговаривать, — заявил Зайцев. — Я тоже не могу так рисковать.

— Но я даю вам все гарантии!

— Мне мало ваших гарантий. Мне нужна встреча с надежным человеком, иначе наш разговор будет закончен, и я попрошу вас покинуть мой дом.

Балаш погрузился в тягостные раздумья. Он нервно заходил по комнате, закурил сигарету, несколько раз доставал телефон, принимался кому-то звонить, затем сбрасывал номер и снова убирал трубку в карман пиджака. Наконец он остановился, пристально взглянул в глаза Зайцева и сказал:

— Хорошо. Это будет большой риск, но я устрою вам встречу. О подробностях сообщу позже.

— Отлично, — оживился Зайцев. — Буду ждать новой информации.

— Договорились. До встречи. — Балаш быстрой походкой вышел из кабинета.

Зайцев проводил его взглядом, затем самодовольно хмыкнул и отправился допивать виски.

Балаш вышел из дома Зайцева на взводе. Ему не нравился этот человек. Он оказался не так прост, как казалось Дмитрию сначала. Пламенный борец за счастье народа на поверку оказался весьма скользким типом с большими претензиями, кроме того, очень недоверчивым.

«Как можно настолько не верить людям?! — недоумевал Балаш. — Даю ему все гарантии, обещаю полную и безоговорочную победу. Да с нашими возможностями дело бы ограничилось одним туром. Через пару недель губернатор Зайцев уже бы обустраивал свой новый рабочий кабинет. Так нет же, подавай ему человека из Думы. А что я ему скажу? Попался тут один недоверчивый персонаж, поэтому брось все свои дипломатические способности на урегулирование ситуации? Ему это не надо, он свои деньги и так получит, обойдясь малой кровью. Что ж за ерунда такая! Придется вертеться».

С этими мыслями Балаш сел в свою машину и решил сделать несколько десятков километров по загородному шоссе. Такие поездки всегда успокаивали его, помогали настроиться на нужный лад и прийти к правильному решению. Автомобиль позволял Дмитрию нестись с бешеной скоростью в крайнем левом ряду, не думая при этом о собственной безопасности и безопасности окружающих. Эстетствующий Балаш подумал, что двадцать первый концерт Моцарта для фортепиано с оркестром будет как нельзя кстати в данный момент, достал серебристый диск из пластмассовой коробочки, привычным движением вставил его в магнитолу, поднял уровень громкости до предела и рванул с места.

При выезде на большую дорогу Балаш заметил белую девятку с синей полосой по борту, но скорости не сбавил. Его совсем не пугала вероятность встречи с работниками ГИБДД, Дмитрий умел находить с ними общий язык. Ему гораздо проще бывало расстаться с энным количеством денежных знаков, нежели соблюдать правила дорожного движения. Завидев машину Балаша, один из людей в форме выскочил из девятки и встал посреди дороги, остервенело размахивая полосатой палкой.

— Смотри, свисток не проглоти, — произнес вслух Балаш и плавно нажал на педаль тормоза. Автомобиль остановился, Дмитрий опустил стекло.

— Добрый день. Чего изволите?

— Документы, — не отреагировав на приветствие, потребовал гаишник.

— Пожалуйста, — Балаш протянул водительское удостоверение.

Милиционер пробежал глазами строчки с фамилией и именем, чуть заметно кивнул головой напарнику, стоящему неподалеку и пристально вглядывающемуся в дорогу, и приказал Балашу выйти из машины.

— В чем дело? Что-то не в порядке с документами? — поинтересовался тот.

— Из машины, быстро, — повторил приказ гаишник, в голосе его чувствовались угрожающие нотки.

— Ребята, я, кажется, не сделал ничего противозаконного, — неуверенно протестовал Балаш. — Может, разойдемся по-тихому?

Дмитрий полез в бумажник и зашелестел купюрами, как бы прикидывая, какой суммы будет достаточно для урегулирования конфликта. Немедленно последовал удар дубинкой по лобовому стеклу.

— Вылезай, мать твою! — рявкнул милиционер.

Балаш наконец уразумел, что дальнейшее препирательство и сопротивление бессмысленно и невозможно, открыл дверцу и вышел из машины. На лице его было написано негодование, которое испытывал Дмитрий из-за этого нелепого беспокойства. Но тут же это выражение сменилось удивлением, недоумением, гримасой боли и страха. Потому что как только ноги Балаша коснулись асфальта, последовал страшной силы удар в живот. Дмитрий охнул, согнулся, обхватив себя руками, и начал заваливаться на землю. Он пытался подняться, но тут же получил новый удар, в лицо. Балаш свернулся в комок и, лежа на асфальте, боялся пошевелиться. Двое над ним вели разговоры о его дальнейшей судьбе. Дмитрий не мог понять, что происходит. Действительно ли эти двое сотрудники органов или обыкновенные грабители, которые позарились на дорогой автомобиль Балаша? Он боялся не то что спросить, даже поднять голову. Наконец незнакомцы пришли к какому-то общему решению и потащили Дмитрия к своей машине. Они волокли его по асфальту, как мешок с картошкой, не заботясь о том, что кто-то может заметить это, милицейская форма служила надежным прикрытием от постороннего любопытства. Балаш успел уже попрощаться с этим миром, когда вдруг раздался визг тормозов, и из остановившегося автомобиля выскочили двое.

— Всем оставаться на местах, руки за голову, милиция, — закричал один из них.

Первый похититель стремглав бросился к машине, второй так и остался стоять в каком-то тупом оцепенении, продолжая держать Дмитрия за ногу.

— Прыгай в тачку, придурок! — закричал лжегаишник, заводя «девятку».

Его приятель собирался было последовать этому совету, как вдруг один из вновь прибывших сбил его с ног, повалил на живот и ловким движением защелкнул наручники на запястьях преступника. Водитель «девятки», увидев, что друг выведен из строя, с бешеной скоростью рванул с места.

— Саш! Догоняем? — крикнул один из спасителей Балаша.

— Шут с ним. Уже не успеем, да и не нужно. Приятель его в наших руках, и так все узнаем, — отозвался его товарищ.

Затем эти двое подошли к распластавшемуся на асфальте Балашу, осторожно подняли его и посадили на капот машины, предусмотрительно прислонив к лобовому стеклу.

— Кто вы? — обессиленно спросил Дмитрий.

— Александр Борисович Турецкий, старший следователь по особо важным делам генеральной прокуратуры, — представился один.

Балаш уважительно вскинул бровь.

— Заезжий адвокатишка Гордеев, Юрий Петрович. Наслышаны? — представился другой.

— Это да, наслышан, — прошептал Дмитрий. — Как поживаете?

— Чудно. Да и у вас, мы видим, все в порядке.

— Угу, — согласился Балаш.

— Кто эти люди, что на вас напали? — спросил Турецкий, пренебрежительно кивнув головой в сторону корчившегося на земле преступника.

— Я не знаю. Предполагаю, что автомобильные воры. Вы сами, я думаю, можете узнать вот у этого.

— Узнаем. За нами не заржавеет.

— Очень хорошо. Я могу теперь ехать домой?

— Какой народ неблагодарный пошел, чувствуешь? — обратился Гордеев к Турецкому.

— И не говори, — отозвался тот. — Вот и спасай им после этого жизни. Ни «спасибо» тебе, ни «как я рад, что повстречал вас». Уйду, пожалуй, на пенсию. Не могу больше выносить человеческую неблагодарность.

— Спасибо. Я был очень рад вас видеть, — произнес Балаш. — А теперь можно мне ехать домой?

— Нет, — Турецкий вновь стал серьезным. — Вам следует поехать с нами.

— Куда?

— В Москву.

— Зачем это? Я что, арестован?

— Ни боже мой, — запротестовал Гордеев. — Не имеем на то никаких оснований, но в ваших же интересах поехать с нами. Потому как мы уверены процентов на девяносто, что эти милые ребята вовсе и не интересовались вашей машиной, им нужны были вы. Говоря проще: возможно, вас заказали.

— Да что вы?! — изменился в лице Балаш. — Кому я нужен? Это какая-то ошибка!

— Вряд ли, — отрезал Турецкий. — Ну так как? Едем?

— Едем, — обреченно кивнул Дмитрий.

— Значит, мчим в аэропорт? — спросил Александр у Гордеева.

— Мчим, — подтвердил Юрий. — Только этого куда девать?

Гордеев указал на неудавшегося похитителя Балаша.

— А этого с собой. Пригодится еще.

— Мороки с ним будет... Нам же в аэропорт, — засомневался Гордеев.

— Довезем как-нибудь, не бойся, — успокоил его Турецкий.

Друзья погрузили своих «пленников» в автомобиль и направились в андреевский аэропорт.

18

Балаш с кислой физиономией сидел в кресле и смотрел на Турецкого с Гордеевым. Создавалось впечатление, будто он недоволен своим спасением.

— Чайку? Кофейку? — делано услужливым тоном спросил Гордеев.

— Нет-нет, спасибо. Я так понимаю, арестованному не предлагали бы чай и кофе?

— Нет, арестованному, конечно, нет. Хотя... Это зависит от того положения, которое он занимает в обществе.

— Так вот я и хочу, собственно говоря, узнать, в каком статусе меня здесь удерживают. В статусе арестованного? Это арест? И если да, хотелось бы выяснить, какое мне выдвигается обвинение.

— У вас что, прокуратура и люди из правоохранительных органов, которые, кстати говоря, вас спасли, непременно ассоциируются с арестом? — спросил Турецкий.

Балаш сделал неопределенный жест рукой, недовольно пожевал губами и ответил:

— Да, вы знаете, в общем-то, ни с чем особенно положительным у меня люди из правоохранительных органов не ассоциируются. Действительно.

— Напрасно, напрасно.

— Так меня в качестве арестованного тут удерживают? Вы так и не ответили.

— Помилуйте, какой арест! Мы старались как лучше! Не понимаю, почему вы не довольны своим спасением. И никто вас вовсе не удерживает здесь, как вы изволили выразиться.

— Спасибо вам за спасение. Значит, я могу идти?

Гордеев поднялся со стула.

— Конечно, вы можете идти... Если не разделяете общепринятого мнения о том, что на добро нужно отвечать добром.

— К чему эта образность? Говорите прямо, без на-

271

меков. Я так понял, вы хотели сказать, что за все в этой жизни нужно платить, в том числе и за спасение этой самой жизни. Так? — Балаш, видимо, решил, что проклятые законники хотят срубить с него бабки.

— В общем-то так, — согласился Гордеев.

— Какая у вас официальная зарплата? — деловито обратился к ним Балаш.

— Ого, — присвистнул Турецкий. — Да вы нас совершенно неправильно поняли! Слишком... э-э... брутально.

Балаш приподнял бровь.

— А чего же вы хотите от меня потребовать?

— Видите ли, в думской комиссии есть один человек, которого вы, кстати говоря, очень хорошо знаете.

При этих словах Балаш переменился в лице. Он уже сразу понял, о чем приблизительно его хотят просить... И это было ужасно. Это была фактически катастрофа. Потому что здесь сосредоточивался его основной заработок. А лишиться его... Балаша даже передернуло.

— И нам бы хотелось, чтобы вы ему нас представили как людей Зайцева. С тем, чтобы этот человек передал нам имеющийся у него компромат на Ершова.

— Вам нужен компромат? — удивился Балаш.

— Нет, нам нужен этот человек. Хотя компромат тоже не помешает.

Внутри Балаша боролись самые противоречивые чувства. Но он, конечно, понимал, что в сложившейся ситуации у него просто нет выбора. Он так прямо и спросил:

— Я так понимаю, выбора у меня нет?

— Знаете, выбор есть всегда, — откровенно признался Турецкий. — Другой разговор, выбор между чем и чем! В данной ситуации, окажись я на вашем месте, я бы выбрал то, о чем мы вас просим.

— Да, конечно, — покачал головой Балаш.

— Кто вообще этот человек. Как его фамилия?

— Его фамилия Сельвинский, — со вздохом ответил Балаш.

— Ну и отлично. Вы представите нас этому Сельвинскому как людей Зайцева.

— Хорошо.

— А ведь этот компромат, наверно, больших денег стоит? — обратился Гордеев к Турецкому.

— Стоит, Юра, стоит.

— Это ваше дело, но только у вас ничего не получится, — вмешался Балаш. — Даже если вы его возьмете с поличным...

— Это почему же? — наивно спросил Гордеев.

Балаш только усмехнулся.

— Знаете, — обратился к нему Турецкий. — Вы нас ему представьте, а остальное, как вы правильно заметили, наше дело.

Балаш только пожал плечами.

— Что ты задумал? — спросил Гордеев, когда они остались вдвоем с Турецким.

—Небольшое представление. Комедию, так сказать. Ты, Юра, главное, смотри на меня и делай, как я...

Радио, как всегда, объявило не слишком утешительный прогноз погоды: средняя температура воздуха около тридцати градусов тепла, ожидается гроза.

«Ну, слава богу, хоть гроза!» — подумал Казимир Семенович Сельвинский, ослабляя на шее узел галстука и подходя к окну. Кондиционер работал на полную мощь, но то, что творилось за окном, как будто плевало на кондиционер. Солнце огненным шаром пыталось пролезть сквозь стекло, создавало давящую атмосферу в кабинете Сельвинского.

Казимир Семенович погладил живот и тут же почувствовал, как в левой стороне груди неприятно екнуло. Он глубоко вздохнул. Сегодня целый день на душе у него было неспокойно, а в груди противно ныло. Но такое свое состояние он поспешно объяснил себе вот уже какую неделю стоящей чертовой жарой и неблагоприятной геомагнитной обстановкой.

«Человек — игрушка в руках великого космоса, — подумал Сельвинский. Когда у него не было особенно важных дел, он всегда любил мысленно пофилософствовать. — Разве человек представляет собой хоть что-то в сравнении с космосом, непознанной вселенной, четвертым измерением! Он — игрушка, оловянный солдатик на одной ноге! Чертова кукла Вуду! Сидишь ты себе преспокойно за своим столом и даже не подозреваешь, что там, в космосе, что-то не так. Погасла какая-нибудь идиотская звездочка, разрослась «черная дыра», произошло что-нибудь с «белым карликом», или что там еще существует... И все! Космос раздражен! Он в гневе! Он рвет и мечет! А ты сидишь и не понимаешь, почему у тебя вдруг из носа хлынула ручьем кровь. А через пять минут ты не в состоянии вообще что-либо понимать, потому что тебе уже все равно. Потому что ты лежишь в морге, на каком-то чертовом столе, тебя, как болотную лягушку, препарируют медики. Вокруг тебя стоят голодные студентики, у которых в мозгу одна только мысль, что бы и где бы себе сегодня найти поесть. И они с вожделением смотрят на твои скользкие, блестящие внутренности. А медики констатируют: «Сердце не выдержало слишком резких перепадов давления». И потом все расходятся по домам. И какой-нибудь особо впечатлительный студент никак не может забыть твое беспомощное посиневшее тело, исполосованное вдоль и поперек врачебными скальпелями, твой иссохший восковой лоб, твои застывшие в судороге пальцы. Потому что сегодня великий космос выбрал тебя своей жертвой, а завтра, быть может, его жертвой станет этот голодный, впечатлительный студентик».

Надо сказать, что подобного рода мысли никоим образом не способствовали успокоению Казимира Семеновича. Наоборот, они тревожили и возбуждали его. А ему это было совершенно не на пользу. Он расхаживал по кабинету, как рыба ловя ртом недостающий воздух, подходил ближе к кондиционеру, а донельзя потрепанный вопрос — в чем смысл жизни — не давал покоя.

На улице было душно и жарко. Пасмурный воздух висел над городом — ни дуновенья. Пегое небо грохотало время от времени, надтреснутое молнией от края и до края горизонта — но ливень был еще далек.

Около двух часов дня в здание, где располагалась думская комиссия, вошли двое. Они были примерно одного роста и синхронно шагали в ногу. Один из них нес в руке небольшой чемоданчик черного цвета. Оба были одеты в строгие черные костюмы.

«Наконец-то», — подумал Сельвинский, увидев их из окна своего офиса, при этом у него еще сильнее заныло в груди.

Через несколько минут двое вошли в кабинет Сельвинского. Казимир Семенович принял самую что ни на есть важную позу. Он развалился на своем кресле и презрительным взглядом оглядывал гостей с ног до головы. Начинать разговор первому не следовало — это Сельвинский понимал как дважды два. Он небрежным

275

жестом предложил им присесть напротив и как можно строже спросил:

— Чем обязан?

— Вас разве не предупреждали о нашем визите? — спросил один из них, казавшийся более молодым. — Мы от Зайцева.

— Отчего же не предупреждали? Меня известили.

— Мы надеемся, что вас известили и о том, зачем мы прибыли.

— Не сочтите за трудность напомнить, — Сельвинский конечно же должен был их проверить. — А то, знаете ли, погода и геомагнитная обстановка не способствуют запоминанию слишком большой информации. Все мы жертвы великого космоса, куколки Вуду. Сегодня ты сидишь за своим столом и ни о чем таком даже и не подозреваешь, а завтра тебя уже препарируют как лягушку в морге. — Ему так понравились свои мысли, что он непременно должен был поделиться ими со своими собеседниками.

— Это вы совершенно верно подметили, насчет морга, — странным тоном сказал один из собеседников, и у Сельвинского опять заныло сердце.

— Нам известно, что у вас есть материалы на нынешнего губернатора Андреевска, Ершова. А так как Зайцев тоже собирается стать губернатором... Я думаю, вы понимаете, зачем ему эти материалы, — пояснил второй человек.

Сельвинский выдержал длинную паузу и наконец произнес:

— Да, у меня действительно имеются материалы прослушки.

— Великолепно, — констатировал один из мужчин.

— Вас известили о том, что эти материалы не какая-нибудь там дешевка, а стоят больших денег?

— Разумеется.

— И точную сумму, я надеюсь, вам тоже назвали?

После этих слов Сельвинского один из мужчин просто поставил на стол чемоданчик, раскрыл его, и взгляду Казимира Семеновича предстало его содержимое. Он был набит пачками стодолларовых купюр. У Сельвинского загорелись глаза, нытье в груди тут же прекратилось. Он хотел взять одну из купюр, но мужчина захлопнул чемодан.

— Будьте добры, материалы прослушки, — попросил он.

Сельвинский открыл сейф, достал оттуда толстую папку и передал ее мужчине. Тотчас же он получил чемодан, открыл его и стал пересчитывать деньги.

От этого занятия его отвлек насмешливый голос одного из мужчин:

— Казимир Семенович, на минутку отвлекитесь от денег и взгляните сюда.

Сельвинский с недовольным видом приподнял голову. Перед его глазами было раскрыто удостоверение... Сначала Казимир Семенович ничего не понял, но страшная догадка вспыхнула у него в голове. Он перевел взгляд на мужчину, держащего удостоверение. Тот лучезарно улыбнулся и произнес:

— Турецкий. Старший следователь управления по расследованию особо важных дел генпрокуратуры.

Потемневшее небо разрезала молния, и Сельвинского оглушил страшный удар грома. Он вскрикнул, отпихнул от себя чемодан и схватился за сердце. Чемодан упал на пол, из него вывалилось несколько пачек долларов. В кабинет вбежала встревоженная вскриком Сельвинского секретарша. Глазам ее открылась удручающая, близкая к апокалипсису картина: часто дышавший и хватающийся рукой за сердце Казимир Семенович, доллары, разбросанные на полу, двое мужчин в черных костюмах, словно ангелы смерти, и все это на фоне вспыхивающих в темном небе молний и раздающихся время от времени раскатов грома.

— А вот и понятая, — весело воскликнул один из «ангелов смерти».

Вскоре картина переменилась. Секретарша отпаивала Сельвинского валидолом и еще какими-то таблетками. Ему было уже значительно лучше, но он все еще держал руку на сердце.

— Составляем протокол, — сказал Турецкий.

— Казимир Семенович, как у вас окно открывается? После дождичка, верно, так свежо на улице, — произнес Гордеев.

Сельвинский не мог вымолвить ни слова. Секретарша открыла окно.

— Так, — протянул Турецкий. — Придется вам ответить на несколько наших вопросов.

— Не буду, — вдруг выдохнул Сельвинский.

— Что, простите? Вы отказываетесь отвечать на вопросы?

— Нет, — тряс головой Сельвинский. — Я без адвоката отвечать не буду. Вызовите моего адвоката.

— Так... — Турецкий аккуратно поднял с пола чемоданчик, — ну вот, ваши отпечатки тут есть, на деньгах тоже. Большое спасибо.

— Адвоката, — затравленно произнес Сельвинский.

Пришлось ждать, пока он не вызовет адвоката и пока тот не приедет.

Гордеев с Турецким стояли в коридоре и курили.

— Как мы его взяли! Это нечто! Ты видел его физиономию! А до этого сидел — кум королю! Лицо вытянулось, за сердце схватился, — Гордеев изобразил Сельвинского.

Турецкий покосился на Гордеева.

— Юра, тебе сколько лет? Просто восторг пятнадцатилетнего мальчишки! Ты вообще представляешь, что у нас сейчас может все сорваться. При адвокате с ним по-нормальному не поговоришь! Сам небось знаешь. И что же нам делать?

— Да ладно! Я сам адвокат. Разберемся, — ответил Гордеев.

— Да, точно ребенок, — подтвердил Турецкий. — Короче, смотри на меня и подыгрывай. Ладно. Только постарайся не испортить комедию...

К ним подошла секретарша и сообщила, что прибыл адвокат. Они пошли в офис.

Вскоре в кабинет вальяжной походкой вошел адвокат Сельвинского. Он был высокого роста, подтянут, на лице его играла самодовольная улыбка. На его безымянных пальцах горели золотые печатки.

— Чеширский кот, — шепнул Гордеев на ухо Турецкому.

Они подошли к адвокату с целью рукопожатия, но тот даже не взглянул на их протянутые руки. Он тут же взял быка за рога и произнес:

— Попрошу вас оставить меня с моим клиентом на некоторое время. Он не будет отвечать ни на какие ваши вопросы, не посоветовавшись со мной.

— Да, конечно, — вздохнул Турецкий.

Они снова оказались в коридоре.

— Вот гад, — ворчал Гордеев.

— Да ладно, гад. Твой коллега, между прочим. А ты бы разве не так поступил на его месте?

— Я, в отличие от него, не защищаю подонков.

— Ах ты, боже мой! Благородный Робин Гуд, — усмехнулся Турецкий. — Неизвестно еще, что из себя Зайцев представляет.

— Зайцев — порядочный человек, — сказал Гордеев, впрочем, без особой уверенности в голосе.

— Угу, все они порядочные. Поверь моему опыту, порядочные люди в губернаторы не выбиваются.

— Так вот на него и повесили всех собак, потому что он порядочный...

— Юра! С кем я сейчас разговариваю? С опытным юристом или с подростком?

Гордеев промолчал.

Вскоре их позвали в кабинет. Теперь они оба, адвокат и его клиент, сидели, вальяжно развалясь, в креслах.

Турецкий сел напротив них.

— Ну давайте, задавайте свои вопросы, — снисходительно разрешил адвокат.

— Фамилия, имя, отчество, дата и год рождения, — понуро начал Турецкий.

— Сельвинский Казимир Семенович. 8 декабря, 1951 год рождения.

— Слушайте, это составление протокола или допрос? — спросил адвокат. — Мой клиент сказал мне, что протокол уже составлен. Пожалуйста, переходите к более важным вопросам.

— Хорошо. Расскажите нам все, что вам известно о Веселовском.

— О каком Веселовском? Я не знаю никакого Веселовского, — ответил Сельвинский.

— Ну как же так? Он работал... Он был заместителем начальника андреевского РУБОПа.

— Ну и отлично. Вот и идите к этому начальнику. Мой клиент его не знает, он же вам сказал, — вмешался адвокат.

Турецкий посмотрел на них с неодобрением.

— Хорошо. Тогда откуда у вас компромат, который собирал Веселовский?

— Какой компромат? Ничего не понимаю.

Турецкий выходил из себя. Гордеев следил за всем происходящим и думал, что ничего сделать будет нельзя. Глухая стена, которая становится все толще и толще с каждым новым вопросом... Впрочем, судя по виду Турецкого, у него в запасе был какой-то ход...

— Казимир Семенович, — спросил Турецкий. — В чем заключается ваша работа здесь?

— Казимир Семенович, — тут же влез адвокат, — не отвечайте на этот вопрос. Это может быть секретной информацией. Да и вообще, что за провокация!

— Хорошо. Вы передали нам папку с компроматом, который собирал Веселовский.

— Да что вы?! Серьезно? И на кого компромат?

— На всех. И на Ершова в том числе.

— Что вы говорите! Но я не имел ни малейшего понятия о том, что это компромат.

— Зачем же вы его нам отдавали?

— Вы же сами попросили...

— Значит, вы не отрицаете тот факт, что мы просили папку, а вы нам ее отдавали?

— Я протестую! Что это за разговоры! Это была беседа тет-а-тет. Свидетелей при ней не было. Разве что вы, — насмешливо добавил адвокат.

— Но вы же сами говорили нам, что да, у вас компрометирующие Ершова материалы прослушки...

— Вы такое говорили? — спросил Сельвинского адвокат.

— Я? Да бог с вами! Не говорил и не мог говорить, потому что не знал, что в этой папке.

— Замечательно. Но откуда у вас эта папка?

— А я нашел ее на улице.

Турецкий посмотрел на Гордеева. Гордеев отвернулся к окну. Это все уже начинало веселить его. Он понял совершенно определенно, что добиться от Сельвинского какой-либо информации они не смогут. Ему просто было интересно, какие еще ответы, доведенные до полного абсурда, будет выдавать этот человек.

— Нашли на улице? — переспросил Турецкий.

— Ну да.

— И взяли себе?

— Да.

— Когда это случилось?

— Э-э... на днях. Точно не помню.

— Казимир Семенович, ну как же вам не совестно? Вроде бы представительный, благообразный человек, а поднимаете на улице всякую ерунду.

— Мне, понимаете, очень понравился ее цвет.

— Ну что же, вы не могли купить такую же в магазине? А вдруг она нужна кому-нибудь?

— Ну раз она валялась на улице, значит, никому не нужна.

— Вы еще обвините моего клиента в краже, — насмешливо сказал адвокат.

— Что вы, что вы! У каждого свои мании. Только вот какой вопрос: нас вам Балаш порекомендовал...

— Кто такой Балаш? Я не знаю никакого Балаша.

— Может быть, вам устроить очную ставку?

— Пожалуйста, устраивайте.

— Я протестую, — опять вмешался адвокат. — Какая еще очная ставка! Во-первых, мой клиент еще ни в чем не обвиняется, а во-вторых, этот самый, как вы его назвали, Балаш, вполне может оказаться вашим человеком, подставной уткой.

— Протест принят, — мрачно ответил Турецкий, понимая, что идея с очной ставкой неосуществима. Ни Сельвинский со своим адвокатом, ни сам Балаш на это не согласились бы.

— Еще вопросы будут? — спросил адвокат.

— Будут, будут. Вы нашли, как вы утверждаете, папку на улице. Вы в нее не заглядывали?

— Нет.

— И не знаете, что находится внутри?

— Нет, не знаю. Очевидно, какие-то бумаги.

— Но вы отдали нам папку за большие деньги. Почему?

— Ну, во-первых, тот факт, что мой клиент взял деньги, никто, кроме вас, подтвердить не может.

— Н-да, — протянул Турецкий.

— Вообще-то, я хотел бы знать, какое обвинение вы выдвигаете против моего клиента, — обратился к Турецкому адвокат. — Насколько я знаю, в нашем государстве пока нет статьи о продаже какой-либо информации. Кроме, конечно, совершенно секретной. Я надеюсь, в шпионаже вы моего клиента не обвиняете?

— Да нет, не в шпионаже.

— А в чем? Взятка в особо крупных размерах? Взятка за что? Да и, собственно, взяткой это назвать сложновато. Продажа информации? Так за это, как я уже говорил, статьи нет.

— Вы правы, — покачал головой Турецкий.

— Так в чем же заключается обвинение? Сокрытие от следствия важной информации?

— Пожалуй.

— А доказательства? Мой клиент совершенно не причастен к этому делу. Он же сказал, что нашел эту папку на улице. И ничего не знал о том, что в этой папке. Вот когда у вас будут веские доказательства, тогда и приходите.

— У нас есть протокол. Есть свидетель.

— Свидетель чего, простите?

— Того, что господин Сельвинский принимал от нас чемодан с деньгами. Это его секретарша.

— Ну и замечательно. Подавайте запрос в совет Думы. Запрос об аресте. Я полагаю, вам рассказывать обо всех нюансах не обязательно.

— Не обязательно.

— Так вот... Подавайте запрос, — насмешливо проговорил адвокат. — Еще какие-нибудь вопросы?

— Да нет, больше вопросов нет, — ответил Турецкий.

— Тогда не смеем вас больше задерживать.

— Конечно, конечно! — сказал Турецкий. — А чемоданчик, значит, тоже не ваш?

— Нет. Это ваш чемоданчик.

— Тогда мы его забираем и отдаем на экспертизу. Вы не волнуйтесь, если он не ваш и деньги тоже не ваши, там ведь наверняка не окажется ваших отпечатков пальцев...

Турецкий вынул из кармана большой полиэтиленовый пакет и аккуратно положил в него чемоданчик.

Сельвинский напрягся и переглянулся с адвокатом.

— Ну и папочку, которую вы нашли, тоже мы заберем. Раз она не ваша, и вы внутрь не заглядывали, то, значит, и отпечатков ваших внутри нет.

Сельвинский открыл было рот и тут же закрыл, так ничего и не сказав. Турецкий внимательно смотрел на него:

— Вы не волнуйтесь. Там разберутся. Это ведь простая формальность, не так ли? Все равно, даже если будет доказано, что вы брали взятку в особо крупных размерах, а также торговали компроматом, еще неизвестно, даст ли Дума разрешение на ваш арест... Не так ли?

Сельвинский кивнул.

— Поэтому, — продолжал Турецкий, — живите спокойно, Казимир Семенович.

Турецкий с Гордеевым взяли чемоданчик с папкой и вышли из кабинета. Как только дверь за ними закрылась, Сельвинский повернулся к адвокату:

— Ну как?

Адвокат молчал.

— Ну что ты заткнулся? — заорал Сельвинский, — я тебе за что плачу такие огромные бабки?

— Казимир, — только и сказал адвокат, — только что ты совершил ошибку. Я думаю, это была самая большая ошибка в твоей жизни...

— Ну вот видишь, все отлично, — сказал Турецкий, когда они зашли в кафе, чтобы выпить по бокалу пива.

— Когда Сельвинский сказал, что он нашел папку на улице, я думал, все пропало...

Турецкий засмеялся.

— Что ты смеешься?

— Да успокойся ты! В принципе, он нам и не нужен. Он мог бы сослужить нам хорошую службу, это правда. Его информация нам очень сильно пригодилась бы. Но все равно, пока Дума даст разрешение, пока то, пока се...

— За руку-то его нам взять удалось.

— Ну да. Так я что говорю-то. Этот Сельвинский — все равно мелкая сошка. Он нам, в общем-то, и не нужен. А нужен нам — Салий. Он — главный.

— И что же нам делать?

— Я пока не знаю. Надо что-то придумать.

Гордеев помолчал немного, но потом лицо его расплылось в улыбке.

— Ты чего? — спросил его Турецкий. — Придумал что-нибудь?

— Нет, просто вспомнил.

— О чем?

— Как этот Сельвинский изменился в лице! Я чуть не расхохотался! Это же надо! Когда ты произнес «следователь по особо важным делам генпрокуратуры»! Просто кара Господня! — хохотал Гордеев.

— Я же говорю, ребенок! — улыбнулся Турецкий, глядя на Гордеева.

— Нет, ну правда! Кара Господня!

— Угу, гнев великого космоса, — Турецкий тоже смеялся, заразившись весельем Гордеева.

На улице уже смеркалось. Желтые фонари смотрелись в свое отражение на мокром асфальте. Где-то в своем офисе, а может быть, уже и дома Казимир Семенович Сельвинский размышлял над смыслом жизни и злыми насмешками судьбы.

19

Гордеев скучал в своем кабинете, то и дело поглядывал на часы, ждал звонка Турецкого. Он уже несколько раз прочитал и просмотрел материалы Веселовского, почерпнул много интересного, удивительного и забавного. Рабочий день подходил к концу, Юрий собирался домой, долго искал надежное место для папки с материалами. Наконец засунул ее на верхнюю книжную полку, спрятав за толстыми томами юридической литературы. Как только с предосторожностями было покончено, в дверь постучали.

— Да-да? — произнес Гордеев, спрыгивая со стула.

— Можно к вам? — раздалось за дверью.

— Заходите, пожалуйста, — голос показался Гордееву знакомым.

Дверь открылась, и в кабинет вошел Зайцев. Юрий не сразу узнал его: в нем ничего не осталось от того несчастного арестанта, которого Гордеев видел в андреевской тюрьме. Сейчас перед ним стоял лощеный, уверенный в себе, немного самодовольный человек. Он приветливо улыбался Юрию и протягивал тому руку для пожатия. Гордеев подивился метаморфозам, произошедшим с генералом, но не показал виду. Поприветствовал того, предложил присесть. Генерал охотно опустился в удобное кожаное кресло, с радостью согласился выпить кофе. Юрий включил чайник и сел напротив.

— Рад видеть вас на свободе, — сказал он.

— Да, вчера выпустили, — улыбаясь, ответил Зайцев.

— Поздравляю. Чем обязан вашему визиту?

— За мной должок. Я обязан оплатить услуги лучшего адвоката из тех, кого я знаю. И сделаю это с радостью.

— Вот как? Приятно слышать, — Гордеев едва заметно расправил плечи.

— Правда, мы с вами не договаривались о конкретной сумме...

«Начинается... — подумал Юрий. — Сейчас он меня кинет. Заплатит по официальным расценкам. Сколько раз говорил себе не связываться с политикой. Из этого не может выйти ничего хорошего».

— Вы не возражаете, если я заплачу наличными? — продолжал генерал.

«Было бы удивительно, если бы ты мне чек на три тысячи рублей выписал», — пронеслось в голове у Гордеева.

— Не возражаю, — напряженно произнес он вслух, готовясь сражаться за честно заработанный гонорар.

— Я подумал, что этого будет достаточно. — Зайцев достал из кейса полиэтиленовый пакет и положил его на стол. — Посмотрите, окупится ли этим ваше беспокойство.

Юрий придвинул к себе пакет и заглянул в него — на первый, беглый взгляд там был годовой заработок Гордеева.

— Этого хватит? — переспросил Зайцев. — Или с меня еще что-то?

— Да нет. Похоже, я вам должен сдачу.

Генерал рассмеялся.

— Настоящий профессионал должен профессионально и оплачиваться.

— Не стану спорить, — коротко ответил Гордеев.

Зайцев допил свой кофе, но уходить не спешил. Юрию казалось, что он еще что-то хочет сказать, но никак не может решиться или найти нужных слов. Генерал ерзал в кресле, потирал переносицу большим пальцем с крупным кривым ногтем, то и дело доставал из кармана широкий клетчатый носовой платок и промокал лоб. Гордеев решил помочь ему:

— Вы еще о чем-то хотели со мной поговорить?

— Да! — обрадовался Зайцев поводу продолжить беседу. — У меня к вам есть еще одно небольшое дельце.

— Я вас внимательно слушаю, — Юрий всем своим видом изобразил крайний интерес.

— Скажите, — начал генерал. — Вы не хотели бы увеличить сумму гонорара?

— Колдуете? Заклинание знаете для размножения денег? — улыбнулся адвокат.

— Что-то вроде, — засмущался Зайцев. — Просто вы можете оказать мне еще одну скромную услугу, и я заплачу вам ровно столько же, сколько уже отдал.

— Я надеюсь, вы не хотите нанять меня в качестве киллера? — пошутил Гордеев. — Из меня ничего путного не выйдет, я стреляю плохо и драться умею, но это не мое призвание.

— Нет-нет, никакого рукоприкладства. Я просто хочу попросить у вас одну вещь, которая не принесет вам никакой практической пользы, а мне может очень даже пригодиться.

— Что же это за вещь?

— Папка с документами из Думы, — выпалил Зайцев.

— Вы в своем уме? — искренне изумился Гордеев.

— Вполне, — генерал снова стал серьезным и мрачным. — Мне нужны эти материалы. Вы получите много денег.

— Я не могу вам дать этих бумаг. Ни при каком раскладе.

— Хорошо. Вы получите сумму гонорара в тройном размере, неужели и этого недостаточно?

— Я не могу дать вам того, что вы просите, ни за какие деньги. Перестаньте торговаться со мной, это совершенно бесполезно.

— Отчего же? — недоумевал Зайцев. — Неужели вы так хорошо зарабатываете, что вам не нужны лишние деньги.

— Нужны. Ох как нужны, — согласился Гордеев. — Но, видите ли, все эти документы приобщены к материалам дела, и я не имею права ничего вам показывать, а тем более отдавать.

— Но ведь мы можем снять копию, не правда ли? — вкрадчиво поинтересовался генерал.

— Не можем, — отрезал Юрий. — Давайте завершим этот бесполезный разговор. Я не смогу помочь вам в этом вопросе.

— Не будьте дураком! — сорвался Зайцев. — Кому нужна ваша честность? Что плохого в том, что у меня будет компромат на негодяев, которые заслуживают разоблачения, а у вас будут деньги?

— Разоблачением негодяев должна заниматься прокуратура, а не частные лица. А большие деньги могут отрицательно сказаться на личности и характере, — сухо ответил Гордеев.

— Но послушайте... — хотел продолжить Зайцев.

— Все, довольно, — остановил его Юрий. — Я прошу вас покинуть мой кабинет.

Зайцев вскочил и в гневе устремился прочь. В дверях он столкнулся с Лидой.

— Что ты здесь делаешь? — удивился Гордеев.

— Здравствуй, Лида, — Зайцев неожиданно галантно поцеловал ей руку.

— Здравствуйте, здравствуйте. Что значит «что я здесь делаю»? Я работаю тут. Забыл уже?

— Но ты же была в Андреевске?!

— Была, а сегодня вернулась, и Сергей, кстати, тоже. У него какие-то дела в Москве. Он шлет тебе пламенный привет, просил позвонить. Рада вас видеть, Евгений Павлович, — обратилась наконец Лида к Зайцеву.

— И я рад. Хотел бы встретиться с вами и вашим мужем. Может, поужинаем вместе?

— Не уверена, что муж сможет, придется, вероятно, отложить.

— Отчего же? Мы можем сходить куда-нибудь и вдвоем. Надеюсь, никто не усмотрит в этом никакого криминала? — Генерал бросил многозначительный взгляд на Гордеева. Тот погрузился в какие-то бумаги и сделал вид, будто не слышит разговора.

— Договорились, — улыбнулась Лида. — Созвонимся ближе к вечеру.

— Хорошо. — Зайцев протянул ей свою визитку и вышел.

Юрий поднял глаза на Лиду.

— Ты что, в самом деле куда-нибудь с ним пойдешь?

— Возможно, а что в этом плохого? Мы были знакомы в Андреевске, правда, шапочно, но все же, а теперь нас еще и общая беда сплотила, почему бы не пообщаться с земляком? А ты что, ревнуешь?

— Вот еще, — насупился Гордеев. — Просто на твоем месте я не стал бы этого делать.

— Да что с тобой? Он же нормальный человек, этот Зайцев!

— Я начинаю в этом сомневаться.

— Почему? Что он тебе сделал?

— Постараюсь объяснить. Мы с Турецким — это мой друг, старший следователь Генпрокуратуры, — раздобыли-таки папку с компроматом Веселовского. Я ведь рассказывал тебе про это?

— Да, что-то было такое, — припомнила Лида.

— Ну вот, а в папке этой безумно интересные документы, даже пятая часть которых может уничтожить Ершова и всю его компанию в считанные минуты. И вот господин Зайцев, честный и неподкупный, предложил выкупить у меня эту папку за очень крупную сумму.

— И ты, конечно, отказался? — недоверчиво спросила Лида.

— Конечно, отказался.

— Ай молодец, возьми с полки пирожок, — она шаловливо уселась на колени к Гордееву и поцеловала его.

— Как хорошо, что ты приехала, — прошептал Юрий.

— И я рада. Я скучала. Слушай, а почему Зайцев у тебя эту папку спрашивает? Если твой Турецкий — следователь прокуратуры, то такие важные документы должны быть у него.

— Ну да. Он просто оставил папку у меня, чтобы не таскать с собой, он ехал по каким-то своим делам. Завтра должен приехать за ней, вот жду звонка, чтобы узнать, когда появится, — объяснил Гордеев.

— Ты с ума сошел! Разве можно хранить такие улики в своем кабинете?! У тебя ведь даже дверь не закрывается, а в здание любой может проникнуть — это же юридическая консультация, сюда все время ходят клиенты, — возмущалась она. — Давай я возьму домой эту папку, а завтра привезу к назначенному сроку?

— Спасибо, Лида, но нет. Документы действительно, серьезные. Я не хочу, чтобы ты рисковала. А папку я спрятал.

— Да где здесь прятать? Ты смеешься? У тебя же нет сейфа, скрытого за картиной Моне?

— Сейфа нет. Я положил ее за книги на полку.

— Очень надежный тайник. Лучше не придумаешь, — Лида красноречиво повертела пальцем у виска.

— Ладно, за одну ночь ничего с ними не случится. После шести все равно никого чужого в здание не пускают.

— Ну как знаешь, — сдалась Лида. — Пойдем отсюда, уже поздно.

Молодые люди вышли из кабинета и оказались на улице.

— Ну что, сходим куда-нибудь после тяжелого дня? — спросил Гордеев.

— Куда?

— В какой-нибудь скромный ресторанчик.

— А как же скромный ужин с Зайцевым?

— Да ну его на фиг, если он такой подлец. Придется ему ужинать в одиночестве.

— Ну что, тогда поехали?

Они подошли к машине, Гордеев уже сел за руль, когда Лида внезапно сказала:

— Я сейчас...

Она открыла дверцу.

— Ты куда? — спросил Гордеев.

— Я вернусь на минутку.

— Зачем?

— Мне надо зайти в туалет.

Гордеев кивнул.

Лида отсутствовала минут двадцать. Гордеев уже было хотел идти ее разыскивать, когда Лида появилась.

— Ты что так долго?

— Ну-у... У женщин могут быть маленькие интимные секреты, — кокетливо сказала Лида.

Затем они поехали в ресторан...

На следующее утро Гордеев проснулся с трудом. Он несколько раз переставлял будильник, чтобы поспать еще чуть-чуть, хотя бы пять минуточек. Но время было неумолимо, бежало с огромной скоростью, и пришлось вставать. Юрий с трудом поднялся с кровати, нашарил ногой тапочки и поплелся ставить чайник. После холодного душа Гордеев слегка пришел в себя, посмотрел вокруг осмысленными глазами и пришел в ужас: в квартире был вселенский кавардак. Чтобы ликвидировать его, Юрию потребовалась бы вечность.

— Боже мой! Как жизнь несправедлива, — произнес он. — Почему в свободное от вызволения и спасения людей время я должен мыть посуду, вытирать пыль, убираться в шкафах и пылесосить?

Гордеев в муках начал слоняться по квартире. Он поднял с пола один носок и принялся исследовать территорию в поисках второго. Поиски успехом не увенчались. Юрий плюнул с досады и выбросил одинокий носок в мусорное ведро. Затем присел на диван, попытался сосредоточиться и подготовить себя к трудовому подвигу. На лице его отразилась вся мировая скорбь человечества, Гордеев поник головой и запечалился. Но через некоторое время в глазах Юрия снова появилась жизнь, он вскочил на ноги и громко произнес:

— Черт возьми! Я же теперь состоятельный человек! Гонорара Зайцева, надеюсь, хватит для вызова уборщицы хотя бы раз в неделю. Жизнь налаживается.

Гордеев нашел в бесплатной рекламной газете, которую приносили каждое утро, раздел под названием «услуги», отыскал нужный телефон и уже через пять минут ему пообещали квалифицированную помощь в уборке квартиры. Юрий был счастлив, надиктовал адрес, договорился о времени и со спокойной душой отправился пить кофе.

Через полчаса Гордеев уже был на работе. Он вошел в кабинет в тот самый момент, когда зазвонил телефон. Юрий рыбкой кинулся к аппарату и схватил трубку.

— Алло? — произнес он.

— Юра, здравствуй. Розанов беспокоит, — ответила трубка голосом начальника.

— Здравствуйте, Генрих Афанасьевич.

— Вот уж не ожидал в столь ранний час застать тебя на месте.

— Да я еще не уходил, — отшутился Гордеев.

— Ну, если только... Юра, у меня к тебе вот какая просьба. Помнишь, ты вел дело Сивкова?

— Это который инкассаторскую машину разбил, что ли?

— Да-да, он самый, — подтвердил Розанов. — Тут какие-то сложности возникли, мне звонили из банка, просили копию заключения экспертов. Ты не мог бы сделать ее и занести мне?

— Помилуйте, Генрих Афанасьевич. Полгода прошло, я не уверен, что у меня осталась его папка, — возмутился Гордеев.

— Срок давности хранения документов еще не вышел, так что ищи, — отрезал начальник и повесил трубку.

— Ах, черт бы их всех побрал. Где теперь искать эту несчастную бумажку?!

Юрий открыл шкаф для документов и принялся искать. Гордеев терпеть не мог иметь дело с бумажками, поэтому все материалы у него находились в безобразном беспорядке. Они бессистемно пылились на полках, и было совершенно невозможно разобрать ни дат, ни фамилий, ни сути разбирательств.

— Жаль, что для разбора документов в офисе еще никто не создал специальную службу, — сокрушался Юрий. — А ведь неплохая идея, нужно запатентовать, или самому заняться организацией. Точно разбогатею.

Но удача улыбнулась Гордееву, и вскоре из кучи мятых, запыленных папок он выудил одну с делом Сивкова.

— Надо же, какая радость! — удивился Юрий. — Нашлась. Где тут у нас заключение экспертной комиссии? Ага, вот оно. А чего это оно все в масляных пятнах? А, вспомнил, я на него, кажется, бутерброд положил. Ну ничего, переживут там в банке.

Гордеев включил ксерокс, откинул крышку, на месте для копируемого объекта уже лежал какой-то лист.

Вероятно, его забыли извлечь из аппарата после завершения ксерокопирования.

— Это еще что такое? — Юрий взял бумагу и стал вчитываться. Вскоре на лице его отобразилось крайнее изумление.

— Вот те раз, — произнес Гордеев, осознав, что именно за документ он держит в руках. Это был фрагмент распечатки телефонного разговора Ершова с Батуриным из папки с материалами Веселовского.

Юрий схватил стул, подвинул к стеллажу, взобрался на него и достал с верхней полки папку с компроматом. Тесемки ее были завязаны кокетливым бантиком, Гордеев всегда скреплял их узлом. Явно угадывались следы постороннего вмешательства. Теша себя глупой надеждой, Юрий выдвинул из ксерокса лоток для бумаги — там оставалось всего несколько листов, хотя не далее как вчера Гордеев положил туда внушительную стопку. Стало совершенно очевидно, что кто-то в отсутствие Юрия умудрился снять копии с материалов Веселовского.

— Зайцев! Подлая скотина! — воскликнул Гордеев и бросился вниз к охране.

— Кто дежурил вчера вечером после моего ухода? — тряс он за плечо добродушного охранника Михаила.

— Я, — недоуменно ответил тот. — Сменил Ситникова в девять. А что случилось?

— Кто из посторонних проходил сюда в твою смену?

— Никого не было. Мы не пускаем посторонних после шести.

— Ты хочешь сказать, что никто не приходил сюда после завершения рабочего дня? — не унимался Юрий.

— Вроде нет, — неуверенно ответил охранник.

— Что значит «вроде»? Я тебя спрашиваю, приходил ли кто-нибудь сюда вечером.

— Ну вернулась эта, как ее, Ермолаева, что ли? Ну та, с которой вы работаете. Вы же сами помните.

— Лида? — переспросил Гордеев.

— Ну да, она. Сказала, что забыла свой телефон в кабинете, вернулась за ним.

Юрий точно помнил, как Лида, собираясь уходить, убрала сотовый в сумку. Самые недобрые предположения пронеслись в его голове. К тому же он вспомнил, что, перед тем как уехать, она вернулась и довольно долго была в конторе.

— Как долго она была в здании? — пытаясь ухватиться за последнюю надежду, спросил он.

— Минут двадцать, может, тридцать, — ответил Михаил.

— А больше никого не было?

— Нет, — уверенно сказал Михаил.

— Точно?

— Ага. После того как Ермолаева ушла, я все двери и запер.

— Все ясно, — обреченно махнул рукой Гордеев и зашагал в свой кабинет.

Такого предательства со стороны любимой девушки он не ожидал.

«Значит, она все же встретилась вечером с Зайцевым, — думал Юрий. — И он уговорил ее сделать копию. Но зачем? Для чего она так поступила»?

Гордеев мучился, пытаясь найти оправдание действиям Лиды. Ничего не получалось. Настроение было бесповоротно испорчено. Машинально он отксерил заключение экспертов по делу Сивкова, отнес его Розанову, перекинулся с тем парой слов и вернулся в кабинет. Там его уже ждала Лида.

— Привет! — радостно воскликнула она. — Где ходишь? Я тебя жду. Скоро время обеда, сходим куда-нибудь перекусить?

— Возможно. Лида, как вечер прошел? Что делала? — спокойным тоном поинтересовался Юрий.

— Да ничего, как и сказала, пришла домой, поужинала и спать легла. Первый раз за неделю выспалась, — беззаботно щебетала она.

— Не надо мне врать, — сухо сказал Гордеев.

— Что? Что такое? В чем дело? Когда я тебе врала? — вполне искренне удивилась она.

— Лида, не обманывай меня. Я тебя очень прошу. Лучше признайся сразу, — отчеканил Юрий.

— Признаться в чем? Ты с ума сошел? Что ты от меня хочешь? — Лида начала заметно нервничать.

— Я хочу, чтобы ты, глядя мне в глаза, сказала: Юра, вчера вечером я вернулась в твой кабинет, достала папку с важными документами, сняла с них копию и отдала Зайцеву. И еще я хочу, чтобы ты объяснила мне, зачем ты все это сделала.

— Я тебя не понимаю. Я ничего подобного не делала, — продолжала отпираться она.

— Перестань, — устало сказал Гордеев. — Охранник сказал мне, что только ты приходила сюда вечером.

— Ну и что? — воскликнула Лида. — Я ходила в туалет. И кроме того, я забыла телефон, вернулась за ним.

— Во-первых, для того чтобы забрать телефон, требуется пять минут, ты находилась в конторе, а не в туалете, двадцать минут. Во-вторых, я очень хорошо помню, что телефон ты забирала с собой. В-третьих, когда совершаешь какую-нибудь подлость, нужно быть осмотрительной и внимательной. Ты оставила последний лист в ксероксе.

Лида молчала, Юрий грустно смотрел на нее.

— Ну что ты на меня уставился? — не выдержала наконец она. — Я что, убила кого-нибудь? Зарезала? Что я такого сделала, чтобы поливать меня презрением? Ну отдала я этот долбаный компромат Зайцеву. Что страшного случилось-то? За кого ты переживаешь? За Ершова? Так он подонок, так ему и надо.

— Я за тебя переживаю. Ты поступила подло, — тихо произнес Гордеев.

— Вот как? — взвилась Лида. — А ты, такой честный и неподкупный, объявишь мне бойкот? Будешь получать свою скромную зарплату в этой вонючей конторе и чувствовать себя чистеньким мальчиком? Я, между прочим, для нас старалась. Зайцев мне заплатил столько, сколько ты за год не заработаешь.

Он подавленно молчал.

— Юрочка, миленький, — изменила вдруг тон Лида. — У нас теперь много денег, мы можем делать все, что захотим. Давай уедем куда-нибудь. На море, в горы. Отдохнем. Все будет хорошо. Да наплюй ты на свои принципы, забудь об этом. Нельзя в нашей жизни по-другому существовать. Пойми ты!

— Я и не знал, что ты такая, — ответил Юрий, как будто не слышал предыдущей речи Лиды.

— Ну да, вот я такая! Хочу нормально жить! Это преступление? Что ты меня теперь, убьешь за это?

— Нет, не убью. Но ты сейчас, пожалуйста, напиши

заявление по собственному желанию, а я как-нибудь с Розановым объяснюсь. Скажу, что ты возвращаешься в Андреевск.

— Ты что, с ума сошел? — Лида не ожидала такого поворота событий. — Ты меня бросаешь?

— Ты предала меня. Я не смогу больше тебе доверять, — произнес Гордеев. — А ты сама говорила, что если люди друг другу не доверяют, им делать вместе нечего, правильно?

— Да пошел ты к черту! — закричала Лида. — Подавись своей порядочностью и своими принципами! Живи, как хочешь, апостол Павел. Видеть тебя не хочу!

Она выбежала из кабинета, громко хлопнув дверью. Юрий остался один, ему было нестерпимо больно.

Лида бежала под проливным дождем к своей машине, ей было плохо, требовалась поддержка.

«Какая же я дура, — думала она. — Для чего все это? Эти попытки вылезти куда-нибудь, начать новую жизнь, сделать карьеру, зачем? Сидела бы замужем, выбирала ковры для спальни. А теперь что? Уволиться с работы? Бросил любимый человек, от мужа ушла».

Она вдруг остановилась. Дождь хлестал по лицу, одежде, тяжелые капли падали за воротник, размывали косметику, но Лида стояла, как будто обдумывая что-то.

«Я вернусь к нему. Вернусь к Кравцову», — сказала вдруг себе Лида, и все стало просто и ясно. Она немедленно успокоилась, села машину и поехала к Сергею.

«В самом деле, так будет лучше, — думала она. — Он хороший, любит меня. Он с радостью примет мое возвращение. Он сам этого хотел. Тем более что формально мы все еще женаты. Начнем все сначала. Все наладится. И черт с ним, с этим Гордеевым. Без него проживу».

Лида остановилась возле гостиницы, закрыла машину, зашла внутрь. Пробежала мимо рецепшн и понеслась вверх по лестницам к Сергею, к мужу, который любит ее и ждет. Лида остановилась возле двери с металлическим номером, постучала. Через секунду Кравцов открыл.

— Лида? — удивился он. — Что случилось? Ты вся мокрая. Заходи скорее.

Она шагнула внутрь. Сергей снял с нее промокший до нитки пиджак, протянул белоснежный махровый халат.

— Вот, переоденься, а то простынешь.

— Да бог с ним, — отмахнулась Лида. — Послушай, я пришла сказать тебе, что хочу вернуться. Давай все начнем сначала.

— Вот так-так, — протянул Кравцов и опустился в кресло. — С чего это вдруг?

— Да разве это так важно? Какая разница? Я просто хочу быть с тобой. Все остальное не имеет значения. — Она с надеждой смотрела на мужа.

— Нет, Лида, имеет, — ответил тот. — Еще день назад ты была·безумно влюблена в Гордеева, а теперь говоришь, что хочешь начать все сначала. Объяснись, пожалуйста.

— Все это неинтересно, — отвечала Лида, поглаживая Сергея по руке. — Мы поссорились.

— Ясно, — помрачнел Кравцов. — И ты сразу прибежала ко мне?

— Перестань. Я прибежала к тебе не потому, что

поссорилась с ним, а потому, что поняла, что хочу быть с тобой.

— И из-за чего же вы поссорились?

— Да все это глупости. Я отдала Зайцеву какие-то бумажки с компроматом на Ершова и всю эту компанию, а Юрка взбеленился. Дурак какой-то. Можно подумать, я его усопшую бабушку оскорбила.

— Ну и дрянь же ты! — веско произнес Кравцов.

— Что? — от удивления она даже приоткрыла рот. — И ты туда же?

— Юрка на части рвался, чтобы докопаться до правды, жизнью рисковал, хотел добиться справедливости, а ты одним движением взяла и все перечеркнула. Вот уж не думал, что ты такая.

— Да брось ты. Не уподобляйся. Давай лучше поговорим о нас.

— А не о чем разговаривать, Лид, — отозвался Сергей.

— Как это? К тебе возвращается любимая жена. Ты должен биться в приступе радости, кричать: какое счастье! А ты говоришь: не о чем разговаривать. Не можешь прийти в себя от радости?

— Лид, я все понимаю, но думаю, что нам нужно подать в суд на официальный развод.

— Ты в своем уме? Какой развод? Ты пьяный, что ли? — гневно вопрошала Лида.

— Нет, со мной все в порядке. Я просто не хочу быть игрушкой в твоих цепких лапках. Мне не нужна жена, которая возвращается, потому что ее бросил мужик. Мне не нужна жена, которая делает подлости по отношению к близким людям. В конце концов мне не нужна жена, которая ради денег способна на любой нечестный поступок. Знаешь что, Лида? Езжай-ка ты домой, — закончил Кравцов.

Лида сидела в кресле как будто заледеневшая. Вся ее жизнь с оглушительным грохотом разваливалась на глазах. Наконец она справилась с собой, поднялась и вышла из номера. Лида медленно шла по коридору, вдруг она услышала, как открылась дверь и ее окликнул Сергей.

«Одумался!» — промелькнула надежда. Лида остановилась, сделала надменный вид и обернулась.

«Сейчас-то я тебя заставлю поупрашивать и поползать на коленях», — думала она.

— Ты забыла пиджак, — догнал ее Кравцов.

Надменность исчезла с ее лица.

— Но, может... — слабо начала она.

— Не может, Лида, — мягко ответил Сергей, вручил ей пиджак и, развернувшись, ушел.

Лида не спеша спустилась по лестнице, села в машину, ливень все еще хлестал по стеклам. Она откинулась на спинку сиденья и заплакала.

20

Станислав Викторович Салий пытался наслаждаться жизнью на даче. Приближенные к его персоне люди настоятельно посоветовали ему покинуть на время столицу и пожить некоторое время где-нибудь в отдалении от Москвы. Салию не нравилась его вынужденная ссылка да и находиться долго на даче он тоже не любил. И хотя огромный трехэтажный дом был оснащен всеми удобствами и благами, а во дворе находились бассейн, сауна и волейбольная площадка, Станислав Викторович все равно чувствовал себя оторванным от цивилизации и скучал по людскому обществу. Салий был совершенно один. Дети не ездили на дачу, им было скучно здесь. Жена ссылалась на загруженность на работе и тоже появлялась крайне редко. В загруженность Станиславу Викторовичу верилось с трудом, он лично подозревал наличие любовника в жизни мадам Салий. Особенно после того, как довольно тучная супруга в одночасье сбросила по какому-то чудодейственному восточному методу двадцать с лишним килограммов, сделала модную стрижку и покрасилась в совершенно невообразимый загадочный цвет, Салий уверился в этом окончательно. Ему, разумеется, не нравилось создавшееся положение, он даже понимал, что ситуацию необходимо решать. Предполагал, что нужно сыницировать разговор или даже скандал, расставить все точки над «и», показать, кто в доме хозяин, поставить ультиматум, разобраться, разрулить, построить, но... Ему было невыносимо лень, и это важное действие откладывалось изо дня в день на неопределенные сроки. В конце концов Станислав Викторович решил, что и так в общем-то неплохо, не стоит усложнять жизнь и делать лишние телодвижения. Жена может делать все, что ей вздумается, завести себе еще хоть пятерых любовников и развлекаться как хочет, лишь бы все это не заставляло Салия что-то совершать, ибо лень была тем самым чувством, которое руководило Станиславом Викторовичем последние десять лет его жизни. Уже давно Салий жил как будто по инерции, перестал добиваться чего-либо и стремиться куда-то. Он сам не помнил, в какой момент жизни все ему стало вдруг так безразлично. Он уже сто лет не интересовался и не радовался успехам собственных детей, не заботился о карьере и не расстраивался из-за неудач. И судьба, как будто осознав, что этого человека не проймешь жизненными неурядицами, давно перестала подкидывать ему неприятные сюрпризы, а наоборот, щедро одаривала его всевозможными благами. Дети без усилий поступили в престижные вузы, причем отец и пальцем не пошевелил, чтобы помочь им в этом, но не потому, что имел на этот счет какие-то четко выраженные принципы, вовсе нет, просто ему было абсолютно все равно. Жена поражала всех окружающих своим высокохудожественным ведением домашнего хозяйства, редкостным отношением к супругу и вообще профессионализмом во всех областях. Никто так и не понял, что она добивалась совершенства во всем только лишь ради одного-единственного слова одобрения своего мужа. Впрочем, так и не дождалась, мужу было безразлично. Карьера поражала своей успешностью и головокружительными взлетами, хотя Салий ни разу не приложил даже малейшего усилия для продвижения по службе — было лень.

Станислав Викторович и не предполагал, что когда-нибудь его жизнь будет изобиловать событиями, ему никогда не хотелось этого, он всеми силами стремился их избежать. С детства он не любил шумных игр, вечеринок, молодежных гулянок — они приносили слишком много беспокойства. Не заводил друзей — они требовали внимания. Не встречался с девушками — они заставляли испытывать эмоции. После школы Салий пошел в педагогический: там был самый низкий конкурс для мальчиков. По окончании института устроился на работу в обычную школу рядовым учителем географии. Он не любил детей, а дети не любили его, благодаря этому равновесию сохранялась нормальная учебная обстановка. Абсолютное равнодушие сошло за хладнокровие, отсутствие интереса к жизни — за бесстрастность, нежелание вступать в какие-либо отношения с учениками, их родителями и другими учителями — за профессионализм. Признав все эти бесспорные достоинства, весь педагогический коллектив, на восемьдесят процентов состоящий из старых дев и разведенных женщин, единогласно выбрал Салия завучем. А уйдя на пенсию, старуха директриса передала бразды правления в руки Станислава Викторовича, он стал директором школы, тут же заслужил репутацию ответственного и серьезного руководителя, не пытался перестроить давно налаженный рабочий механизм, не лез в решение внутренних вопросов и перестал вести уроки. Одним словом, немедленно самоустранился от жизни и руководства, чем немедленно вызвал горячие симпатии и мнение о себе, как о человеке тактичном, чутком и грамотном начальнике.

Женился Салий вскоре после окончания института, потому что мать умерла, а заниматься домашним хозяйством Станислав не любил. Жена Вера была тиха, скромна и молчалива настолько, что иногда возникали сомнения в том, что она все еще жива. Она молча готовила обеды, молча стирала рубашки, молча рожала детей, молча и беззаветно любила Салия. Станислав не говорил ей комплиментов, не дарил подарков, вряд ли за всю совместную жизнь они обменялись хотя бы сотней слов, Салий, наверное, даже не любил ее, но был безмерно благодарен за то, что супруга позволяет ему тихо существовать, обеспечивает быт и не трогает его. Иногда при взгляде на Веру сердце Салия охватывала тихая радость, и он был почти счастлив, что не женился на активной девушке, в которую был влюблен в институте. Девушка была весела, энергична и заставляла Салия участвовать в жизни. Это доставляло тому мучительные страдания, и девушку Станислав Викторович оставил.

Казалось, счастье состоялось: директор школы имеет любящую жену, которая подарила ему двух прелестных младенцев, жирного кота и меховые тапочки. Но восхищенное окружение не могло оставить такого достойного человека в тени забвения и приложило все усилия для того, чтобы Салий баллотировался в Мосгордуму от своего округа. Он согласился: было лень сопротивляться. Салий не занимался предвыборной кампанией, не интересовался своими шансами и не ходил на встречи с избирателями, но победил. В его жизни от получения кусочка власти ничего не изменилось, ему по-прежнему было все равно. Окружающие, увидев, что Салий взяток не берет, не обманывает и не ворует, радостно захлопали в ладоши и хором закричали, что Станиславу Викторовичу немедленно нужно подумать о продвижении в Думу государственную. Тут Салию хватило сил запротестовать, но так слабо, что никто не заметил. Ему выбрали наиболее подходящую по позициям и взглядам фракцию, создали необходимый имидж и авторитет, прилепили ярлык неподкупного бессребреника и выпустили в большую жизнь. Больше всего Салий напоминал сома, который, существуя в огромном аквариуме и избегая встречи с другими обитателями пространства, прячется за камнями на самом дне и наблюдает за происходящим оттуда. Питается он только тем кормом, который не сожрали вверху другие рыбы и которому удалось достигнуть дна. Передвигается осторожно, по низу, царапая брюхо об обломки ракушек на дне. В Госдуме неприметность Салия обозвалась скромностью, трусость — обдуманностью, желание устраниться от всяческих событий и происшествий — порядочностью и принципиальностью. Поэтому Станислав Викторович оказался лучшей кандидатурой для выдвижения на пост председателя думской комиссией по выборам. Салию было наплевать на смену должностей и званий, его беспокоило только одно: сможет ли он по-прежнему незаметно спать на заседаниях или пост председателя обязывает к вечному бодрствованию. Выяснилось, что дремать на заседаниях можно и будучи председателем, поэтому последние сомнения отпали. Должность оказалась чисто номинальной, не требовала постоянного принятия решений и позволяла тихонько существовать в своей ракушке. Всю активную деятельность взяли на себя заместители, подсказывали Салию нужные и выгодные кому-то действия и поступки. Станислав Викторович не задумывался о их пользе и не анализировал. По большому счету ему было наплевать на незнакомые ему далекие округа, на выборы в них и на людей, в этих выборах участвовавших. Ему хотелось, прилагая минимум усилий, получать свою зарплату, потому что при абсолютном безразличии ко всему Салий очень любил денежки, так как именно они предоставляли возможность жить спокойно, не беспокоясь о завтрашнем дне и не суетясь. Это обстоятельство и сыграло свою роль, когда представилась возможность эти самые денежки получать в гораздо больших количествах, нежели определено председательским окладом. Однажды заместитель Станислава Викторовича привел к нему странного человека. Он был скромен и неприметен, но в глубине его глаз таилась такая сила и знание, такая уверенность и решимость, что Салию на мгновение стало страшно, но это скоро прошло, победило обычное равнодушие. Станиславу Викторовичу объяснили, что этот человек по имени Дмитрий Балаш — гений. Ни больше ни меньше. И сотрудничая с ним, можно значительно поправить свое материальное состояние, нужно лишь изредка оказывать небольшие услуги.

— Что я должен делать? — спросил Салий.

— Ничего, — был ответ, который немедленно обеспечил согласие Станислава Викторовича, так как при условии ничегонеделания он бы согласился на сотрудничество даже бесплатно. А от него требовалось всего лишь имя, которым можно жонглировать и щеголять перед глазами настырных кандидатов в губернаторы, мэры, депутаты и прочее, прочее, прочее. Все остальное делали помощники и заместители во главе с Балашом. Теперь у Салия была власть, деньги и свободное время. Лишь иногда приходилось участвовать в сложных махинациях партнеров, но неудобства были кратковременные и нечастые. Станислав Викторович не слишком озадачивался нравственным аспектом этих дел. Он не брал на себя труд задумываться о том, насколько порядочно или, напротив, беспринципно он поступает. Салию казалось, что все, что не причиняет неудобств лично ему, должно быть совершенно естественным и нормальным для всех окружающих. Зла, во всяком случае, Салий никому не желал. Поэтому ночи не мучили его бессонницей и приступами совести, а мысли оставались чистыми и незатуманенными.

310

21

За окнами не переставая лил дождь. Молния время от времени рассекала угольное небо. Ветер ожесточенно стучал ветвями черемухи по стеклам. Станислав Викторович любил засыпать под дождь. Самые прекрасные и заманчивые сны снились ему в непогоду, поэтому, загасив камин, Салий собирался было отправиться спать. Но от приготовлений ко сну его отвлек стук в дверь. Салий, кряхтя, поднялся с кресла и пошел открывать, надеясь, что кто-то из близких приехал навестить его. На пороге стояла незнакомая молодая девушка. Волосы ее слиплись от дождя, по щекам темными струйками стекала тушь. Гостья тряслась от холода, руки ее дрожали, глаза с мольбой смотрели на Салия.

— Добрый вечер, — поздоровалась девушка.

— Здравствуйте, — ответил Станислав Викторович. — Кто вы? Откуда взялись в столь поздний час в нашем забытом богом уголке?

— Я ехала к родителям на дачу, — отвечала незнакомка. — Но тут внезапно сломалась машина. Я ничего не понимаю в технике, не могу сама починить ее, и дождь вдруг начался... И ко всему прочему еще и батарейка в телефоне села. Я хотела вызвать эвакуаторов или хотя бы отцу позвонить, чтобы он меня забрал, а оказалось, что я полностью оторвана от внешнего мира, не могу никуда дозвониться. Вот еле-еле доковыляла до вашего дома. Я очень прошу позволить мне позвонить от вас, вы окажете мне неоценимую услугу, если дадите телефон. Я даже с огромным удовольствием заплачу за звонок, только, пожалуйста, позвольте мне связаться с родными, мне очень страшно здесь ночью.

— Конечно, проходите, пожалуйста, — очнулся

Салий. — Телефон в гостиной. Звоните своим родителям, а я пока принесу вам чашку горячего чая, чтобы вы согрелись.

Станислав Викторович радушно распахнул дверь перед незнакомкой, приглашая ее войти. Девушка нерешительно шагнула в дом и замерла на пороге.

— Заходите. Не стесняйтесь, — подбадривал ее хозяин. — Кроме меня, здесь никого нет. Вы можете не волноваться.

— Да я и не волнуюсь, — ответила девушка. — Просто не хотелось бы доставлять вам излишних неудобств. Уже позднее время, вы, должно быть, собирались спать.

— Ну что вы. Я здесь совершенно один и никак не мог заснуть. Очень рад, что кто-то посетил меня. Есть с кем перекинуться парой слов.

— Я к вам не надолго, не беспокойтесь, — успокаивала его гостья. — Спасибо за радушный прием.

Девушка сделала попытку снять ботинки, заляпанные грязью, но Салий запротестовал:

— Ну что вы, оставьте, завтра придет горничная. Проходите так.

Станислав Викторович скрылся в недрах дома. Девушка прошла в гостиную и с интересом осмотрелась. Ее взору предстал довольно вместительный зал с камином, из которого до сих пор слегка тянуло дымом, двумя кожаными креслами, широким диваном, укрытым клетчатым пледом, и небольшим стеклянным столиком.

Салий суетился на кухне, заваривая чай. Он был очень рад случайной гостье, он действительно затосковал на пустой даче в полном одиночестве.

«Какая приятная девушка, — думал Станислав Викторович. — Совсем не похожа на нынешнюю молодежь.

Вежливая, обходительная, порядочная. Сразу видно, что не шалава какая-нибудь. А какая аристократическая внешность, утонченные черты лица, чувствуется порода». — Салий был обворожен.

Он забыл, когда последний раз в жизни какая-либо девушка производила на него такое впечатление. Он пока не знал, как себя вести, но лез из кожи вон, чтобы не то что понравиться, а просто угодить незваной гостье.

Он приготовил крепкий чай, положил в него веточку мяты. Сразу же по кухне разнесся прекрасный аромат свежести. С полочки он достал лимонные дольки к чаю (единственная сладость в доме почти одинокого и безумно ленивого мужчины). «Где-то в погребе еще с прошлого лета оставалось вишневое варенье», — вспомнил Станислав Викторович и почти опрометью бросился вниз по ступенькам. Рядом с банками всевозможных солений он обнаружил глиняный кувшин с настоящим грузинским вином, которое подарили ему коллеги из Грузии в их последний визит в российскую столицу.

«Какая неожиданная радость, — подумал Салий. — Мне сейчас совсем не мешает расслабиться. А вино в компании с прекрасной незнакомкой вполне может способствовать поднятию настроения».

Станислав Викторович, захватив гостинцы, поднялся наверх к своей гостье. Девушка изобразила искреннюю радость на лице.

— Ну что вы, не стоило так беспокоиться, — произнесла она. — Я зашла всего лишь позвонить.

— Даже не возражайте, — перебил незнакомку Салий. — Вам нужно обогреться и подкрепиться, пока за вами не приедут. Давайте познакомимся, я — Станислав Викторович.

— Меня зовут Лиана, — представилась девушка.

— Очень приятно. Я разыскал хорошее вино специально для вас. Давайте выпьем за знакомство.

— Давайте, — не возражала девушка. — Я очень рада, что постучала именно в вашу дверь. Вы такой радушный хозяин.

Салий торопливо разлил вино по бокалам и предложил первый тост:

— Давайте выпьем за приятные неожиданности, время от времени случающиеся в нашей жизни. За случайные встречи и знакомства, которые могут принести несколько приятных минут.

— Не возражаю, — согласилась Лиана. — Хороший тост.

Салий и девушка выпили.

— Ой, какое приятное вино! — восхитилась гостья. — Давайте сразу повторим, чтобы я окончательно согрелась.

— Полностью «за», — подхватил Салий и наполнил чудодейственным напитком стаканы.

— Простите. Мне неудобно вас просить, но не могли бы вы сделать мне кофе, — произнесла девушка. — А то я боюсь, что захмелею до приезда родителей.

— Да, конечно, — отозвался Станислав Викторович. — Я буду через пять минут. Отдыхайте пока.

Салий вышел из гостиной. Девушка достала из сумочки небольшой сверточек из фольги, раскрыла его и высыпала в стакан председателя белый порошок, тщательно перемешала содержимое бокала и поспешно вернулась на свое место. Через мгновение в гостиную вошел Салий с двумя дымящимися чашками кофе.

— Я подумал, вы любите капуччино, — сказал Станислав Викторович.

— Да, вы угадали. Спасибо большое.

— Почему вы в столь поздний час оказались одна на трассе? — спросил девушку Салий.

— У моего отца сегодня именины, и я должна была обязательно приехать к нему. Но меня так поздно отпустили с работы, что я выехала только после десяти часов вечера. Попала в ужасную пробку... А потом... Ну а потом вы все знаете. Вот такой вот подарочек моему дорогому папочке. Теперь, вместо того чтобы сидеть себе спокойно с гостями и отмечать свои именины, он должен ехать на выручку мне, — вздохнула Лиана.

— Н-да, — протянул Станислав Викторович. — Незадача. А где же вы, позвольте узнать, работаете?

— В туристической компании. Сейчас у нас горячий сезон...

— О! Так вот к кому мне теперь можно обращаться, если я захочу поехать куда-нибудь отдохнуть.

— Ой, непременно обращайтесь! Я вам всегда помогу. — Глаза девушки загорелись, видно было, что она занимается своим любимым делом. — Вы теперь мой самый желанный клиент.

— Правда? А если этот клиент пригласит поехать вместе с ним отдохнуть прекрасную служащую туристического агентства?

Боже мой, когда Салий последний раз делал девушкам такие предложения!

Причем ему не было страшно в этот момент от осознания трудностей, с которыми придется столкнуться в сложный период обольщения девушки. Станислав Викторович не задумывался о том, что это лишние пережи- вания и заботы. Его как будто подменили, он чувство- вал в себе массу сил и энергии, был готов свернуть горы, покорить весь мир ради одного взгляда этих прекрас- ных черных глаз. Девушка смотрела на него из-под слег- ка опущенных ресниц и загадочно улыбалась. Салий таял от этого взгляда и безмерно хотел сказать что-ни- будь нежное, ласковое, теплое обладательнице этих чуд- ных неземных глаз. Только все почему-то поплыло в его сознании, предметы вдруг потеряли свои очертания, опора стала уходить из-под ног, стакан с оглушитель- ным звоном упал на пол и разбился вдребезги. Станис- лав Викторович внезапно почувствовал себя дурно, как подкошенный рухнул на диван и отключился. Лиана отставила в сторону стакан с вином, не спеша подня- лась с кресла и подошла к Салию. Взяла его за запяс- тье, профессиональным жестом нащупала пульс, убе- дилась в полной отключке хозяина жилища и вышла на улицу. Там, под резным крыльцом, Лиана разыска- ла канистру с бензином, спрятанную ею до прихода в дом Салия, с трудом извлекла ее из тайника и стала методично обходить строение по периметру, выплески- вая содержимое бака на стены и фундамент здания. Когда с этим было покончено, девушка схватила лом, случайно оказавшийся неподалеку от крыльца, просу- нула его сквозь ручку двери, небрежным жестом доста- ла плоскую прямоугольную зажигалку, извлекла из нее пламя и, не сомневаясь ни секунды, бросила в сторону дома. Тут же показались языки пламени, в считанные минуты они охватили все строение и стали взбираться вверх по деревянным стенам, окрашенным бежевой краской.

Девушка некоторое время наблюдала за пожаром, языки огня отбрасывали блики на лицо Лианы, и от этого оно казалось зловещим. Девушка как зачарованная смотрела на пламя и была не в силах сдвинуться с места. Наконец она усилием воли заставила себя сдвинуться, отвести взгляд, выбежала через открытую калитку, села в машину и исчезла с места происшествия.

Дачный дом Салия горел не больше сорока минут. Немногочисленные соседи, оказавшиеся в будний день на дачных участках, так и не успели проснуться до завершения пожара. Здание выгорело дотла. Только ранним утром сосед дядя Яша, выйдя на крыльцо своего фанерного скворечника, вместо величественных хором председателя увидел зловещее пепелище, икнул от удивления, перекрестился и прогулочным шагом отправился к соседу, чтобы вызвать по телефону милицию.

22

Дмитрий Балаш никогда не стремился к заоблачным высотам. Он вел тихую жизнь неприметного служащего рекламной компании. Придумывал сюжеты для телевизионных роликов, прославляющих мясоперерабатывающие комбинаты, стоматологические клиники, магазины одежды и рестораны быстрого питания. Считался хорошим профессионалом в своем деле и делал качественную рекламу.

Надо сказать, что ролики его пользовались успехом, если так можно говорить о рекламе, которую ненавидит большинство телезрителей во всем мире. А все потому, что изготавливал он их, вкладывая изрядную долю чувства юмора и привлекая к съемкам исключительно молодых и красивых актеров.

Однажды накануне очередных пресловутых выборов в депутаты Государственной думы Балаша посетил его бывший однокурсник.

— Здорово, Димон!

Балаш был обрадован незапланированной встречей, хоть они и не были друзьями не разлей вода. Они не виделись уже больше семи лет. Дмитрий знал, что Николай тоже занимался рекламной деятельностью. Однако деятельность эта была респектабельнее балашовской, поскольку Николай занимался политической рекламой.

— Привет, привет! — Дмитрий радостно ответил приятелю. — Не видно тебя совсем что-то...

— Только не говори, что и не слышно!

— Вот уж нет! Этого не скажу! Наслышан, наслышан о твоей деятельности. И как оно... на депутатов работается?

— Честно?

— Ну... желательно.

— Тошно до жути.

— Чего так?

— Да, — махнул рукой Николай. — Все соки из меня выпили, кровопийцы! То это им не нравится, то другое! А нынешний мой босс — и вовсе дядька привередливый. Мало того что шансов на победу у него маловато, откровенно говоря, практически никаких, так он еще заявил: не нравятся, говорит, мне банальные ходы. Хочу чего-нибудь нового, оригинального, свеженького. А чего тут свеженького придумать, когда все варианты уже испробованы. Вот вам, пожалуйста, господин депутат на хлебных полях хозяйской рукой собирает пшеничные зерна. А вот он же на столичном заводе тачает стратегически важную болванку и прочее, прочее, прочее. Что я еще могу придумать? В космос его послать, что ли, контакты с инопланетянами налаживать? Вот пришел к тебе за советом. Слышал, что ты ролики делаешь оригинальные. Может, подскажешь чего-нибудь, а? Не за красивые глаза, конечно. Если изобретешь что-нибудь толковое, то вознаграждение по полной программе отсчитают. Побольше, наверное, чем ты в своем агентстве «Арс» получаешь. Как ты на это смотришь?

— Не знаю, не знаю, тут поразмыслить нужно, — призадумался Балаш. — Приходи послезавтра. Если придет что-нибудь в голову, мы с тобой это дело обсудим.

— Идет. — Николай пожал руку бывшему однокурснику и отправился восвояси.

Двое суток Дмитрий провел в тяжелых раздумьях. Он просчитал множество вариантов, припомнил тысячи сюжетов для рекламных роликов, перебрал сотни действующих лиц и персонажей. Наконец, его осенило, и он стал с нетерпением ждать новой встречи с Вельяминовым. Тот пришел в назначенный день и с надеждой уставился на Балаша:

— Ну как, придумал что-нибудь? А то этот старый пень мне всю плешь уже проел своим нытьем и угрозами. Выручай, не то попрут с работы. А мне жену кормить нужно и дочку маленькую.

— Ну есть тут кое-что, обговорить нужно. У пня твоего денежки водятся?

— Водятся, еще как. Как тараканы на коммунальной кухне. А что?

— Да вот пришла мне в голову одна идейка. Что, если заключить нам сделку с каким-нибудь центральным каналом? Будем каждый день в обозначенное время показывать твоего депутата, снятого якобы скрытой камерой. Но представить нужно это не как рекламу, а как смелый журналистский ход. Дескать, нашелся тут некий Вася Пупкин, который решил выяснить, чем на самом деле депутаты у себя в кабинетах занимаются, и пришпандорил скрытую камеру. А потом пленочку извлек и показывает на весь белый свет ежедневную деятельность твоего пенька замшелого.

— Слушай, а это идея, — восхитился Вельяминов. — Только если на самом деле этого маразматика в кабинете снимать, то за него не то что голосовать не пойдут, как бы в психушку не отправили.

— Ну, это проблема решаемая, — успокоил приятеля Балаш. — Пригласим актеров, которые будут как бы посетителями. Они станут твоему уродцу на жизнь жаловаться, а он одним движением руки разрешать насущные вопросы. Все просто.

— Димон, ты гений, — поразился Николай. — Я сейчас мчусь в штаб, договариваюсь с боссом, и с понедельника начинаем работать. Идет?

— Идет. Дня за три отснимем роликов на месяц. Хватит вам?

— Хватит. Спасибо за помощь. Не зря мне тебя рекомендовали.

Вельяминов убежал решать тонкости с начальством, а Балаш принялся обзванивать знакомых актеров, готовых выступить в роли посетителей и просителей. Он даже не подозревал, что наступает его звездный час. Цикл сюжетов с депутатом Пискуновым был отснят буквально за двое суток, затем Дмитрий, подняв все свои знакомства, пристроил это творение на один уважаемый канал и даже выбил прайм-тайм для показа, за огромное, разумеется, вознаграждение. Также разыскали журналиста, который представил свое, так сказать, независимое расследование, и механизм завертелся. Миллионы зрителей каждый божий день наблюдали, как Пискунов творит добрые дела, сопереживали просителям, следили за их судьбами и решением проблем. Проблемы, естественно благодаря непосредственному участию депутата, всегда благополучно решались, и не было ничего удивительного в том, что фракция Пискунова прошла в Думу абсолютным большинством голосов. Балаш получил от депутата в благодарность за выполненную работу огромную сумму и рекомендации. После Дмитрий изобрел еще несколько удачных ходов, после чего разнесся слух, что Балаш — гений. Даже больше. Балаш — это что-то вроде талисмана. Если работать с ним, то самая безнадежная ситуация решится. Так его пригласили поработать с неким Станиславом Викторовичем Салием. Кому-то было просто необходимо выдвинуть того на пост председателя думской комиссии по выборам. Дмитрий тогда сильно удивился тому, насколько человек может быть индифферентен ко всему окружающему его. Салия вовсе не вдохновило появления Балаша и возможность скорой победы, он устранился от процесса, но Дмитрий все равно совершил невозможное и протащил-таки Станислава Викторовича на заманчивый пост. Но на этом общение с Салием не закончилось. К тому времени Балаш уже заматерел, почувствовал вкус денег и власти и вовсе не собирался выпускать столь выгодное ремесло из своих рук. Втеревшись в доверие к людям, приближенным к Салию, он предложил свою схему. Все радостно захлопали в ладоши от близкой перспективы получать большие деньги, прилагая минимум усилий. Станислав Викторович тоже равнодушно согласился. Балаш, вдохновленный победой, развернул кипучую деятельность, и вскоре налаженность механизма могла соперничать с часами. Каждые выборы находились желающие расстаться с энным количеством денег ради уверенности в собственной победе.

Сейчас Балаш направлялся к даче Салия, ему было необходимо удостовериться, что все его указания выполнены правильно. Уже подъезжая, он увидел непонятную картину: несколько милицейских машин расположились около ворот председателя, там же ходили какие-то люди, кто в милицейской форме, а кто в гражданской. Балаш остановился и вышел из автомобиля, но не увидел привычно возвышавшийся из-за забора дом Салия.

— Дмитрий! — услышал он.

Из ворот вышел Гордеев. Балаш неуверенной походкой направился к нему навстречу.

— Что вы здесь делаете? — обратился к нему Юрий.

— Да вот... — в замешательстве пожал плечами Балаш. — Я, собственно говоря, собирался навестить Станислава Викторовича, а тут... Что произошло?

— Поджог, — констатировал Гордеев.

— А Станислав Викторович? Он жив?

— К сожалению, он погиб, — произнес Юрий.

Балаш побледнел. Крах успешного предприятия пронесся у него перед глазами.

— Как же так! Как это могло случиться? — не мог поверить он.

— Очень просто. Кто-то запер господина Салия в доме, облил стены бензином и поджег.

— То есть, вы хотите сказать, это убийство?

— Вполне определенно. Дверь снаружи была блокирована ломом. А в нескольких метрах от ограды мы нашли пустую канистру, в которой раньше был бензин.

— Чудовищно, — только и смог вымолвить Балаш.

— Конечно. А для вас особенно, — язвительным тоном произнес Гордеев.

— Что вы имеете в виду? — негодующе воскликнул Балаш.

— Я имею в виду, что без такой персоны, как Салий, все ваши предвыборные махинации гроша ломаного не стоят. Хотя я не сомневаюсь, что с вашей предприимчивостью вы в считанные дни найдете удачную замену несчастному председателю и будете далее продолжать свою «профессиональную деятельность».

— Зачем вы так! — оскорбился Балаш. — Я действительно огорчен. И мне искренне жаль Станислава Викторовича.

— Охотно верю, — ответил на это Юрий. — А теперь, я думаю, нам с вами следует попрощаться. Я должен продолжить свою работу.

Гордеев развернулся и направился к Турецкому, разговаривающему с двумя экспертами. Никто не заметил, как исчез Балаш...

— Ну, что здесь нового? — спросил Юрий.

— Да вот думаю я, что, скорее всего, убийцей была женщина.

— С чего ты взял?

— Посмотри, следы каблуков на мокрой земле, губная помада на окурках, найденных рядом с крыльцом...

— Интересно, она прикурила от полыхающего дома? — задумчиво произнес Гордеев.

— Не удивлюсь. Никогда не понимал женщин, способных на такое. Ведь убивать для женщины противоестественно. Что нужно было пообещать, чтобы она согласилась?

— Ты думаешь, девочка была подослана? Может, какие-нибудь личные связи? Месть, например? — предположил Юрий.

— Вряд ли, — отвечал Турецкий. — Салий был довольно амебистой личностью. Вряд ли он мог вызвать у кого-нибудь такие сильные чувства. А потом, в свете последних событий, мне явственно видится заказное убийство.

— Наверное, ты прав. Но кому же была нужна смерть председателя?

— А это нам и предстоит выяснить, — сказал Александр. — Только не сейчас. Я смертельно устал. Может, сходим куда-нибудь развеяться?

— Знаешь, честно говоря, совершенно не хочется идти в какое-нибудь заведение, где нужно есть ножом и вилкой, нельзя снять ботинки и вытянуть ноги в носках в проход. Хочется, знаешь ли, домашнего уюта. Может, ко мне?

— Опасаюсь. Известно, чем заканчиваются наши с тобой мирные посиделки.

— Да ладно тебе, если один раз перепили слегка и

покрасили твою машину в жирафа, а потом декламировали на всю улицу стихи Гумилева, забравшись на памятник Менделееву, это не значит, что все наши встречи должны заканчиваться подобным образом. Обещаю, что в этот раз все будет чинно. Я даже приглашу серьезного приятеля, который не позволит нам себя непотребно вести, — заверил Александра Гордеев.

— Знаю я твоих приятелей. Последний, кого я видел, устроил стриптиз в центре города под песню про Чебурашку.

— Это Пашка, — смутился Юрий. — У него тогда стресс был. От него жена ушла.

— Не удивительно, — заметил Турецкий. — Тем более если он ей устраивал такие же зажигательные танцы. Ладно, давай звони своему приятелю. Посмотрим, что этот выкинет.

Гордеев достал телефон и набрал знакомый номер.

Плаксиво зазвонил сотовый, да и настроение было какое-то плаксивое. Кравцов поднял трубку.

— Серега, здорово, — раздался знакомый голос Гордеева.

— Привет, — понуро ответил Кравцов.

— Чего такой голос кислый?

— Да так...

— Что, кругом дерьмо, да? — излишне весело воскликнул Гордеев.

— Как ты догадался?

— А у меня такая же фигня. Хотел тебя спросить, не знаешь ничего о Лиде? Я, кажется, немного погорячился, выгнав ее. Хотя она, конечно, сама хороша. Знаешь,

325

такую подлость сделала... Даже вспоминать не хочется. Но вот выгонять, наверно, не стоило...

— Да нет, брат. Ты все правильно сделал, — запротестовал Кравцов. — Ведь она ко мне тут же прибежала, после того как ты ее за дверь выставил, и все рассказала. Наверное, надеялась на мое горячее одобрение.

— Да ну! А ты чего? — изумился Юрий.

— Как ты думаешь? Мне надоели ее постоянные перебежки. Не ты, так я, не я, так еще кто-нибудь. Устроилась, просто супер! Тяжело было, конечно, но пришлось. Мужик я в конце концов или нет?!

— Подожди, так ты ее тоже выгнал?

— Ну!

— Вот черт! Хороши же мы с тобой. Выходит, мы оба дали ей от ворот поворот?

— Выходит... — протянул Сергей.

— Как-то совестно... Жалко ее.

— А мне нет. Хватит, я намучался уже с ней. Она-то не пропадет, это точно. Теперь я в этом уверен на сто процентов. Но знаешь... На душе погано как-то... Все-таки не чужой она мне человек.

— Вот и у меня такая же фигня... Слушай, а приезжай ко мне.

— Напиться и забыться? На это намекаешь? — поинтересовался Кравцов.

— Что-то вроде... Напиться — да. А вот забыться не получится. Со мной еще Турецкий.

— Да? Отличная троица!

— Да, Александр Борисович забыться не даст, будь уверен.

— Ну и прекрасно!

326

— Давай знаешь что, подъезжай к моему дому, — Юрий продиктовал адрес. — И мы с Александром Борисовичем тоже выезжаем. Встретимся у подъезда через сорок минут.

— Хорошо. Увидимся, — ответил Кравцов и уже собирался повесить трубку, но Гордеев вдруг задал один очень существенный вопрос:

— Слушай, а ты это, чего употребляешь?

— Так чего мы с тобой в первую пламенную встречу употребляли, то и будем.

— Наш человек. До встречи.

Через полчаса Кравцов подъехал к гордеевскому подъезду. Он разыскал дом быстрее, чем предполагал, и поэтому появился на месте раньше.

«Что ж, придется подождать в машине», — подумал Кравцов. Дождь барабанил по крыше автомобиля. Кравцов бросил взгляд в сторону входной двери. Там под козырьком подъезда стояла молодая девушка. Она куталась в вязаную кофточку. Ветер развевал ее длинные светлые волосы. Даже издалека Сергей заметил, как она промокла и озябла. Он вышел из машины и подошел к девушке.

— Зачем вы мокнете здесь под дождем?

— Про меня, кажется, забыли, — грустно произнесла та.

— Разве можно забыть про такую красавицу? — поразился Кравцов.

— Тот, кто про меня забыл, еще не знает, что я красавица, — улыбнулась девушка.

— Как это? — не понял Сергей.

— Меня пригласили убраться в квартире. Я работаю в одной фирме, это что-то вроде бюро добрых услуг. Вот приехала, а хозяина нет дома. Уже полчаса его дожидаюсь. Ужасно замерзла.

— Нехороший человек этот хозяин. А вам разве обязательно его ждать?

— Обязательно, — грустно вздохнула девушка. — Это ведь мои деньги. На стипендию сейчас не проживешь.

— Это да. А где вы учитесь?

— В медицинском институте.

— Ясно. Знаете что, негоже будущему светилу медицины мерзнуть под дождем. Пойдемте сядем в мою машину и будем вместе дожидаться этого злостного хозяина-грязнулю, — предложил Кравцов.

— Да нет уж, я лучше здесь постою, — недоверчиво ответила девушка.

Сергей понял, что она опасается садиться к незнакомому человеку в машину, поэтому сказал:

— Ну хотите, я отдам вам ключи и вы пойдете греться в мой автомобиль, а я буду стоять здесь?

— Вот что, — решила девушка. — Вы отдадите мне ключи, и мы вместе пойдем греться.

— Согласен.

Молодые люди сели в машину и продолжили беседу там.

— Давайте наконец познакомимся. Меня зовут Сергей. А вас?

— А я Тамара.

Тамара оказалась приятной собеседницей, и Кравцов не заметил, как пролетело время в ожидании Гордеева. Наконец машина Юрия остановилась возле подъезда, из нее вылез Турецкий, нагруженный пакетами со звенящим содержимым. Следом показался и сам Гордеев.

— А вот и мой друг приехал, — кивнул Сергей.

Юрий уже стучал в стекло его автомобиля. Кравцов приспустил окно и поздоровался.

— Давно ждешь? — поинтересовался Гордеев.

— Не очень.

— Ну что, идем?

— Тут знаешь, проблема какая, — ответил Сергей. — Какой-то зажравшийся буржуй пригласил девушку в квартире убраться, а сам забыл про нее и ушлепал куда-то. Нехорошо ее под дождем оставлять...

— Черт! — хлопнул себя по лбу Гордеев. — Склеротик проклятый!

— Ты чего? Вроде не пили еще, — изумился Кравцов.

— Так ведь это я зажравшийся буржуй. Действительно забыл. Девушка, милая, — обратился Юрий к Тамаре. — Простите меня ради бога. Признаю, я просто скотина. Пойдемте скорее с нами. Мы теперь просто обязаны вас отогреть.

— Ох, хорош гусь! — вступил в разговор Турецкий. — Пойдемте скорее.

Он взял девушку за руку, помог ей выйти из машины и повел к подъезду. Кравцов с Гордеевым ошеломленно смотрели им вслед.

— Хороший у тебя приятель, — произнес Сергей. — Я ее полчаса уговаривал в машину сесть, а он за секунду увел в квартиру.

— Старший следователь — это тебе не хухры-мухры, — ответил Юрий. — Профессиональная подготовка.

— Ты хочешь сказать, что утаскивание молодых девушек в квартиру входит в непосредственные обязанности каждого уважающего себя следователя?

— Ладно, не злобствуй, — усмехнулся Гордеев. — Пойдем скорее.

Вскоре вся компания расположилась на кухне Гордеева за широким столом. Тамара немного стеснялась и все порывалась приступить к своим прямым обязанностям, Юрий почти согласился, но Кравцов так испепеляюще глянул на него, что Гордеев тут же осекся и предложил девушке стакан глинтвейна.

Но Тамара отказалась от угощения и сказала:

— Если уж вы сегодня не настроены на уборку квартиры, может быть, я поеду домой? Мы договоримся с вами на другой день. А то уже поздно, а мне далеко ехать.

— Я отвезу вас, — предложил Сергей. — Не возражаете?

— Будет очень любезно с вашей стороны, — отозвалась Тамара. — Совсем не хочется топать домой под дождем.

— Ну давайте, вы начинайте здесь расслабляться, а я отвезу Тамару и вернусь, — сказал Кравцов.

— Хорошо, только побыстрее там. А то я начну тосковать, — смеялся Гордеев.

— Постараюсь. А ты пока, чтобы не очень скучать, газетку почитай. Мне сегодня из Андреевска прислали. Занятная статейка там на весь разворот, — и Сергей протянул Юрию свежий номер знакомого «Андреевского вестника». — И кстати, на фамилию автора внимание обрати, — добавил Кравцов.

Сергей с Тамарой ушли. Гордеев взял газету и прочитал интригующее заглавие: «Вся правда о нашем губернаторе». Статья содержала материалы Веселовского с ехидными комментариями журналиста. Под текстом значилась фамилия автора — Шпунько.

— Вот те раз... — протянул Юрий. — Зайцев оказался банальной сволочью.

Гордеев сделал вид, что разочарован.

— А ты сомневался? — усмехнулся Турецкий. — Я, например, давно убежден, что в политике порядочные люди встречаются крайне редко. Практически никогда.

— Но мне так все нахваливали этого жука Зайцева. И радетель, и благодетель, широкой души человек, одним словом, — продолжал сокрушаться Гордеев.

— Все они благодетели до той поры, пока власть не получили, — отвечал Турецкий, разливая уже по четвертой рюмке водки.

— Где-то есть истина в твоих словах, — сказал Юрий и выпил, даже не поморщась.

— А я теперь, между прочим, — сказал Турецкий, опрокинув рюмку, — по причине твоего разгильдяйства должен лететь в Андреевск...

— Как так? — удивился Гордеев.

— А так. Указание Меркулова. Должен же кто-то разобраться во всем этом бардаке...

Когда Кравцов вернулся в квартиру Гордеева, он застал весьма странную картину: Турецкий с Юрием, обнявшись, сидели на подоконнике и неторопливо пересчитывали деньги.

— Вот это, — потрясая увесистой пачкой купюр, говорил Гордеев, — отправим в детский дом. А оставшиеся в фонд помощи ветеранам.

— А может, на восстановление храма? — вторил ему Турецкий.

— Мужики, чего, уже «белка» пришла? — поинтересовался Сергей.

— Не мешай, сбиваешь с мысли, — сосредоточенно ответил Юрий.

— С какой мысли? В данный момент ты себе, по-моему, льстишь, — не унимался Кравцов. — Чего у вас происходит тут?

— Да мы тут с Юркой пришли к выводу, что все они твари. Эти, которые у власти. Не нужны нам с Юрием Петровичем их грязные деньги. Пойдем их сейчас лучше в детский дом отправим.

— Ага, я на вашем месте лучше бы их в психушку отослал. Вам же самим там скоро отдыхать придется, позаботились бы о своем будущем, о комфортных условиях.

— Черствый ты человек, Серега, — укоризненно глядя на друга, решил Гордеев. — Нельзя таким быть. Давай, Александр Борисыч, собирайся, деньги повезем.

— Уже готов, — заплетающимся языком ответил Турецкий.

— Готов. Еще как готов, — подтвердил Кравцов. — Вот что, ребятки, пора вам баиньки идти. А завтра проснетесь и повезете свои деньги куда хотите. Или я даже вас сам отвезу. Всегда интересно посмотреть, как люди совершают глупости, — добавил он в сторону.

— Обещаешь? — недоверчиво переспросил Гордеев.

— Обещаю, — клятвенным тоном заверил приятеля Сергей.

— Вот, Александр Борисыч, я тебе говорил, Серега — это человек!

Турецкий ничего не ответил на патетическое восклицание друга, он уже тихонько дремал, положив голову на руки...

Издательская группа АСТ

Издательская группа АСТ, включающая в себя
около **50 издательств** и редакционно-издательских
объединений, предлагает вашему вниманию
более 10 000 названий книг
самых разных видов и жанров.
Мы выпускаем классические произведения
и книги современных авторов.
В наших каталогах — интеллектуальная проза,
детективы, фантастика, любовные романы,
книги для детей и подростков, учебники, справочники,
энциклопедии, альбомы по искусству,
научно-познавательные и прикладные издания,
а также широкий выбор канцтоваров.

В числе наших авторов мировые знаменитости:

Сидни Шелдон, Стивен Кинг, Даниэла Стил, Джудит Макнот, Бертрис Смолл, Джоанна Линдсей, Сандра Браун, создатели российских бестселлеров Борис Акунин, братья Вайнеры, Андрей Воронин, Полина Дашкова, Сергей Лукьяненко, братья Стругацкие, Виктор Суворов, Виктория Токарева, Эдуард Тополь, Владимир Шитов, Марина Юденич, а также любимые детские писатели Самуил Маршак, Сергей Михалков, Григорий Остер, Владимир Сутеев, Корней Чуковский.

Издательская группа АСТ

129085, Москва, Звездный бульвар, д. 21, 7-й этаж
Справки по телефону:
(095) 215-01-01, факс 215-51-10

E-mail: astpub@aha.ru   http://www.ast.ru

**Книги издательской группы АСТ вы сможете заказать
и получить по почте в любом уголке России. Пишите:**

107140, Москва, а/я 140

ВЫСЫЛАЕТСЯ БЕСПЛАТНЫЙ КАТАЛОГ

Книги издательской группы АСТ вы сможете заказать и получить по почте в любом уголке России. Пишите:

107140, Москва, а/я 140

ВЫСЫЛАЕТСЯ БЕСПЛАТНЫЙ КАТАЛОГ

Вы также сможете приобрести книги группы АСТ по низким издательским ценам в наших **фирменных магазинах:**

Москва

- м. «Алтуфьево», Алтуфьевское шоссе, д. 86, к. 1
- м. «Алексеевская», Звездный б-р, д. 21, стр. 1, тел. 232-19-05
- м. «Варшавская», Чонгарский б-р, д. 18а, тел. 119-90-89
- м. «Кузьминки», Волгоградский пр., д. 132, тел. 172-18-97
- м. «Павелецкая», ул. Татарская, д. 14, тел. 959-20-95
- м. «Перово», ул. 2-я Владимирская, д. 52, тел. 306-18-91, 306-18-97
- м. «Пушкинская», «Маяковская», ул. Каретный ряд, д. 5/10, тел. 209-66-01, 299-65-84
- м. «Сокольники», ул. Стромынка, д. 14/1, тел. 268-14-55
- м. «Таганская», «Марксистская», Б. Факельный пер., д. 3, стр. 2, тел. 911-21-07
- м. «Царицыно», ул. Луганская, д. 7, корп. 1, тел. 322-28-22
- ТК «Крокус-Сити», 65—66-й км МКАД, тел. 942-94-25
- ТК «Твой Дом», 23-й км Каширского шоссе
- ТК «Метромаркет», м. «Сокол», 3 этаж
- м. «Крылатское», Осенний б-р, д. 18

Регионы

- г. Архангельск, 103-й квартал, ул. Садовая, д.18, тел. (8182) 65-44-26
- г. Белгород, пр. Б. Хмельницкого, д.132а, тел. (0722) 31-48-39
- г. Калининград, пл. Калинина, д.17-21, тел. (0112) 44-10-95
- г. Краснодар, ул. Красная, д. 29
- г. Рыбинск, ул. Ломоносова, д. 1/Волжская наб., д. 107
- г. Оренбург, ул. Туркестанская, д. 23, тел. (3532) 41-18-05
- г. Череповец, Советский пр., д. 88а, тел. (8202) 53-61-22
- г. Н. Новгород, пл. Горького, д. 1/61, тел. (8312) 33-79-80
- г. Воронеж, ул. Лизюкова, д. 38а, тел. (0732) 13-02-44
- г. Самара, пр. Кирова, д. 301, тел. (8462) 56-49-92
- г. Ростов-на-Дону, пр. Космонавтов, д. 15, тел. (8-86-32) 35-99-00
- г. Новороссийск, сквер Чайковского
- г. Орел, Московское ш., д. 17, тел. (08622) 4-48-67
- г. Тула, пр-т. Ленина, д. 18

Издательская группа АСТ

129085, Москва, Звездный бульвар, д. 21, 7-й этаж
Справки по телефону:
(095) 215-01-01, факс 215-51-10
E-mail: astpub@aha.ru http://www.ast.ru

Авторские права защищены. Все перепечатки данной работы, как полностью, так и частично, категорически запрещены, в том числе запрещены любые формы репродукции данной работы в печатной, звуковой или видеоформе. Любое нарушение закона будет преследоваться в судебном порядке.

Литературно-художественное издание

Незнанский Фридрих
Черный пиар

Редактор *В.Е. Вучетич*
Художественный редактор *О.Н. Адаскина*
Компьютерный дизайн: *И.А. Герцев*
Технический редактор *Н.В. Сидорова*
Корректор *Е.Н. Петрова*

Общероссийский классификатор продукции
ОК-005-93, том 2; 953000 – книги, брошюры

Гигиеническое заключение
№ 77.99.02.953.Д.008286.12.02 от 09.12.2002 г.

ООО «Издательство АСТ»
368560, Республика Дагестан, Каякентский район,
с. Новокаякент, ул. Новая, д. 20
Наши электронные адреса:
WWW.AST.RU
E-mail: astpub@aha.ru

ООО «Агентство «КРПА «Олимп»
Изд. лиц. ЛР № 070190 от 25.10.96.
121151, Москва, а/я 92 E-mail: olimpus@dol. ru

При участии ООО «Харвест». Лицензия ЛВ № 32
от 27.08.2002. РБ, 220013, Минск, ул. Кульман,
д. 1, корп. 3, эт. 4, к. 42.

Открытое акционерное общество
«Полиграфкомбинат имени Я. Коласа».
220600, Минск, ул. Красная, 23.

Незнанский Ф.

Н44 Черный пиар: Роман / Ф. Незнанский. — М.: ООО «Издательство АСТ»: ООО «Агентство «КРПА «Олимп», 2003. —
331, [5] с. — (Господин адвокат).

ISBN 5-17-018257-0 (ООО «Издательство АСТ»)
ISBN 5-7390-1208-2 (ООО «Агентство «КРПА «Олимп»)

Адвокат Юрий Гордеев не хотел браться за это дело... Но странное
стечение обстоятельств, пропажа любимой женщины заставили его
погрузиться в атмосферу предвыборной гонки в одном из областных
центров России. Война компроматов, подлог, запрещенные приемы —
все это сопровождает губернаторские выборы. Один из кандидатов
обвинен в убийстве маленькой девочки. Юрию Гордееву предстоит
оправдать невиновного. Но так ли он невиновен на самом деле?..

УДК 821.161.1-312.4
ББК 84 (2Рос=Рус)6-44